KATHY REI

Née à Chicago, Kathy Reichs est anthropologue et fait partie des quatre-vingt-huit anthropologues judiciaires certifiés par l'American Board of Forensic Anthropology et collabore fréquemment avec le FBI et le Pentagone. Elle s'impose dès son premier roman, *Déjà dead* (1998, récompensé par le prix Ellis), dans lequel apparaît pour la première fois son héroïne Temperance Brennan, également anthropologue judiciaire. Depuis, elle a notamment publié, aux éditions Robert Laffont, *À tombeau ouvert* (2006), *Meurtres à la carte* (2007), *Terreur à Tracadie* (2008), *Les os du diable* (2009), *L'os manquant* (2010), *La trace de l'Araignée* (2011), Substance secrète (2012) et *Perdre le Nord* (2013). Elle a également commencé une nouvelle série de romans, écrite avec son fils Brendan Reichs. *Viral* (Oh! Éditions, 2010), *Crise* (Oh! Éditions, 2011) et *Code* (XO Éditions, 2013), les trois premiers tomes, mettent en scène Victoria Brennan, la nièce de la célèbre Temperance Brennan. Kathy Reichs participe à l'écriture du scénario de Bones, adaptation des aventures de Temperance Brennan pour la télévision, dont elle est aussi productrice.

Suivez Kathy Reichs sur :
www.facebook.com/kathyreichsbooks
www.twitter.com/KathyReichs
www.kathyreichs.com
 LaffontCanada

SUBSTANCE SECRÈTE

DU MÊME AUTEUR
CHEZ POCKET

KATHY REICHS

SUBSTANCE SECRÈTE

Traduit de l'américain par Viviane Mikhalkov

ROBERT LAFFONT

Titre original :
FLASH AND BONES

Publié avec l'accord de Scribner/Simon & Schuster, New York.

© 2011, Temperance Brennan L.P.,
© 2012, Éditions Robert Laffont S.A., Paris,
pour la traduction française
ISBN 978-2-266-24595-1

Pour Declan Rex Reichs,
Né le 1er juillet 2010

Chapitre 1

Quand je repense à cette semaine de courses, la première chose qui me vient à l'esprit, c'est la pluie. Des trombes d'eau, tous les jours ou presque. D'accord, on était au printemps, mais quand même. Des orages pareils, on n'avait jamais vu ça.

En fin de compte, c'est Summer qui m'aura sauvé la vie.

Je sais. Ça fait bizarre.

Voici comment les choses se sont passées.

Les nuages noirs et boursouflés demeuraient suspendus sur nos têtes sans encore déverser leur pluie.

Coup de pot, vu que j'avais passé la matinée à déterrer un cadavre.

Occupation macabre, direz-vous. Ça fait juste partie du boulot. Du mien, en l'espèce, puisque je suis anthropologue judiciaire. Ma tâche consiste à récupérer et analyser les morts les moins ragoûtants, ceux dont la dépouille est calcinée, momifiée, mutilée, démembrée, décomposée, voire réduite à l'état de squelette.

OK. Ma cible aujourd'hui n'était pas vraiment un cadavre. Plutôt des morceaux de corps oubliés.

Pour faire court : l'année dernière, à l'automne, une femme au foyer a disparu de chez elle, dans le comté Cabarrus, en Caroline du Nord. Région rurale, s'il en est. Et voilà que la semaine dernière, alors que je me trouvais à Hawaï pour des vacances à temps partiel, un camionneur a reconnu l'avoir étranglée puis enterrée dans une sablière.

Les flics du coin s'y sont précipités, pelles en mains.

Les os, regroupés dans un carton estampillé «compote de pommes Mott», ont été livrés au service qui m'emploie, à savoir : le Bureau du médecin examinateur du comté de Mecklenburg.

Hier, toute rayonnante encore de mon bronzage hawaïen, j'ai commencé l'analyse. L'inventaire du squelette a fait apparaître qu'il manquait l'os hyoïde, la mâchoire inférieure et toutes les incisives et canines supérieures.

Pas de dents, donc pas d'identification dentaire possible. Pas d'hyoïde, donc pas de preuve de strangulation.

Mon patron, Tim Larabee, médecin examinateur du comté de Mecklenburg, m'a demandé d'aller faire un tour à la sablière.

D'habitude, ça me fout en rogne de devoir réparer les conneries des autres. Aujourd'hui, j'étais plutôt de bonne humeur.

J'ai récupéré sans problème les quelques éléments manquants et les ai fait transporter au MCME de Charlotte, avant de reprendre la route pour rentrer chez moi. Au programme : m'offrir une douche, prendre une bouchée, vu qu'il était déjà deux heures moins dix, et m'accorder un moment d'intimité avec mon chat.

Mon t-shirt trempé de sueur me collait à la peau. Ma queue-de-cheval n'était plus qu'un souvenir. J'avais du sable plein les cheveux et jusque dans mes sous-vêtements. Ce qui ne m'empêchait pas de chantonner *White and Nerdy*, d'Al Yankovich. Pourquoi ? Parce que j'avais regardé une vidéo sur YouTube, et que je ne pouvais plus me sortir cet air de la tête.

Au moment où je débouchais sur l'I-85 en direction du Sud, ma Mazda a été bousculée par une rafale de vent. Pas très rassurée, j'ai jeté un coup d'œil au ciel. Et du pouce, j'ai allumé la radio.

Sur NPR, fin d'une interview de W.S. Merwin, le poète américain, par Terry Gross. Ces deux-là se fichaient bien des conditions atmosphériques dans lesquelles je roulais.

Normal, l'émission était enregistrée à Philadelphie, à huit cents kilomètres de Dixie.

Terry s'est lancé dans un panégyrique du prochain invité, censé accrocher les auditeurs. Son nom ? Incompréhensible.

Bip ! Bip ! Bip !

Bulletin d'alerte du Service de météorologie nationale : plusieurs régions de Caroline du Nord sont concernées, notamment celles situées au pied des montagnes et plus particulièrement les comtés de Mecklenburg, Cabarrus, Anson, Stanly et les Union Counties. D'importants orages sont à prévoir dans l'heure à venir, accompagnés de précipitations allant de trois à neuf centimètres. Risque élevé d'inondation subite. Les conditions atmosphériques actuelles sont favorables à la formation de tornades. Pour plus d'informations, restez branchés sur cette station.

Bip ! Bip ! Bip !

J'ai resserré les doigts autour du volant et accéléré. Cent vingt kilomètres-heure. Risqué dans une zone limitée à 100, mais je voulais être rentrée chez moi avant le déluge.

Un moment plus tard, nouvelle interruption de l'interview. Cette fois, signalée par un *whoop-whoop* étouffé.

Coup d'œil à la radio.

Whoop !

Imbécile que tu es, regarde dans ton rétroviseur !

La police, collée à mon pare-chocs.

Agacée, je me suis arrêtée sur le bas-côté et j'ai baissé ma vitre. Le flic s'est approché, je lui ai tendu mon permis.

— Docteur Temperance Brennan ?

— Vous avez un nom pire que celui-là à me proposer ?

Petite plaisanterie que j'ai assortie d'un sourire censé apaiser le courroux de Jeannot la Loi. Mais qui l'a laissé de marbre.

— Ça ne sera pas nécessaire, a-t-il dit en désignant mon permis.

Je l'ai dévisagé d'un air perplexe. Grand, mince, dans les vingt, trente ans, avec une moustache juvénile qui ne promettait pas d'être plus fournie un jour. R. Warner, proclamait l'insigne sur sa poche-poitrine.

— La police de Concord a reçu du ME de Mecklenburg la demande de vous intercepter et de vous rediriger sur une autre destination.

— Larabee a envoyé les flics à ma recherche ?

— Oui, m'dame. Vous veniez juste de partir du site quand j'y suis arrivé.

— Pourquoi est-ce qu'il ne m'a pas appelée directement ?

— Apparemment, il n'arrivait pas à vous joindre.

Évidemment ! J'avais laissé mon iPhone dans la voiture pendant l'excavation pour éviter que du sable s'infiltre à l'intérieur.

— Très bien. Mon téléphone est dans la boîte à gants, je vais écouter les messages. (À quoi bon inquiéter Warner.)

— Bien, m'dame.

Trois appels en absence, annonçaient les chiffres sur le petit écran. Tous de Larabee. Le premier disait : «Longue histoire, je te raconterai à ton retour. Selon un rapport de la police de Concord, un corps a été trouvé dans la décharge de Morehead Road. Chapel Hill veut qu'on s'en occupe. J'ai les mains dans le sang jusqu'au coude. Puisque tu es dans le secteur, tu veux bien faire un tour là-bas pour voir de quoi il retourne ? Joe Hawkins va faire le détour lui aussi, avec le fourgon. Au cas où il y aurait effectivement quelque chose pour nous.»

Deuxième message identique au premier. Pareil pour le troisième. Juste plus laconique et finissant par : «T'es une championne, Tempe !»

Une championne qui n'avait plus du tout la forme à l'idée d'inspecter une décharge sous une pluie torrentielle.

— M'dame, faudrait vous dépêcher. Ça ne va plus tarder à tomber.

— Je vous suis. (Sur un ton des moins enthousiastes.)

Warner s'en est retourné à sa voiture et s'est faufilé au milieu du trafic à grand renfort de *whoop-whoop*. J'ai enclenché la marche avant en maudissant intérieurement Larabee, Warner et la décharge.

Sur la I-85, circulation exceptionnellement intense pour un jeudi en milieu de journée.

Près de Concord, la rampe de sortie sur le boulevard Bruton Smith était carrément transformée en stationnement.

Le petit détour demandé par Larabee allait virer au cauchemar.

La décharge de Morehead Road jouxte l'arrière du Charlotte Motor Speedway, circuit automobile d'une grande importance dans le déroulement des courses en NASCAR.

Des courses devaient justement s'y tenir ce week-end et le suivant. La presse locale en avait long à dire sur le sujet, et les radios et télés nationales n'étaient pas en reste. Même moi, je savais que les qualifications du lendemain allaient déterminer quels pilotes auraient le bonheur de participer à la course de samedi, l'All-Star Race.

Pour cette semaine de courses, on attendait deux cent mille fans à Charlotte. À en juger par l'océan de 4x4, caravanes, pick-up et berlines, une bonne partie d'entre eux étaient déjà arrivés.

Warner a emprunté le bas-côté et doublé tout le monde. J'ai suivi, sous le regard torve des automobilistes englués dans ce bouchon comme dans du ciment.

Gyrophare en action, nous avons slalomé le long du boulevard Bruton Smith au beau milieu de ce chaos, puis dépassé la piste de course, le circuit en terre et les millions de fastfoods.

Des deux côtés, une foule de gens tatoués en débardeurs avec des bébés, des caisses de bières, des glacières et des radios. À l'abri sous des tentes de fortune, des vendeurs de souvenirs derrière leurs tables pliantes.

Warner a fait le tour du circuit en suivant la géométrie surréaliste de ses boucles, a tourné plusieurs fois et continué tout droit jusqu'à un stop au niveau d'une petite bâtisse qui avait dû être bleue dans une vie antérieure. Au-delà, une série de monticules rappelant étrangement une chaîne de montagnes sur la planète Mars.

Un homme a émergé du bâtiment et remis à Warner un casque jaune et un gilet orange fluo, puis il a désigné une route qui montait, recouverte de gravier.

Des camions nous doublaient dans les deux sens, et le grondement des moteurs de ceux qui escaladaient la colline couvrait tout. Warner a attendu qu'on me remette une tenue de sécurité avant d'entamer l'ascension.

Au sommet, la route était plate. J'ai repéré trois hommes près d'un énorme camion à ordures. Deux d'entre eux portaient des combinaisons. Le troisième, en pantalon noir et chemise noire à manches longues passée sur un t-shirt blanc, n'était autre que Joe Hawkins, ce vieil enquêteur du MCME que j'avais quitté à peine une heure plus tôt, à la sablière. Tous les trois arboraient un gilet et un casque identiques à ceux posés à côté de moi sur le siège du passager.

Warner s'est garé près du camion à ordures. Je me suis rangée à côté de lui.

Les hommes m'ont regardée descendre de voiture, enfiler le gilet et me coiffer du casque.

Fouiller la merde, rien de tel pour agrémenter l'état d'hygiène dans lequel je me trouvais déjà.

— Faudrait qu'on arrête de se retrouver comme ça ! m'a lancé Joe.

— Weaver Molene, a déclaré le plus âgé des deux autres, un gars rougeaud et en sueur, boudiné dans sa combinaison.

Vu les demi-lunes noires sous ses ongles, j'aurais volontiers fait l'impasse sur la poignée de main, mais je ne voulais pas être mal élevée.

— Temperance Brennan.

14

— C'est vous, le coroner ? a-t-il demandé.

— Non, je travaille pour le médecin examinateur.

Molene a présenté son compagnon : Barcelone Jackson, un type très mince et très noir. Et surtout très, très stressé.

— Avec Jackson, on travaille pour la société qui dirige la décharge.

— C'est impressionnant, la quantité de déchets !

— Le site a une capacité de plus de deux millions et demi de mètres cubes, a expliqué Molene en s'épongeant le visage avec un mouchoir quelque peu défraîchi. C'est sacrément étonnant que Jackson soit tombé sur le seul mètre carré qui contienne un cadavre. Mais peut-être qu'y en a d'autres ailleurs. Qui sait, des douzaines encore là-dessous ?

Jusque-là, Jackson avait gardé les yeux baissés sur ses bottes. Aux derniers mots de Molene, il les a relevés brièvement.

— Dites-moi ce que vous avez trouvé, monsieur.

La question s'adressait à Jackson, c'est Molene qui a répondu.

— Vaut probablement mieux qu'on vous montre. Et vite ! (Fourrant son mouchoir dans sa poche.) L'orage se rapproche.

Il est parti à une allure dont je ne l'aurais pas cru capable, étant donné son volume. Jackson a trottiné à sa suite. Je me suis mise dans la file, en regardant bien où je mettais les pieds sur ce terrain inégal. Warner et Hawkins ont fermé la marche.

J'ai déjà procédé à des excavations dans des décharges. L'eau de toilette *Décomposition* n'a plus de secret pour moi. C'est un délicat mélange de méthane et de dioxyde de carbone, relevé d'un soupçon d'ammoniaque, de sulfure d'hydrogène, d'azote et de chlorure d'hydrogène. Sans oublier la pincée de monoxyde de carbone, pour pimenter le tout. Je me suis donc préparée à une puanteur insoutenable. Tout à fait inutilement.

Bravo pour la gestion des odeurs, les gars. Ou peut-être bravo, mère Nature.

Le vent soulevait les déchets et les emportait dans des tourbillons d'un bout à l'autre du paysage, petits cyclones d'emballages en cellophane, de sachets en plastique et de bouts de papier.

Le trajet nous a fait longer toute la partie de la décharge en activité, puis descendre une pente et contourner une série de zones apparemment fermées. Les monticules les plus anciens étaient recouverts d'herbe au sommet.

Marche effectuée au son de plus en plus faible des grondements de camions, remplacés par les vrombissements de plus en plus stridents des voitures de course au moteur bien réglé. Ma déduction ? Le circuit devait se trouver sur notre droite, juste de l'autre côté du monticule.

Au bout de dix minutes, Molene s'est arrêté au pied d'une petite colline à la pointe tronquée et plus ou moins verdissante, en raison de l'herbe rare qui poussait au sommet. Le flanc en face de nous était traversé de sillons et piqueté de creux, comme les dunes du désert ravinées par des éternités de vent.

Molene a dit quelque chose que je n'ai pas compris, concentrée que j'étais sur la stratigraphie livrée à ma vue.

À la différence des roches métamorphiques composées de grès ou de schiste, ce monticule était constitué d'un empilement de Pontiac aplaties, de matelas Posturepedic, de bouteilles de Pepsi et de boîtes écrasées : Pop-Tarts, Pringles, Pampers.

Molene a montré du doigt un cratère au milieu d'une couche marron-vert à deux mètres cinquante au-dessus de nos têtes, puis un objet au pied du monticule, à environ deux mètres de distance. Son explication s'est perdue dans le fracas du tonnerre.

Sans importance. Il était clair que le « macchabée » découvert par Jackson avait chuté de là-haut. Délogé de son emplacement par l'orage de la veille, selon toute évidence.

Je me suis accroupie près du truc en question. Warner et Hawkins, qui s'étaient rapprochés, sont restés debout. Jackson a gardé ses distances.

L'objet de toute notre attention : un tambour d'environ cinquante centimètres de diamètre sur soixante-quinze de hauteur, et son couvercle qui pendait sur le côté.

— On dirait une sorte de barrique en fer, ai-je dit sans relever les yeux. C'est trop rouillé pour qu'on puisse déchiffrer la marque ou un logo.

— Retournez-le, a crié Molene. C'est nous qui l'avons mis comme ça avec Jackson. Pour protéger le contenu.

J'ai essayé. Ça pesait un âne mort.

Hawkins s'est accroupi. En y mettant toutes nos forces, nous avons réussi à redresser le tambour.

À l'intérieur, une masse sombre.

Je me suis penchée. Au milieu de ce noir, une tache pâle en suspension, semblait-il. Difficile de bien voir dans ces ténèbres d'avant l'orage qui effaçaient tous les détails.

J'étais en train de sortir ma torche quand un éclair a strié le ciel.

Dans la brillance subite, une main humaine est apparue. Puis s'est fondue dans le noir.

Chapitre 2

J'ai promené le faisceau de ma lampe au-dessus de ce noir d'encre.

L'inclusion blanche était une main humaine, aucun doute là-dessus.

Le matériau à l'intérieur du baril était dur comme le roc et s'effritait près des bords, là où il avait été exposé à l'air libre. À première vue, de l'asphalte. Quant au baril, il devait avoir une contenance de cent trente litres, à en juger par sa taille.

Trente secondes de discussion pour décider de la suite.

Warner et Jackson allaient rester ici pour monter la garde pendant que les autres retourneraient à l'accueil. Jackson n'a émis aucune protestation, bien qu'on puisse lire dans son regard qu'il aurait préféré se trouver ailleurs.

L'orage a éclaté pendant que je refaisais le chemin en sens inverse en compagnie d'Hawkins et de Molene. Nous sommes arrivés à destination couverts de boue et trempés jusqu'aux os.

Et là, consternation ! Deux véhicules stationnaient sur le chemin de terre à courte distance du bâtiment, moteur au ralenti, essuie-glace à vitesse maximale.

— Merde ! ai-je lâché en reconnaissant le type au volant de la Ford Focus.

— Quoi ? a haleté Molene derrière moi.

— Des journalistes.

— J'ai prévenu personne, je vous jure.

— Ils ont dû repérer l'échange radio entre la police et le ME avec leurs scanners.

— Vous rigolez !

— Meurtre au Speedway, qui dit mieux comme gros titre pendant la semaine des courses ?

J'ai jeté ces mots sans chercher à dissimuler ma rogne.

En nous voyant, les deux conducteurs ont émergé de leur voiture et se sont dirigés vers le poste de contrôle en dérapant dans la boue. Le premier, un type bâti comme un champignon, recroquevillé sous un parapluie ; le deuxième, une femme en ciré, avec des bottes en vinyle rose.

Le garde nous a interrogés des yeux. Des deux mains, Molene a fait signe que non.

Interdit d'accès, le couple n'avait d'autre solution que de brailler pour couvrir le bruit du déluge.

— Depuis combien de temps le corps est là ?

— Est-ce que c'est la petite qui a disparu au bar Carolina ?

— Un lien avec le circuit ?

— Docteur Brennan…

— Est-ce que le ME s'apprête à… ?

On s'est dépêchés d'entrer dans le bureau. La porte a claqué sur Hawkins, Molene et moi-même, coupant net le flot des questions.

— Une chance que ça puisse être la fille de Leonitus ? a demandé Hawkins.

Il faisait référence à une jeune femme qui avait disparu deux ans plus tôt après une nuit de beuverie dans des bars avec des copains.

— Possible. À quand remonte l'ouverture de cette zone, ai-je demandé à Molene.

— Faut que je consulte les archives.

J'ai retiré mon casque et mon gilet et les ai tenus à bout de bras. Pour l'importance que ça avait ! Je dégoulinais autant qu'eux !

— On ne déverse plus rien dans ce secteur depuis 2005. Je dirais que cette couche date de la fin des années 1990, voire peut-être de 2002.

— Alors ce n'est pas Leonitus, a décrété Hawkins.

Ni entière ni en morceaux, ai-je pensé par-devers moi.

Laissant Hawkins et Molene repartir à bord d'un kart pour aller chercher le baril, j'ai appelé Larabee. Comme je m'y attendais, il a dit : on se voit demain.

Je pouvais mettre une croix sur mon câlin au chat.

Une demi-heure plus tard, la découverte de Jackson suait eau et rouille sur un drap en plastique dans le four-gon du MCME. Cinq minutes après, il faisait route pour Charlotte en compagnie des dents et des os récupérés dans la sablière.

Warner, l'officier de police, m'a rouvert la voie jus-qu'à l'autoroute inter-États. À partir de là, à moi de me débrouiller.

Entre le déluge, l'heure de pointe et l'atmosphère élec-trique de la semaine des courses automobiles, les files de voitures s'étiraient jusqu'à Minneapolis. Heureusement que j'allais dans l'autre sens.

Dans le mien, c'est-à-dire d'est en ouest, la circula-tion était loin d'être fluide. Tout en jouant de l'accélé-rateur et du frein, je me suis interrogée sur le corps que nous venions de récupérer.

Un individu entier ? Impossible. Trop gros pour tenir dans un baril de cent trente litres. À moins d'avoir été découpé. Pourvu que non ! Un cadavre démembré, ça voulait dire retourner à la décharge pour y effectuer une fouille systématique.

Et ça, c'était tout sauf attrayant.

Vendredi. Des prévisions météo pires que la veille : temps chaud et poisseux avec des orages encore plus fré-quents dans l'après-midi.

Pour ce que j'en avais à faire ! De toute façon, j'allais être coincée au labo toute la journée.

Rapide petit déjeuner de yaourt et granola, et départ pour le centre-ville.

Uptown, comme disent les gens d'ici.

Le MCME occupe tout un bout d'un parallélépipède en brique qui a démarré dans la vie en tant que jardinerie

Sears. L'autre bout accueille les bureaux satellites de la police de Charlotte-Mecklenburg. Ce bâtiment dénué de tout charme architectural mis à part un léger arrondi des bords est situé à l'angle de College et Tenth Street, à un cheveu de distance de la partie la plus chic d'*uptown*.

Inutile de dire que c'est l'objectif de tous les projets de développement du quartier. Pour l'heure, le MCME tient bon. Pas de relocalisation en vue. Pour moi, c'est génial : à dix minutes de chez moi en voiture.

À huit heures cinq, je me garais sur le petit tentacule qui fait office de stationnement devant l'entrée du MCME, j'attrapais mon sac et je me dirigeais vers les doubles portes en verre du bâtiment. Sur le trottoir d'en face, côté College Street, une demi-douzaine d'hommes poireautaient, assis par terre ou appuyés contre le mur bordant un grand terrain vague. Tous affublés de cet amas incongru de chiffons pouilleux qui est l'uniforme des sans-abri.

Plus loin, une femme noire s'échinait à pousser un panier d'épicerie sur le trottoir inégal, en direction du bâtiment qui abrite les services sociaux du comté. Elle s'est arrêtée pour remonter son haut. Son regard a dévié sur moi. Je lui ai fait bonjour de la main. Elle n'a pas répondu.

Dans le hall, j'ai tapé contre une fenêtre au-dessus du comptoir situé à gauche. Une femme potelée a pivoté sur sa chaise. Chemisier bien repassé, pas un cheveu qui dépasse de sa permanente. Eunice Flowers travaille au MCME depuis les années 1980, c'est-à-dire depuis l'époque où nos bureaux ont quitté le sous-sol des anciens locaux de la police pour intégrer ces lieux. Du lundi au vendredi, elle questionne les visiteurs, accorde sa bénédiction aux uns, fait barrage aux autres. Elle tape aussi les rapports, classe les dossiers et conserve la moindre bribe d'information issue de l'analyse des morts.

Mme Flowers m'a laissée passer avec un large sourire.

— Vous n'avez pas chômé, hier.

— Ça non ! Qui d'autre est là, aujourd'hui ?

— Le Dr Larabee ne va plus tarder. Le Dr Siu donne une conférence à l'université. Le Dr Hartigan est à Chapel Hill.

— Et Joe ?

— Parti récupérer une pauvre âme au fond d'un camion poubelle. Béni soit-il ! On nous promet une autre journée torride. (Sa façon d'étirer les voyelles lui aurait assuré un rôle dans *Autant en emporte le vent*.)

— Le corps découvert hier nous vaut déjà la célébrité ?

— C'est dans *The Observer*, à la section des nouvelles locales. J'ai déjà reçu une demi-douzaine d'appels depuis que je suis arrivée.

La méticulosité de Mme Flowers ne se limite pas à sa personne, elle s'étend à tout ce qui l'entoure. Sur la cloison de son petit bureau, les Post-it sont collés à équidistance les uns des autres, les papiers s'entassent sur sa table en piles bien ordonnées ; stylos, agrafeuse et ciseaux sont remisés à leur place sitôt utilisés. Un ordre pareil, j'en serais bien incapable. Sans que ce soit nécessaire, elle a replacé la photo de son épagneul.

— Vous avez le journal ?

Elle m'a tendu le numéro, déjà replié avec soin après lecture.

— Vous me le rendrez, s'il vous plaît. La réclame Belk donne droit à vingt pour cent de réduction sur le blanc.

— Promis.

— Les demandes de consultation sont sur votre bureau, et je crois que Joe a tout apporté dans la salle qui pue avant de partir.

Nous avons ici deux salles d'autopsie d'une seule table chacune. La plus petite est pourvue d'un système de ventilation spécial pour évacuer les mauvaises odeurs. Celles des cadavres décomposés et des noyés. Les cas dont je m'occupe.

Bien vu, Hawkins. Car, à tout croire, les restes de la décharge risquaient de nous réserver des surprises, contrairement à ceux de la sablière qui seraient plus ou moins sans odeur. Surtout qu'il faudrait les dégager de l'asphalte. Comment ? Je n'en savais rien encore et, selon leur état, ça pouvait ne pas être très ragoûtant.

Laissant derrière moi la grande salle divisée en cubicules réservée aux enquêteurs, je suis allée au fond jeter un coup d'œil au tableau d'affichage. Cinq nouvelles arrivées inscrites au marqueur noir effaçable : un nouveau-né retrouvé mort dans son lit ; un noyé au lac de Mountain Island, rapporté sur le bord par le courant ; une femme matraquée avec une poêle à frire dans sa cuisine, chez elle, dans Sugar Creek Road.

Les os et les dents récupérés à la sablière portaient le numéro MCME 226-11. C'était probablement ceux de cette femme au foyer portée disparue, mais comme on ne pouvait encore l'affirmer en toute certitude, ils avaient reçu un numéro différent. Quant aux restes de la décharge, ils étaient enregistrés sous le matricule MCME 227-11.

Mon bureau se trouve à l'arrière du bâtiment, comme ceux des trois pathologistes. Il est d'une superficie telle qu'il aurait certainement été dévolu au stockage des seaux et serpillières si mon nom n'avait pas figuré sur la liste des employés.

Du seuil, j'ai balancé le journal sur la table. Je me suis ensuite laissée tomber sur ma chaise et j'ai rangé mon sac dans le tiroir. Deux demandes de consultation reposaient sur mon sous-main, toutes deux signées de Tim Larabee.

J'ai commencé par lire l'article de l'*Observer*, en page 3 de la section des nouvelles locales. Six lignes en tout. Signées Earl Byrne, le type à silhouette de champignon que j'avais reconnu dans la Focus.

Mon nom y était mentionné, ainsi que le fait que des restes avaient été découverts dans la décharge de Morehead Road et transportés au MCME. Byrne avait dû voir Hawkins et Molene charger le baril dans le fourgon. Ce détail venant s'ajouter à ce qu'il avait surpris de la conversation des flics à la radio, il avait dû conclure que c'était du solide.

Normal. Qui sait ? Cet écho dans la presse permettrait peut-être d'établir l'identité du défunt.

Avant d'aller me changer au vestiaire, j'ai sorti deux formulaires de la mini-étagère en plastique perchée sur le meuble d'archivage derrière moi, y ai inscrit le numéro des cas et rédigé une courte description des deux ensembles de restes, en précisant dans quelles circonstances ils avaient été retrouvés. Puis, dans ma tenue de chirurgien, je me suis rendue à la salle qui pue.

Les restes de la sablière étaient sur le comptoir, toujours à l'intérieur du sac à scellés marron dans lequel je les avais rangés.

Le baril rapporté de la décharge attendait sur un chariot de la morgue, posé sur son cocon rigide de boue.

J'ai décidé de commencer par la femme au foyer, puisque c'était la première sur la liste.

Ayant préparé l'appareil photo, les étriers, l'écritoire et la loupe, j'ai accessoirisé ma tenue : tablier, masque en papier et gants en latex. Sans atteindre la splendeur de la veste fluo et du casque jaune que j'avais portés hier, ça avait quand même une certaine élégance. À sa façon.

À dix heures et quart, j'en avais terminé avec les radios, mesures et analyses au microscope. Tout indiquait que ces os et ces dents étaient compatibles avec le reste du squelette trouvé à la sablière. Ces conclusions devraient être confirmées par l'analyse dentaire, mais j'étais confiante : les éléments récupérés appartenaient bel et bien à cette femme au foyer portée disparue.

Et elle avait effectivement été assassinée.

L'hyoïde, ce petit os en forme de U situé dans la gorge, présentait des ruptures sur ses deux ailes. Un trauma semblable résulte presque toujours d'une strangulation pratiquée à mains nues.

J'en étais à coucher par écrit mes dernières phrases quand le téléphone a sonné. Appel interne, d'après la cadence des sonneries.

— J'ai un monsieur, ici, qui souhaiterait vous voir. Une Mme Flowers très agitée.

— Joe ne peut pas le recevoir ?

— Il n'est toujours pas rentré.

— J'essaye de me concentrer sur ces cas.

— Le monsieur affirme détenir une information de la plus haute importance.

— Sur quoi ?

— Le corps trouvé à la décharge.

— Je ne suis pas en mesure de débattre de ce sujet.

— Il croit savoir de qui il s'agit, a-t-elle précisé à voix basse, sur un ton plein d'excitation.

— D.B. Cooper a enfin décidé de montrer le bout de son nez ?

Commentaire désagréable, mais que j'avais si souvent entendu.

À l'autre bout du fil, silence pincé en guise de réponse. Puis :

— Docteur Brennan, ce monsieur n'a rien d'un cinglé.

— Qu'est-ce qui vous fait dire ça ?

— Je l'ai vu en photo dans le magazine *People*.

Chapitre 3

Question de génération, d'éducation, d'hormones ?

Aucune idée, mais en présence des porteurs de chromosome Y un tant soit peu séduisants, Mme Flowers rougit et se met à parler en haletant.

— Docteur Brennan, permettez-moi de vous présenter Wayne Gamble.

J'ai relevé les yeux.

Un homme se tenait sur le seuil. Trapu, des yeux bruns, un regard intense, des cheveux blond foncé coupés court et coiffés en arrière. En jeans et chandail polo noir avec le logo Hilderman Motorsports brodé en rouge.

J'ai reposé mon stylo.

Gamble a fait un pas à l'intérieur du bureau. Poignée de main solide, sans démonstration de testostérone.

— Prenez un siège, je vous prie.

J'ai désigné la chaise contre le mur à deux mètres de mon bureau. Lui signifiant par là de rester à distance. Gamble l'a tirée près de la table et s'est assis, les mains à plat sur les genoux.

— Puis-je vous apporter quelque chose ? a lancé Mme Flowers. (Marilyn exprimant ses vœux d'anniversaire au président.) Un verre d'eau ? Un soda ?

— Non, m'dame, a répondu Gamble en secouant la tête.

Comme Mme Flowers demeurait plantée dans le couloir, j'ai lancé gentiment :

— Peut-être vaut-il mieux que vous refermiez la porte.
Elle a obtempéré, le rouge aux joues.

— Que puis-je faire pour vous, monsieur Gamble ?

Il a gardé le silence un long moment, les yeux rivés sur ses mains. À s'interroger sur le bien-fondé de sa visite ? À chercher ses mots ?

Bizarre, cette soudaine réticence chez quelqu'un qui venait spécialement pour me voir. Et sans y être forcé. Pourquoi tant de méfiance ?

— Je suis le mécano de la 59 de Stupak.

Mon incompréhension a dû se voir, car il a enchaîné :

— Sandy Stupak. Les Sprint Cup Series en NASCAR.

— Il court en NASCAR ?

— Ah, pardon. Ouais. Stupak pilote la Chevrolet 59 de l'écurie Hilderman Motorsports. J'appartiens à l'équipe mécano.

— D'où votre photo dans *People*.

Gamble a eu un sourire désabusé.

— Je me suis retrouvé sur plusieurs photos à côté de Sandy, dans un article sur les courses automobiles.

— Vous êtes en ville pour la Coca-Cola 600 ? (Histoire de ne pas paraître la dernière des nulles.)

— Ouais. En fait, j'habite à Kannapolis, plus loin sur la route. Depuis que je suis tout petit. (Nouvelle hésitation. Son malaise était tangible.) Ma sœur Cindi avait deux ans de plus que moi.

Enfin un indice sur le but de cet entretien, grâce au temps du verbe.

— Elle a disparu quand elle était en dernière année du secondaire.

Nouvelle pause. J'ai attendu qu'il reprenne.

— J'ai vu dans le journal que vous aviez découvert un corps dans la décharge. Près du circuit. Je me demande si ça ne serait pas le sien.

— Quand votre sœur a-t-elle disparu ?

— En 1998.

D'après Molene, l'endroit de la décharge d'où avait chuté le baril avec notre inconnu, homme ou femme, était encore en activité à cette époque. Mais ça, je l'ai gardé pour moi.

— Parlez-moi d'elle.

Il a sorti une photo de sa poche et l'a posée sur mon bureau.

— Prise deux semaines avant sa disparition.

Des dents parfaites, une peau impeccable, une santé resplendissante : Cindi Gamble aurait pu faire de la pub sur les bienfaits du yaourt. Des cheveux blonds coupés à la garçonne et des anneaux en argent aux oreilles. Je lui ai rendu la photo.

— Ce sont des voitures, sur ses boucles d'oreille ?

— Cindi conduisait des go-karts depuis l'âge de douze ans. Elle ne jurait que par la NASCAR. Elle s'était hissée jusqu'aux Legends.

Encore une fois j'ai dû avoir l'air perdue, car il a expliqué :

— Des petits monoplaces pour débutants. S'entraîner pour les Legends, ça permet aux enfants de progresser jusqu'à ce qu'ils soient capables de participer à de vraies compétitions sur des circuits courts.

J'ai hoché la tête sans bien comprendre.

Gamble n'y a pas fait attention, concentré qu'il était sur la photo de sa sœur.

— La vie prend parfois un drôle de tour. Quand j'étais à l'école secondaire, je ne m'intéressais qu'au foot et à la bière. Cindi passait son temps avec les toqués de la science, mais elle avait déjà une passion pour les voitures et les moteurs. La NASCAR, c'est elle qui en rêvait, pas moi.

Malgré mon impatience, je l'ai laissé tourner autour du pot à son rythme.

— L'été d'avant sa dernière année d'école, Cindi a commencé à sortir avec un type qui rêvait lui aussi d'être pilote. Cale Lovette… Cindi et Cale. À l'automne, ils ont disparu tous les deux. D'un coup. Partis sans laisser de trace. Personne ne les a jamais revus.

Le regard de Gamble a croisé le mien. Dans ses yeux, j'ai lu la crainte. Et aussi le chagrin ressuscité.

— Les parents sont devenus fous. Ils ont placardé des affiches dans toute la ville. En ont distribué dans les centres commerciaux. Sans résultat. (Gamble s'est essuyé le creux des mains sur son jeans.) Il faut que je sache. Est-ce que ce corps pourrait être celui de ma sœur ?

— Qu'est-ce qui vous fait croire que Cindi serait morte ?

— La police a dit qu'ils avaient quitté la ville ensemble. Je n'arrive pas à le croire. La NASCAR, c'était sa vie, à Cindi. Je veux dire, elle rêvait de devenir pilote automobile. Charlotte, c'est le meilleur endroit pour ça, non ? Pourquoi est-ce qu'elle serait partie ailleurs ? Surtout qu'elle n'est jamais réapparue où que ce soit.

— Il n'y a pas eu d'enquête ?

Gamble a laissé échapper un ricanement de mépris.

— De vagues recherches. Pas longtemps. Les flics étaient persuadés que Cale et Cindi s'étaient enfuis pour se marier. Elle était trop jeune, elle avait besoin de l'autorisation des parents.

— Vous n'y croyez pas ?

Gamble a levé les épaules et les a laissées retomber.

— Je ne sais pas. Cindi ne se confiait pas à moi. Mais c'est sûr que les parents ne lui auraient jamais donné leur accord pour qu'elle épouse Cale.

— Pourquoi ?

— Elle avait dix-sept ans, lui vingt-quatre. Et des fréquentations plutôt brutales.

— Brutales ?

— Des gars genre Suprématie blanche qui détestent les Noirs, les Juifs, les immigrés. Qui détestent le gouvernement. À l'époque, j'ai pensé qu'ils étaient peut-être impliqués dans l'affaire, les copains racistes de Cale. Mais qu'est-ce qu'ils auraient eu contre Cindi ? Je ne sais pas quoi penser.

Gamble a rangé la photo dans sa poche.

— Monsieur Gamble, il est peu probable que la personne que nous avons récupérée soit votre sœur. Je m'apprête seulement à commencer l'analyse. Si vous me laissez un numéro où vous joindre, je vous tiendrai informé dès que j'aurai fini.

Je lui ai tendu un stylo et un papier. Il a gribouillé quelque chose et me les a rendus.

— Au cas où ce serait nécessaire, pourriez-vous m'obtenir les dossiers dentaires de Cindi ?

— Ouais.

— Est-ce que vous accepteriez de fournir un échantillon d'ADN ? Vous ou quelqu'un de votre famille du côté de votre mère.

— Il n'y a plus que moi.

— Et concernant Lovette ?

— Je crois que son père vit toujours dans le coin. Si j'arrive à trouver son numéro, je lui passerai un coup de fil.

Il s'est levé.

Je l'ai imité et lui ai tenu la porte ouverte.

— Je vous présente toutes mes condoléances.

— Je continue à pédaler pour rester dans le peloton de tête.

Sur cet étrange commentaire, il s'est engagé dans le couloir.

Je suis restée un moment sur le pas de la porte à essayer de me rappeler ce que j'aurais pu lire dans le temps sur une Cindi Gamble et un Cale Lovette. Une enfant de dix-sept ans qui disparaît, ça fait forcément les gros titres, au moins une ou deux fois. Pour Angel Leonitus, ça avait été le cas.

Mais là, impossible de me rappeler quoi que ce soit.

J'ai pris la direction de la salle qui pue tout en me promettant de faire une recherche sur cette vieille affaire.

Le baril rapporté de la décharge n'avait pas bougé de là où il se trouvait la veille : sur le chariot. J'en faisais le tour en réfléchissant à différentes solutions pratiques quand Tim Larabee a poussé la porte. En tenue de ville.

Le médecin examinateur en chef du comté de Mecklenburg est un joggeur impénitent. Pas de la catégorie des gentils coureurs de quartier qui font leurs cinq kilomètres par jour autour de chez eux par n'importe quel temps, mais de la catégorie des fanatiques, de ceux qui s'entraînent pour le marathon dans le désert de Gobi. Et ça se voit : un corps tout en tendons et des joues creuses.

— *Oh boy !* s'est-il exclamé.

— Ou une fille, ai-je répliqué. Tu veux y jeter un œil ?

J'ai désigné le côté du baril sans couvercle. Il s'est avancé et a scruté la main.

— Une idée sur ce qu'il y a d'autre à l'intérieur ?

J'ai secoué la tête.

— Impossible de faire des radios à cause du métal et de la densité du matériau.

— Tu imagines quoi ?

— Qu'on a d'abord fait entrer le corps ou des morceaux de corps dans cette barrique et qu'on l'a remplie d'asphalte ensuite. La main étant sur le dessus, elle est devenue visible quand l'asphalte s'est érodé, après que le couvercle s'est détaché.

— Ça me paraît bien petit pour une personne de taille adulte, mais on a déjà vu ça. On a des dates concernant le secteur où cette merveille a été retrouvée ?

— D'après un ouvrier de la décharge, ce secteur n'est plus utilisé depuis 2005.

— Ce n'est donc pas Leonitus.

— Non. Elle est morte plus tard.

— Depuis lundi, on a un autre disparu. Un homme originaire d'Atlanta venu à Charlotte pour les courses automobiles. C'est sa femme qui a signalé sa disparition… Comment tu comptes t'y prendre pour vider ce machin ? a demandé Larabee.

Parce que c'était à moi de le faire ?

Génial !

À défaut d'avoir déjà dégagé des cadavres de l'asphalte, je possédais une petite expérience concernant le ciment. Chaque fois, il y avait un petit vide tout autour du corps, un espace de non-contact dû à la fonte des graisses présentes dans les tissus externes. Il en irait probablement de même ici.

— Ce n'est pas tant le contenant qui me turlupine, c'est l'asphalte. Ça va être compliqué de le découper. Bien sûr, on peut le trancher à la scie en coupes horizontales et verticales jusqu'à ce qu'on arrive au bloc, et après créer des fissures dans la masse avec un marteau à air comprimé.

— Et l'autre solution ?

— Retirer le plus possible d'asphalte et plonger le bloc dans du solvant pour faire fondre le reste.

— Quoi, comme solvant ?

— Acétone ou térébenthine.

Larabee a réfléchi un moment, puis :

— L'asphalte et le ciment, c'est sacrément efficace comme matériau de scellement. Si ça se trouve, on va tomber sur des tissus frais pas trop mal conservés. Par conséquent, il vaut mieux utiliser la première solution. Demande à Joe de t'aider.

— Il est à l'extérieur.

— Il vient de rentrer… Dis donc, tu as eu le temps d'examiner les restes de la sablière ?

— Conformes au reste du squelette.

— Quelle douce musique pour mes oreilles ! (Désignant du menton le baril.) Pour ça, tu me tiens au courant.

J'étais en train de prendre des photos quand Hawkins est entré dans la salle d'autopsie.

Une maigreur cadavérique, des paupières du bas gonflées et cernées, des sourcils en broussaille, des cheveux teints en noir et ramenés en arrière. La copie de Larabee en plus vieux et plus chevelu.

— Comment est-ce qu'on va la détacher, cette ventouse ? a-t-il demandé en tapotant le métal de ses jointures noueuses.

Je lui ai exposé le plan A.

Sans un mot, il est allé chercher les outils nécessaires. Je prenais les derniers plans d'ensemble quand il est revenu, habillé comme moi.

Des lunettes pour tous les deux, histoire de parachever l'uniforme.

Il a inséré une lame dans la scie à main, l'a branchée et a fait vrombir le moteur.

Des gémissements de métal découpant du métal ainsi qu'une odeur âcre d'acier chauffé ont rempli la salle. Des gerbes de rouille ont volé dans les airs et atterri sur le chariot.

Au bout de cinq minutes, Hawkins a reposé sa scie pour attraper des deux mains le morceau découpé et le tirer vers lui en le tordant de toutes ses forces. Le segment s'est détaché.

Re-découpe et re-tirage.

Jusqu'à ce qu'il ne reste plus qu'une grosse masse noire sur le chariot et, par terre, un exosquelette en métal découpé.

Joe a débranché la scie. J'ai remonté mes lunettes sur mon front et me suis avancée d'un pas. Ce «plâtre» noir avait exactement la forme et la taille de l'intérieur du baril. Sur son pourtour, on distinguait des taches fantomatiques, de la même pâleur que les chairs enfermées à la morgue.

La courbure d'une mâchoire? Le bord d'un pied? Impossible à dire.

S'étant emparé du marteau à air comprimé, Hawkins s'est mis à l'œuvre, en travaillant de haut en bas selon mes instructions. À mesure que des fissures se formaient, je dégageais les gros morceaux d'asphalte et les déposais sur le comptoir. À examiner plus tard, l'un après l'autre. J'en prélèverais des échantillons et demanderais à des chimistes de déterminer leur composition élémentaire.

Ça servirait peut-être à quelque chose, peut-être pas. Mieux valait prendre toutes les précautions. On ne sait jamais ce qui peut avoir de l'importance par la suite.

Lentement, le comptoir s'est peuplé de morceaux.

Un gros. Trois. Neuf. Quinze.

Le bloc d'asphalte diminuait, ses contours se modifiaient. Des formes commençaient à se dessiner à la façon d'une silhouette qui émerge du marbre sous les mains du sculpteur.

Le dessus d'une tête. Un coude. L'arrondi d'une hanche.

À mon signal, Joe a déposé son ciseau. Je me suis attaquée au reste d'asphalte en utilisant uniquement des outils manuels.

Quarante minutes plus tard, un corps nu gisait, tout recroquevillé, sur l'acier inoxydable de la table d'autopsie.

Des jambes fléchies, des cuisses serrées contre la poitrine, une tête baissée, le front touchant les genoux. Les pieds pointaient dans des directions opposées, les orteils faisaient des angles impossibles. Un bras retourné en arrière formait un L. L'autre, tendu en l'air, les doigts écartés, semblait lutter pour s'échapper.

À présent, une odeur douce et fétide se répandait dans la pièce.

Pas étonnant : le cadavre, bien que ratatiné et décoloré, était en assez bon état de conservation.

État qui était en train de changer à vitesse grand V.

Chapitre 4

Hawkins s'est penché sur le côté, les yeux plissés pour mieux voir à travers ses lunettes à monture noire — des carreaux qui sont passés à maintes reprises par les stades hyper branché et carrément ringard depuis le jour où il les a achetés.

— Ce type a tout ce qu'il faut en place.

Je suis allée me placer à côté de lui.

— Oui, un homme, pas de doute là-dessus. Et c'est un adulte.

J'ai pris des plans rapprochés de la main dressée en l'air, et j'ai demandé à Hawkins de l'envelopper dans un sachet. Ces doigts, repérés en premier par Jackson, étaient assez décatis, comparé à ceux enfouis plus profondément dans le goudron qui, eux, avaient conservé une bonne partie de leurs tissus mous. Même chose pour les ongles, sous lesquels on arriverait peut-être à découvrir des éléments incriminants.

Laissant Hawkins enfermer ces mains dans des sachets en papier kraft, j'ai rempli un formulaire et réglé l'appareil photo. Prises de vue sous tous les angles, avec l'aide d'Hawkins qui déplaçait le carton d'identification et époussetait les miettes noires de la table.

— Et voilà ! Fin prêt pour doc Larabee.

Les cadavres récents ou relativement intacts sont examinés par les pathologistes. Ce sont eux qui sont chargés de déterminer l'identité du défunt, la cause du décès et le temps écoulé depuis la mort. Pour ce faire, ils extraient du corps viscères et cerveau en pratiquant une incision en Y sur le torse et en retirant le cuir chevelu.

Les anthropologues comme moi-même exécutent les mêmes interventions, mais sur des corps réduits à l'état de squelette ou dont les chairs sont dégradées, voire absentes. Ils étudient les restes, mesurent les os, en font des radios et prélèvent tous les échantillons qui permettront d'effectuer examens au microscope et analyses chimiques ou d'établir la carte ADN de l'individu.

Vu l'état du corps, Hawkins devait se dire qu'une autopsie normale serait possible. J'ai déclaré :

— Voyons d'abord à quoi notre monsieur ressemble, une fois tous ses morceaux rassemblés.

Il a gentiment rapproché le chariot de la table d'autopsie et, à nous deux, nous y avons transféré le MCME 227-11. L'ayant fait rouler sur le dos, je me suis occupée de tirer sur ses chevilles pendant qu'Hawkins lui appuyait sur les jambes. La procédure a pris un certain temps, mais au bout du compte notre inconnu s'est retrouvé bien à plat sur l'acier inoxydable.

Un visage grotesque, des traits tordus par l'action du goudron déversé sur lui sous forme liquide et qui s'était répandu partout, puis qui avait retrouvé son aspect compact pendant qu'il végétait dans la décharge. Un abdomen complètement vert et creux, grâce à l'activité de ces petites enquiquineuses de bactéries anaérobies qui entrent en action depuis leur base d'origine, l'intestin, à l'instant même où le cœur cesse de battre.

D'après l'état de décomposition de l'enveloppe externe, il y avait de grandes chances pour que les organes internes et les cellules grises soient toujours à leur place.

— Je pense que vous avez raison, Joe.

J'ai déplié le bras coincé en arrière dans le dos de l'individu. Les doigts en étaient desséchés et leurs extrémités égratignées par endroits.

— On devrait pouvoir relever ses empreintes. Essayez de le réhydrater.

Ce que je demandais à Hawkins de faire, c'était de mettre le bout des doigts de cet individu à tremper dans de l'eau, puis de les regonfler en leur injectant du liquide d'embaumement et de procéder au relevé des empreintes. Si ça marchait, on obtiendrait des déroulements suffisamment bons pour les comparer avec ceux répertoriés dans les bases de données de l'État et du pays.

Hawkins a acquiescé. J'ai repris :

— Commençons par le mesurer.

Il a placé une toise près du corps. Pendant que je reportais la taille sur mon formulaire, il a ouvert les mâchoires de notre inconnu. Après trente-cinq ans de bons et loyaux services, je n'avais pas besoin de lui indiquer ce qu'il avait à faire.

Le MCME 227-11 n'avait pas été un maniaque de l'hygiène buccale. Pas de plombage ni de restauration, absence de molaire et de prémolaire en haut à gauche. Les trois molaires restantes présentaient des caries assez grandes pour servir de nid à de petits oiseaux. Les dents, côté langue, étaient carrément noires comme le café. J'ai fait remarquer à haute voix :

— Les dents de sagesse sont toutes sorties, mais les premières et deuxièmes molaires présentent très peu d'usure.

— Un type jeune, alors.

J'ai hoché la tête et ajouté à mon profil biologique préliminaire une estimation de l'âge.

Sexe : masculin ; race : blanche ; âge : trente, quarante ans ; taille : un mètre soixante dix-sept. Fumeur.

Peu de chance de retrouver ses dossiers dentaires.

Ce n'était pas lourd, mais, pour un pathologiste, c'était déjà un début.

— Terminez les photos, faites des radios du corps entier ainsi que des dents et remettez-le dans la chambre froide pour le Dr Larabee. On enverra un échantillon d'asphalte au labo de criminologie.

Sur ce, j'ai retiré mon masque, mon tablier et mes gants, et les ai balancés dans la poubelle à déchets biologiques. Puis je suis partie rendre compte de la situation au patron.

Larabee était dans son bureau, en conversation avec un type que je ne connaissais pas. Cheveux poivre et sel, cou de footballeur, veste de sport en cuir fauve, chemise bleue ouverte au col et pas de cravate.

Le voyant occupé, j'ai voulu m'éloigner. Les paroles de Chemise Bleue m'ont fait ralentir. Il s'enquérait du MCME 227-11, l'inconnu que je venais d'examiner avec Hawkins.

— Le corps trouvé dans la décharge pourrait être celui de Ted Raines, qui a disparu au début de la semaine.

— L'homme originaire d'Atlanta ?

— Ouais. Il était à Charlotte pour des rendez-vous d'affaires, mais surtout pour les courses automobiles. Il avait des billets pour l'All-Star de demain soir, la Nationwide et la Coca-Cola 600, qui a lieu le week-end prochain. Lundi, comme prévu, il a rendu visite à ses clients. Depuis, il n'a pas appelé chez lui et ne répond pas sur son cellulaire. Sa femme est aux abois. Elle est persuadée qu'il lui est arrivé malheur.

— Nous n'avons pas encore commencé l'autopsie, a répliqué Larabee, sur le ton de quelqu'un qui veut se débarrasser de son visiteur au plus vite. L'état des restes doit d'abord faire l'objet d'une évaluation par un anthropologue.

Une semelle en caoutchouc a couiné sur le carrelage derrière moi. Je me suis retournée. Hawkins me fixait d'un air réprobateur en voyant très bien de là où il était que la porte de Larabee était entrouverte.

Gênée d'avoir été surprise en train d'écouter aux portes, je lui ai lancé :

— Des parents pointent déjà le bout du nez.

Il a poursuivi son chemin, pas rasséréné pour un sou. Tant pis !

J'ai fait une photocopie de mon formulaire et je l'ai remise à Mme Flowers pour qu'elle l'apporte à Larabee.

Treize heures quarante-huit à ma montre.

Que faire de mon après-midi ? Je travaille au MCME à la demande, et aucun cas ne requérait plus mes services d'anthropologue. J'en avais fini avec les restes de la sablière, quant à l'inconnu de la décharge, il relevait maintenant de Larabee. J'avais donc toute liberté de m'adonner à l'occupation de mon choix.

J'ai opté pour un câlin à mon chat.

Birdie était fâché contre moi. D'abord, je l'avais laissé à un voisin pendant mon séjour à Hawaï et maintenant, à peine rentrée à la maison, je l'avais encore abandonné pour aller fouiller une sablière.

Mais peut-être que c'était seulement le tonnerre qui l'angoissait, parce que ça recommençait à gronder, et il déteste l'orage.

— Viens, montre-toi.

J'ai tapoté sa soucoupe contre le plancher.

— Je t'ai apporté du lo mein de chez Baoding.

Tapi sous le buffet, le chat faisait sa tête de mule.

— Très bien. Je te laisse ça ici. Pour quand tu voudras.

J'ai pris un Coke Diète au réfrigérateur, j'ai versé dans une assiette ce qui restait de nouilles dans le petit carton blanc et je me suis installée à la table de la cuisine. Ayant ouvert mon ordinateur portable, j'ai tapé « Cindi Gamble et Cale Lovette » dans Google.

Résultats sans intérêt pour moi. La plupart des réponses me redirigeaient vers des sites dédiés à Lyle Lovett.

J'ai essayé Cindi Gamble tout seul. Sont apparus des liens vers Facebook et plusieurs histoires à propos d'une femme tuée par un tigre.

Une pause pour réfléchir. Et engloutir plusieurs bouchées de lo mein.

La disparition s'étant produite dans la région, autant chercher dans les journaux du coin.

Archives en ligne du *Charlotte Observer*. 1998.

En date du 27 septembre, un bref article revenant sur la disparition d'une fillette de douze ans, neuf mois plus tôt. Rien sur Cindi Gamble.

Une fourchette de lo mein.

Pourquoi passait-on sous silence la disparition d'une fille de dix-sept ans ?

J'ai passé en revue différents sites dédiés aux personnes disparues ainsi que des listes de noms pouvant correspondre à des corps non identifiés.

Pas l'ombre d'une Cindi Gamble ou d'un Cale Lovette dans le fichier des inconnus.

Je suis passée au réseau des personnes portées disparues en Amérique du Nord.

Rien non plus.

Je tapais «NamUs. gov» quand un long éclair a strié le ciel, accompagné d'un grondement de tonnerre. Une comète blanche a filé de dessous le buffet et disparu dans la salle à manger.

La cuisine est devenue toute noire, une pluie torrentielle s'est abattue. Je me suis levée pour allumer la lumière et vérifier que les fenêtres étaient bien fermées.

Cela ne m'a pas pris longtemps.

J'habite juste à côté du campus de Queens University, dans un ancien manoir du xixe siècle transformé en résidence. Sharon Hall est une petite tranche du Dixie d'autrefois. Brique rouge, colonnes, volets et fronton blancs.

J'y occupe un petit bâtiment de deux étages dénommé «l'Annexe», niché au cœur d'antiques magnolias. Annexe de quoi ? Mystère. Cette bâtisse n'apparaît sur aucun des plans originaux du domaine, contrairement à la grande maison, la remise à calèches et les jardins. Mais pas d'annexe. À l'évidence, elle a été construite après-coup.

Famille et amis ont fait mille suppositions sur sa destination originelle : fumoir, serre, toilettes extérieures, four à pain. Personnellement, je me fiche un peu de l'objectif poursuivi par l'architecte. Ce petit bâtiment d'à peine cent vingt mètres carrés comble tous mes besoins. J'y dispose à l'étage d'une chambre à coucher et d'une salle de bains et, au rez-de-chaussée, d'une cuisine, d'une salle à manger, d'un salon et d'un bureau.

J'ai loué cette maisonnette voilà quelque dix ans, provisoirement, lorsque je me suis retrouvée célibataire. Que ce soit parce que je m'y plais, parce que je suis trop paresseuse ou parce que je manque de motivation, toujours est-il que j'y habite encore aujourd'hui. Pour moi, c'est ma maison.

Les écoutilles étant toutes fermées, je me suis rassise devant mon portable.

Pour rien. Le site NamUs n'avait pas plus d'informations sur Gamble ou Lovette que les autres.

Énervée, j'ai laissé tomber et suis passée à ma messagerie.

Quarante-sept courriels. Le vingt-quatrième m'a attiré l'œil immédiatement.

L'image d'un lieutenant-détective à la Section des crimes contre la personne, Sûreté du Québec, a clignoté dans mon esprit. Andrew Ryan. Grand, dégingandé, blond comme le sable. Des yeux bleus.

Je travaille également comme anthropologue judiciaire pour le Bureau du coroner de la Belle Province. Même accord qu'avec le MCME : je vais au Canada quand ils ont besoin de mes lumières. Ryan est détective à la Sûreté du Québec, section des homicides. Pendant des années, nous avons travaillé de concert, Ryan étant chargé d'enquêter sur le crime lui-même, moi d'analyser les victimes.

Nous nous sommes aussi adonnés à un certain jeu. Ryan est très doué pour ce qui est de jouer. De jouer avec plusieurs partenaires, s'est-il avéré. Ce qui fait que, depuis presque une année maintenant, nous ne sommes plus en couple.

Pour l'heure, son unique enfant, Lily, suit un nouveau programme de désintoxication en Ontario. Lui-même a pris un congé pour être auprès d'elle.

J'ai lu son courriel.

Aussi charmeur et drôle soit-il, en matière de correspondance, M. le Détective n'est pas vraiment Victor Hugo. Il m'annonçait qu'il allait bien, et sa fille aussi ;

que l'appartement qu'il avait loué pour la saison avait une tuyauterie merdique ; qu'il me téléphonerait.

J'ai répondu sur le même ton. Sans tomber dans la nostalgie, sans faire de sentiment, sans rien dire sur moi-même.

Mon message expédié, j'ai senti comme un nœud se former au creux de mon ventre.

Au diable, la prudence !

J'ai appelé Ryan sur son cellulaire. Réponse à la deuxième sonnerie.

— Appelle un plombier.

— Merci de votre suggestion, madame. Je vais y réfléchir très sérieusement.

— Comment va Lily ?

— Qui sait ? (Il a soupiré.) Elle dit des choses sensées, mais elle est maligne. Pour la manipulation, elle est passée maître. Quoi de neuf en Caroline du Nord ?

Tout lui dire ? Pourquoi pas ? Il était flic, il pouvait avoir des idées intéressantes.

Je lui ai donc raconté mes découvertes dans la sablière et à la décharge. J'ai précisé que cette décharge jouxtait le circuit automobile de Charlotte. Et je lui ai rapporté ma conversation avec Wayne Gamble.

— Gamble, c'est le mécano de l'équipe Sandy Stupak ?

— Oui.

— Le pilote des Sprint Cup Series ? a ajouté Ryan en commençant à s'animer un peu.

— Ne me dis pas que tu es fan de NASCAR !

— *Bien sûr, madame**. En fait, pour être tout à fait précis, je suis fan de Jacques Villeneuve. J'ai suivi longtemps les courses de l'Indy Racing League et de Formule 1. Quand Villeneuve est passé à la NASCAR, j'ai suivi le mouvement.

— C'est qui, Jacques Villeneuve ?

---

* Les mots en italique suivis d'un astérisque sont en français dans le texte. (N.d.T.)

— Tu te fiches de moi ? s'est écrié Ryan avec un ébahissement qui n'avait rien de feint.

— Non. J'essaie de voir si toi, tu ne serais pas en train de me raconter des salades.

— En 1995, Jacques Villeneuve a remporté le CART et les 500 miles d'Indianapolis, et en 1997, le championnat du monde de Formule 1. C'est le troisième pilote au monde à avoir accompli cet exploit, après Mario Andretti et Emerson Fittipaldi.

— C'est quoi, le CART ?

— Le Championship Auto Racing Teams, le championnat des écuries automobiles. C'est compliqué, mais c'était le nom de l'institution qui organisait les compétitions de monoplaces de Formule 1, aux courses d'Indianapolis par exemple. Aujourd'hui, ça s'appelle différemment.

— Tu ne parles pas de stock-cars, quand même.

— Pas du tout.

— Là, je vais me lancer dans l'inconnu et supposer que Villeneuve est québécois.

— Né à Saint-Jean-sur-Richelieu, il possède toujours un pied-à-terre à Montréal. Tu connais le circuit, sur l'île Notre-Dame ?

Ryan parlait d'une piste dans le parc Jean-Drapeau, sur une île artificielle, aménagée au milieu du Saint-Laurent. Tous les ans, pendant la semaine du Grand Prix, le vrombissement des moteurs de Formule 1 s'entend jusque dans notre laboratoire, qui est pourtant à bonne distance de l'île Notre-Dame.

— Gilles Villeneuve, le père de Jacques, était lui aussi pilote de Formule 1. Il est mort en 1982 au cours des qualifications pour le Grand Prix de Belgique. Cette même année, ce circuit sur l'île Notre-Dame a été rebaptisé en son honneur. Maintenant, c'est le circuit Gilles-Villeneuve.

— C'est un circuit sur route, hein, pas un ovale ?

— Oui. C'est là qu'a lieu le Grand Prix du Canada de Formule 1. De même que les NASCAR Canadian

Tire Series, les NASCAR Nationwide Series, et plein d'autres événements.

La semaine du Grand Prix à Montréal, c'est comme la Race Week à Charlotte. Les dollars coulent à flot, au grand bonheur des commerçants, des restaurateurs, des hôteliers et des propriétaires de bar.

— Vous m'étonnerez toujours, détective. J'ignorais que vous vous intéressiez aux courses automobiles.

— J'ai des talents cachés, docteur Brennan. Trouvez une banquette arrière et je vous montrerai de ces boucles…

— Tiens-moi au courant, pour Lily, l'ai-je interrompu.

Après avoir raccroché, j'ai effacé douze courriels et ignoré les autres.

J'en étais à imaginer des moyens pour obtenir des renseignements sur la disparition de Cindi Gamble quand mon téléphone a sonné.

— Comment vas-tu, petite culotte en sucre ?

Super. Mon ex-mari. Ou presque, car nous ne nous sommes jamais embêtés à signer les papiers de divorce ou à passer devant le juge, bien que nous soyons séparés depuis plus de dix ans. Curieux, puisque Pete est avocat.

— Ne m'appelle pas comme ça !

— D'accord, ma petite fève. Comment va Birdie le chat ?

— Terrorisé par l'orage. Et Boyd ?

Le chow-chow est généralement la raison pour laquelle mon ex fait résonner sa voix à mon oreille. Si Pete est en voyage et si je suis moi-même à Charlotte, c'est moi qui m'occupe du chien.

— Il n'apprécie pas le climat de discorde qui règne à Washington.

— Il veut faire un petit séjour chez moi ?

— Non. Tout va bien.

Il y a quelques mois, mon Pete, qui frôle la cinquantaine, a décidé de passer la bague au doigt à une Summer de vingt et quelques années, dotée de charmes nécessitant l'emploi de bonnets D. Moyennant quoi, il se retrouve aujourd'hui à devoir obtenir un certificat de célibat légal et officiel. Ces derniers temps, c'est la deuxième raison pour laquelle il m'appelle.

— Je n'ai toujours pas reçu les papiers de ton avocat. Il faut que tu…

— Ce n'est pas pour ça que je te téléphone.

Je connais Janis Petersons comme ma poche. Pas étonnant, après vingt ans de vie commune. Je pouvais donc dire sans me tromper qu'il était un brin stressé.

J'ai attendu la suite.

— Je voudrais te demander un service.

— Ouais ?

— Ça concerne Summer.

Signal d'alarme dans mon cerveau.

— Je voudrais que tu lui parles.

— Je ne la connais pour ainsi dire pas, Pete.

— C'est probablement l'idée de se marier, rien d'autre, mais elle a l'air… (Visiblement, M. Petersons à la langue d'argent était pour une fois à court d'adjectifs.)… malheureux.

— C'est stressant d'organiser un mariage. (Juste. Mais si on faisait passer des auditions à Charlotte pour découvrir l'incarnation de Bridezilla, Summer serait certaine d'être retenue.)

— Est-ce que tu pourrais tâter le terrain, voir de quoi il retourne ?

— Summer et moi…

— C'est important pour moi, Tempe.

— Bon, je lui passerai un coup de fil.

— Ce serait mieux que tu l'invites chez toi. Tu sais, à boire un verre entre filles, tu vois ce que je veux dire.

— Ouais.

J'ai fait de mon mieux pour dissimuler l'horreur que cette idée soulevait en moi et, aussi, l'agacement de voir que Pete avait complètement oublié que j'avais cessé de faire sauter les bouchons depuis des lustres.

— Qui sait, Boucle d'or ? Peut-être que tu l'aimeras bien ! (Une petite voix joyeuse qui trahissait son soulagement.)

À dire vrai, j'aurais préféré me taper une crise d'hémorroïdes plutôt que de perdre deux heures à bavarder avec la nunuche qu'il s'était choisie pour fiancée.

Chapitre 5

En ouvrant les yeux sur des fenêtres tapissées de feuilles et de pétales de magnolia, j'ai compris que l'orage d'hier n'avait été qu'une petite gerbe d'eau au royaume des fées, comparé à celui de cette nuit.

Chet Baker résonnait à mes oreilles.

J'ai déplacé le chat sur ma gauche et attrapé mon iPhone. D'un œil encore endormi, j'ai réussi à déchiffrer le nom : Larabee. J'ai pris la communication.

— Allô ! (Sur le ton de la fille qui se prétend réveillée.)

— Tu dormais ?

— Pas du tout. Quoi de neuf ?

— On n'a pas réussi à se parler hier.

— J'avais des courses à faire.

— Il y a un type qui est venu me voir. Il se demande si l'inconnu de la décharge ne serait pas ce Ted Raines dont on est sans nouvelles depuis le début de la semaine.

Je me suis remontée dans mon lit et j'ai fourré un oreiller sous ma tête. Birdie a étiré ses quatre pattes l'une après l'autre, les doigts bien écartés.

— Je doute très sérieusement que ce baril ait atterri dans la décharge au cours de la semaine écoulée. Qui c'est, ce Raines, d'abord ?

— Un type de trente-deux ans, blanc, marié, un enfant, qui vit à Atlanta et travaille au CDC.

Traduire : Center for Disease Control and Prevention, c'est-à-dire l'Institut de veille sanitaire.

— Sa taille ?

— Un mètre soixante-douze.

Les hommes ont tendance à se dire plus grands qu'ils ne le sont en réalité. Quant aux mesures prises sur les cadavres, elles sont souvent imprécises. Par conséquent, les deux ou trois centimètres de différence ne voulaient rien dire. Raines correspondait effectivement à mon profil, et Larabee le savait. Pour m'appeler ce matin, il avait forcément une idée derrière la tête. Laquelle ?

— Mme Flowers ne t'a pas remis mes résultats préliminaires ?

— Si, mais je voudrais entendre ton point de vue.

— Si je me fonde sur ce que tu me dis, je ne peux exclure aucune piste sur la base des caractéristiques physiques.

Birdie s'est roulé en une boule toute petite.

— Et pour le TEM, ça colle ?

Comprendre : le temps écoulé depuis la mort. Larabee voulait savoir si cette donnée correspondait aussi.

— Tout ce que je sais, c'est que le baril a chuté d'un secteur de la décharge qui n'est plus en activité depuis les années 1990, à en croire Molene, et que ce baril est un vieux machin rouillé. En dehors de ça, je n'ai rien. Le corps peut aussi bien avoir été fourré là-dedans depuis un mois que depuis dix ans. Toutefois je doute que ça remonte à moins d'une semaine.

— Ton petit doigt te souffle quelque chose ?

— Tu avais raison pour l'asphalte. Ça n'a pas seulement créé une poche hermétique autour du corps, ça a aussi tenu les prédateurs à l'écart, de sorte que la victime est en très bonne forme. Contrairement au baril, qui, lui, n'a plus forme humaine, si je peux me permettre. Vu son état actuel et l'endroit où il se trouvait, j'aurais tendance à penser que le gars à l'intérieur y est enfoui depuis un bon bout de temps.

— Il avait des choses sur lui ? N'importe quoi… vêtements, effets personnels, numéro de sécurité sociale peut-être ?

— Rien.

— Je suppose que je peux barrer la mort naturelle.

— Hawkins a réussi à dérouler les empreintes ?

— Sur six doigts. Je les enverrai à l'AFIS. (La base de données nationale des empreintes digitales.)

— L'épouse de Raines est d'accord pour fournir ses dossiers dentaires ?

— Je ne lui ai pas encore posé la question. Je préférais attendre d'en savoir plus.

— Est-ce qu'il fumait ?

— Je me renseignerai.

— Tu comptes pratiquer l'autopsie ce matin ?

— Sitôt que j'aurai raccroché.

Me rappelant l'homme que j'avais aperçu dans son bureau, j'ai demandé :

— C'était qui, le type qui est venu te voir hier ? Un parent ?

— Le gars avec des bras gros comme des caissons étanches ?

— Ouais.

— Ce n'est pas quelqu'un de la famille, c'est le chef de la sécurité du circuit, Cotton Galimore.

Cela m'a étonnée.

— C'est quoi, son intérêt dans l'affaire, à ce Galimore ?

— Le contrôle des incidents.

— Je sens que tu vas m'expliquer ça.

— Ben, réfléchis ! D'un côté, on a un gars qui dit à sa femme qu'il va aux courses et qui disparaît ; de l'autre, on a un inconnu qui fait surface à un jet de salive de l'endroit où deux cent mille fans poseront bientôt leurs fesses.

— Les organisateurs de la NASCAR tiennent à éviter les sources de distraction. Surtout si la distraction en question risque de nuire à son image.

— NASCAR, circuit automobile ou chambre de commerce, pour tout le monde, c'est le même combat. Je ne sais pas qui de ces trois entités donne le ton. Mais s'il y a une seule chance pour que Raines ait trouvé la mort pendant la Race Week, tu peux être certaine qu'elles tiennent toutes autant à ce que la situation se règle dans la plus grande discrétion. Galimore a été envoyé aux renseignements.

Birdie s'est levé. Il a fait le gros dos et a commencé à me donner des petits coups de tête au menton. Signal reçu.

— Faut que j'y aille.

— Une dernière chose.

Un bruissement de papier m'est parvenu.

— Un certain Wayne Gamble t'a laissé quatre messages.

— Qui disaient… ?

— «Je dois parler au Dr Brennan de toute urgence.» C'est qui, ce type ?

— Un gars qui travaille sur le stand de Sandy Stupak.

J'ai résumé à Larabee ce que Gamble m'avait dit de sa sœur et de Cale Lovette. Il a laissé passer un temps avant de demander :

— La différence d'âge te paraît trop grande pour que notre inconnu puisse être Lovette ?

— Oui. Mais je ne peux pas écarter cette possibilité.

— Passe-lui un coup de fil, a dit Larabee, sinon je vais être obligé d'acheter un tuyau d'arrosage pour rafraîchir Mme Flowers.

J'ai noté le numéro qu'il me dictait.

— Surtout, tu m'appelles si tu as besoin de moi, lui ai-je dit sur mon ton le plus hypocrite.

— Je vais découper un peu notre inconnu, histoire de voir ce qu'il a dans le ventre.

La conversation terminée, j'ai enfilé un jean et un t-shirt avant de descendre au rez-de-chaussée, Birdie sur les talons.

Laissant Mr. Coffee s'activer et le chat faire crisser ses croquettes, je suis allée chercher le journal déposé par le livreur sur le perron de la cuisine. L'*Observer* lui-même n'en avait que pour la Race Week. Les photos de Richard Petty, Junior Johnson et Dale Earnhardt s'étalaient en première page. Tous candidats pour entrer au

Temple de la renommée. En couleurs, s'il vous plaît, et au-dessus de la pliure !

Point d'information : ma ville est la Mecque des fans de la NASCAR.

Pourquoi Charlotte, demanderez-vous ?

En Caroline du Nord, au temps de la prohibition, les distilleurs clandestins utilisaient des voitures d'aspect tout à fait innocent pour livrer l'alcool de contrebande qu'ils fabriquaient dans les Appalaches. Les chauffeurs prenaient grand plaisir à conduire comme des fous sur ces routes en lacets. De là est née l'habitude de faire la course, pour rigoler.

Et pour semer les flics. Ils ont donc modifié leurs véhicules afin de les rendre plus rapides et maniables.

Si la fin de la prohibition a mis un terme au besoin d'alcool clandestin, elle a révélé que les gens du Sud avaient un goût certain pour les sensations fortes. Ceux qui continuaient à faire la course le faisaient maintenant pour échapper aux contrôleurs du fisc.

D'où ces véhicules bricolés.

Ces moteurs gonflés.

Et ces courses organisées partout.

Dans les années 1940, les pistes pullulaient d'un bout à l'autre de Dixie. Dans des endroits comme le comté de Wilkes, en Caroline du Nord, les courses de stock-cars faisaient fureur.

Mais les choses étaient organisées n'importe comment. Les compétitions ne se tenaient pas à des dates précises et les passionnés ne savaient jamais lequel de leur pilote préféré prendrait part à la course. Les véhicules et les circuits n'étaient pas soumis à des règles de sécurité et, chez certains organisateurs, l'honnêteté laissait à désirer.

Ce n'était pas la bonne façon de monter des événements sportifs. En 1948, un certain Bill France Sr., lui-même pilote et organisateur de courses, fonda une association nationale dédiée aux courses de voitures de série, la NASCAR.

Son idée était simple : la NASCAR allait lancer des courses automobiles en séries, un peu comme les ligues de basketball ou les conférences pour le football américain. Dans chaque série, un groupe de pilotes participerait à un certain nombre d'événements régis par des règles communes et un champion serait désigné à la fin de chaque saison sur la base d'un système de notation unique.

Du chaos naissait l'ordre.

De nos jours, la NASCAR supervise la Sprint Cup, les Nationwide Series et les Camping World Truck Series. Dans le lot, il y a aussi des compétitions pour voitures de tourisme, mais j'ignore leur nom.

La première course NASCAR s'est tenue en 1948, à Daytona Beach, en Floride, sur une piste où les deux lignes droites étaient la plage de sable et une étroite grand-route bitumée. Elle a réuni quatorze mille spectateurs.

À l'origine, les meilleures courses de la NASCAR réservées aux voitures de série avaient pour nom les Strictly Stock Car Series. Peu après, et pour une durée de vingt ans, elles se sont appelées les Grand National Series. Pendant les trente et quelques années suivantes, elles ont été connues sous le nom de Winston Cup Series. De 2004 à 2007, le nom de Nextel Cup Series s'est imposé. Depuis lors, on dit les Sprint Cup Series. En 2007, près de 250 millions de spectateurs ont suivi à la télé les événements de la Sprint Cup, chiffre qui fait des courses en NASCAR l'événement sportif préféré des Américains après la NFL.

Un grand nombre de participants se sont établis à Charlotte.

En mai 2010, la NASCAR a ouvert son Temple de la renommée, le Hall of Fame, à quelques kilomètres seulement de ma cuisine. Cette galerie, qui a coûté deux cents millions de dollars à notre ville, a accueilli dix mille visiteurs au cours de sa première semaine d'existence.

Tout ça, parce que les Américains aiment l'alcool et la bagnole.

Je pourrais citer plusieurs pilotes : Jimmie Johnson, Jeff Gordon, et même quelques vieux de la vieille : Richard Petty, Junior Johnson. Je sais qu'ils sont une flopée à vivre dans mon quartier ou tout à côté. Mais là s'arrêtent mes connaissances sur la NASCAR.

En temps ordinaire, j'aurais oublié la folie de la Race Week pour m'intéresser aux finales de basket de la NBA. Mais notre inconnu de la décharge m'a fait tourner les pages du journal jusqu'à la section des courses automobiles.

Aujourd'hui, le circuit automobile de Charlotte accueillait un barbecue géant.

Ce soir, d'autres événements allaient se dérouler en marge de l'All-Star Race — des événements qui, pour moi, s'auréolaient du plus grand mystère.

J'ai passé au crible la une du journal et les pages locales sans y trouver la moindre mention de Raines ou de l'inconnu de la décharge.

J'ai grignoté des Corn Flakes et donné le reste à Birdie. J'ai emporté tasse et soucoupe dans l'évier et je les ai rincées avant de les ranger au lave-vaisselle. J'ai essuyé la table. Arrosé les petits cactus du rebord de fenêtre.

Dix heures huit, indiquait la pendule.

En panne d'excuses, je me suis résolue à décrocher mon téléphone pour appeler Summer.

— Bonjour. Je suis le répondeur de Summer. Veuillez me laisser votre nom. Summer sera enchantée de vous rappeler, j'en suis convaincue.

Roulant des yeux jusqu'au plafond, j'ai raccroché et composé le numéro que m'avait donné Larabee.

Wayne Gamble a répondu à la première sonnerie.

— Le Dr Brennan à l'appareil.

— Quelles nouvelles ?

En arrière-fond, des hurlements de moteurs et la voix électronique qui annonce les courses.

— Le Dr Larabee doit pratiquer l'autopsie ce matin. Mais je peux déjà vous dire que la victime découverte dans la décharge est un homme.

— Je suis suivi.

— Pardon ?

J'avais dû mal entendre. Gamble avait parlé tout bas et d'une voix hachée.

— Ne coupez pas ! a jeté Gamble.

J'ai attendu.

— Je suis suivi, a-t-il repris depuis un environnement sonore moins bruyant. Et je suis presque sûr qu'on a forcé l'entrée de service de chez moi, la nuit dernière.

— Monsieur Gamble, je comprends votre anxiété…

— C'est déjà arrivé à l'époque. À mes parents, je veux dire. Il y avait souvent des types qui rôdaient devant chez nous, de drôles de voitures qui stationnaient dans la rue et qui nous suivaient où que nous allions.

— Vous voulez dire : quand votre sœur a disparu ?

— Oui.

— Vos parents ont porté plainte ?

— Oui, à la police de Kannapolis et au shérif du comté de Cabarrus. Au FBI aussi. Peut-être même à la police de Charlotte, parce que les flics du coin lui avaient demandé de l'aide. Personne ne les a pris au sérieux. Tout le monde disait qu'ils étaient paranoïaques.

— Pourquoi le FBI ?

— Il avait participé aux recherches.

— Pourquoi ?

— On était dans les années 1990, et Lovette fricotait avec des cinglés d'extrême droite.

Il m'a fallu un moment pour comprendre.

1995 : l'année où Timothy McVeigh avait fait sauter l'édifice d'Oklahoma City, l'Alfred P. Murrah Federal Building. 1996 : la bombe aux Jeux olympiques d'Atlanta. 1997 : la clinique gynécologique de Géorgie prise pour cible par des groupuscules antiavortement. La même année, les bombes découvertes dans un bar lesbien d'Atlanta, à l'Otherside Lounge. 1998 : une autre clinique visée. À Birmingham, en Alabama.

Oui, à l'époque où Gamble et Lovette avaient disparu, les actes de terrorisme intérieur défrayaient la chronique.

Le FBI était sur les dents. Normal qu'il s'intéresse à l'affaire, puisque Lovette était connu pour ses accointances avec des mouvements extrémistes antigouvernementaux.

— Je regrette, mais je ne vois aucun rapport entre votre sœur et la victime de la décharge. Comme je vous l'ai dit, mes premiers résultats font apparaître un individu de sexe masculin et d'un âge nettement supérieur à vingt-quatre ans.

— Alors, pourquoi j'ai un connard aux trousses ? s'est écrié Gamble avec fureur.

— Calmez-vous, monsieur Gamble.

— Excusez-moi. Je ne me sens pas bien du tout. La grippe, probablement. Ça tombe vraiment mal.

— Si vous voulez rouvrir l'enquête sur la disparition de votre sœur, vous devriez contacter le département des affaires classées, à la police de Charlotte-Mecklenburg.

— Ils admettront avoir couvert des choses en 1998 ?

— Qu'est-ce que vous voulez dire ?

— Un groupe de recherches a été constitué. Ils ont fait un de ces tapages à propos de leur travail, pour ensuite tout fourrer sous le tapis.

— Je ne suis qu'anthropologue judiciaire, monsieur Gamble. Je ne vois pas bien comment je pourrais vous aider.

— De toute façon, je n'en attendais pas plus de vous. (Un ton où la colère le disputait au mépris.) Cindi, on s'en est bien foutu à l'époque, ce n'était pas l'attachée parlementaire d'un député au Congrès ou la fille d'un magnat. Pourquoi est-ce qu'on s'occuperait d'elle maintenant ?

Ma première réaction ? Le ressentiment. J'allais lui répondre vertement quand j'ai pensé à ma fille. Katy est à peine plus âgée que Cindi. Comment est-ce que j'aurais réagi si elle avait disparu ? Ça ne devrait pas me prendre tellement de temps de creuser un peu cette histoire.

— Je ne peux rien vous promettre, monsieur Gamble, mais je vais essayer de me renseigner. (Attrapant un stylo et un papier.) Dites-moi, comment s'appelait celui qui dirigeait le groupe de recherches ?

Sa réponse m'a laissée pantoise.

Chapitre 6

Cotton Galimore. L'homme qui était venu voir Larabee. Le chef de la sécurité du circuit de Charlotte.

— Quelqu'un d'autre ?

— Il y avait aussi un détective… Rinaldo ou quelque chose comme ça.

— Rinaldi ?

— Oui.

De l'eau avait coulé sous les ponts. Pourtant j'ai senti une main glacée me broyer les entrailles. J'avais travaillé avec Eddie Rinaldi sur un bon nombre d'affaires. Il avait passé la plus grande partie de sa carrière à l'unité d'investigation criminelle de la police de Charlotte-Mecklenburg. Brigade des homicides. Meurtres en tous genres. Jusqu'à ce qu'il soit abattu sous mes yeux par un maniaco-dépressif qui avait cessé de prendre ses médicaments.

— Il avait l'air d'un type bien, ce Rinaldi. Vous allez le contacter ?

La voix de Gamble m'a ramenée au moment présent.

— Je vais voir ce que je peux faire.

Sur un merci, il a raccroché.

Je suis restée à fixer ma page blanche.

Pendant des années, Rinaldi avait eu pour coéquipier un gars du nom d'Erskine Slidell, surnommé Skinny. Curieux que ce ne soit pas lui qui ait travaillé avec Galimore à l'automne 1998…

Qui appeler ? Slidell ? Galimore ?

Slidell était un bon policier, mais il me tapait sur les nerfs.

D'un autre côté, quelque chose me disait de me méfier de Galimore.

J'ai vérifié le numéro de Slidell dans mon répertoire.

— C'est Temperance Brennan.

— Comment va, doc ? Z'avez dégoté un nouveau macchabée ?

Slidell se prend pour Dirty Harry transplanté à Charlotte. Le parler flic à la sauce Hollywood fait partie intégrante de son personnage.

— Pas ce coup-ci. Si vous n'avez rien contre, j'aimerais bien vous titiller un peu les méninges. Juste une minute.

Une minute ? J'étais trop bonne. Une seconde suffisait amplement pour fouiller de long en large la totalité de son néocortex.

— Le temps que vous voudrez, c'est vous qui payez ! a dit Skinny, de la bave plein la bouche.

Il devait être en train de mastiquer quelque chose, selon sa bonne habitude.

— Je m'intéresse à deux personnes qui ont disparu en 1998. C'est Eddie qui s'est occupé de l'affaire.

Longue pause dans un silence total, plus aucun bruit de déglutition. Slidell avait les boyaux tourneboulés, comme moi tout à l'heure.

— Allô ?

— À l'automne 98, j'étais en déplacement. En stage à Quantico.

— Eddie a fait équipe avec quelqu'un d'autre pendant votre absence ?

— Cotton Galimore, un trou de cul de la pire espèce. Cotton, tu parles d'un nom !

Du Skinny tout craché. Il faut toujours qu'il exprime tout haut ce qui lui passe par la tête. Je n'ai pas embrayé sur ce terrain.

— Aujourd'hui, il est chef de la sécurité, au circuit de Charlotte.

Slidell a réagi par un bruit que je n'ai pas su traduire.
J'ai insisté :

— Pourquoi a-t-il quitté la police ?

— L'était devenu trop copain avec Jimmy Beam.

— Il boit ?

— En tout cas, c'est pour ça qu'il s'est fait virer.

— J'ai comme l'impression que vous ne le portez pas
dans votre cœur.

— Voulez savoir ? En ce qui me concerne, vous pouvez lui couper la tête et chier dans son…

— Est-ce qu'Eddie vous aurait parlé d'une Cindi
Gamble et d'un Cale Lovette ?

— Un petit détail pour me mettre sur la piste ?

— Ils ont tous les deux disparu en octobre 1998.
Gamble était en dernière année de secondaire. Lovette
était son petit ami. C'est Eddie qui s'est occupé de l'affaire. Le FBI aussi était sur le coup.

— Les fédéraux, pourquoi ?

— Terrorisme. Lovette copinait avec des groupuscules d'extrême droite.

Nouvelle pause. Agrémentée du cloc de la canette
qu'on décapsule puis de bruits de succion.

— Ça me dit quelque chose, en effet. Si vous voulez,
je peux sortir le dossier. Ou jeter un œil dans les carnets
d'Eddie.

Les flics se collent mutuellement des surnoms, le plus
souvent basés sur l'aspect physique ou sur la person-
nalité du collègue. Slidell, par exemple, est dit Skinny
parce que son tour de taille a dépassé les cent dix centimètres depuis une bonne vingtaine d'années. Eddie,
en revanche, est resté Eddie tout au long de sa carrière,
parce qu'il n'avait pas de caractéristiques assez farfelues
pour être tournées en dérision, si ce n'est sa haute taille,
son penchant pour la musique classique et son élégance
vestimentaire.

Cela dit, il avait une habitude bien à lui qui consistait
à noter avec la plus grande précision tout ce qui se rapportait à ses enquêtes. Ses carnets sont légendaires. Ce

que me proposait Skinny en ce moment, c'était de les consulter. J'ai bondi sur l'occasion.

— Ça serait formidable !

Il a raccroché sans un au revoir. Ou la moindre question sur mes raisons de m'intéresser à une affaire classée depuis plus de douze ans.

Ce deuxième point m'a plu.

J'ai joué avec le chat. Fait mon lit. Sorti les poubelles. Fait une brassée de lavage. Lu les courriels laissés de côté. Examiné un grain de beauté sur mon épaule susceptible de m'annoncer un éventuel mélanome.

Finalement, j'ai rappelé Summer. Portée par le même enthousiasme que celui qui m'anime quand je fais usage de fil dentaire.

À mon grand dépit, elle a répondu.

— Bonjour. (On entendait des voix en arrière-fond. Regis et Kelly à la télé ?) C'est Tempe, l'ex de Pete. Enfin, ce n'est plus qu'une question de jours, maintenant.

— Je sais qui vous êtes. (Un accent à ce point traînant qu'on aurait pu s'en servir en sirop sur des crêpes.)

— Ça va bien ?

— Oui.

— Vous êtes toujours chez Happy Paws. (Son boulot, le seul sujet de conversation qui me vienne à l'esprit.)

— Pourquoi ? Je devrais avoir quitté ? (Sur la défensive.) J'ai un diplôme d'assistante vétérinaire, que je sache !

— Ce doit être épuisant de travailler à plein temps quand on doit préparer une grande réception de mariage.

— Tout le monde n'est pas une superwoman.

— C'est bien vrai. (Sur un ton gai comme un pinson.) Tout se passe bien ?

— En gros, oui.

— Vous avez pris un organisateur pour vous aider ? (Pour ce que j'en savais, ils avaient convié un petit millier d'invités.)

Long soupir dans l'appareil.

— Des complications ?

— Pete est d'une humeur de chien à propos de tout et de rien.

— Oh, vous savez, les grands tralalas, ça n'a jamais vraiment été son truc.

— Eh bien, il va falloir que ça change parce que, sinon, la grève du fox-trot est partie pour durer, si vous voyez ce que je veux dire.

OK, Pete avait perdu ses joyeux privilèges d'époux avant même d'en être un !

— Justement, il trouve que ça serait une bonne idée que nous fassions mieux connaissance.

Au bout du fil, les voix de Regis et Kelly. Rien d'autre.

— Si je peux vous aider… d'une manière ou d'une autre…

J'ai laissé la phrase en suspens, m'attendant à une rebuffade.

— Vous pourriez lui dire deux mots ?

— À propos de quoi ?

— Du minimum d'intérêt qu'il pourrait manifester. (Avec une pétulance de petite fille.) Quand je lui demande quelles fleurs il veut, il répond : n'importe quelles. Les nappes, blanches ou écrues ? Pareil. Les photophores, en verre coloré ou transparent ? Même chose. À croire qu'il s'en fiche royalement !

On le comprend, ai-je pensé par-devers moi.

— C'est juste qu'il vous fait une confiance totale, j'en suis sûre !

— Oh, s'il vous plaît ?

Je me suis représentée Summer, ses seins hypertrophiés et un intellect sous-développé. Triste effet du démon du midi sur les hommes de cinquante ans !

— D'accord, je lui parlerai.

Des bip-bip ont retenti. Le nom de Slidell s'est affiché à l'écran.

— Excusez-moi, Summer, j'ai un appel que je dois prendre absolument.

Trop heureuse de couper là !

— J'ai consulté les carnets d'Eddie pour l'année 1998. Vos disparus sont bien notés à l'automne. Cindi Gamble, dix-sept ans ; Cale Lovette, vingt-deux. Vus pour la dernière fois au Charlotte Motor Speedway, le 14 octobre. À une course avec des pilotes importants.

— Pourquoi est-ce que l'affaire a été confiée à Eddie et Galimore alors que le circuit dépend du comté de Cabarrus ?

— Apparemment, les parents de la fille ont déposé plainte ici. Après, la police de Kannapolis a demandé à Charlotte de rester sur le coup. Vous voulez entendre la suite, ou quoi ?

Mes molaires du bas se sont serrées à mort contre celles du haut. Réaction fréquente, quand j'ai des rapports avec Slidell.

— Gamble et Lovette étaient ensemble. Lui, il bossait sur le circuit ; elle, c'était encore une écolière. Finissante à l'école A.L. Brown, à Kannapolis.

Slidell s'est arrêté. Manifestement, il lisait la suite pour lui-même. Autrement dit, j'allais en avoir pour toute la matinée.

— Les parents de la fille, Georgia et James Gamble. Un frère, Wayne. D'après la mère, Cindi est partie de la maison vers dix heures ce matin-là pour aller au circuit. Élève sérieuse. Pas de problème de drogue ou d'alcool. Vérifié et confirmé.

« La mère du garçon : Katherine Lovette. Le père : Craig Bogan. Le petit est parti de chez lui à l'heure habituelle, sept heures du matin. La poinçonneuse indique qu'il s'est présenté au boulot à l'heure dite, mais qu'il n'en est pas reparti.

« Un technicien de maintenance du nom de Grady Winge a aperçu les disparus vers dix-huit heures. Lovette était en conversation avec un type inconnu de lui. À dix-huit heures cinq, il est parti avec Cindi dans la voiture du sujet, une Mustang Petty Blue, modèle 1965, avec un autocollant vert fluo sur le pare-brise, côté passager. Petty Blue, c'est quoi ça encore ?

— On a retrouvé la voiture ?

— Winge n'avait pas relevé le numéro.

Pause. J'entendais presque Slidell lire avec son doigt.

— Lovette traînait avec un groupe de crétins extrémistes. Le Détachement patriote, comme ils s'appelaient entre eux. Genre milice d'extrême droite. Les fédéraux les tenaient à l'œil. Dans l'espoir de remonter jusqu'à Eric Rudolph, j'imagine.

Slidell faisait référence à l'un des suspects dans les attentats du Centennial Olympic Park, contre le bar de lesbiennes et contre les deux cliniques d'avortement. En mai 1998, son nom figurait sur la liste des dix personnes les plus recherchées par le FBI. Et par une quantité d'autres gens aussi, vu la prime offerte pour sa capture : un million de dollars ! Avec l'aide de membres de la Suprématie blanche et de sympathisants antigouvernementaux, il avait vécu cinq années durant dans les Appalaches, en fugitif. Finalement, il s'était fait coincer par un simple flic du coin alors qu'il fouillait une poubelle de supermarché en quête de nourriture.

— Les agents spéciaux Dana Reed et Marcus Perenelli…, continuait Slidell.

J'ai gribouillé les noms sur un papier.

— On se demande bien ce qu'ils ont de spécial, ces deux-là. Moi aussi, je devrais me faire appeler comme ça : « enquêteur spécial Slidell ».

Bruit d'inspiration brutale, suivi d'un pfft. Pas besoin de me perdre en conjectures : un papier de Juicy Fruit était en train de voler en direction du pot de fleurs, sur le bureau de Slidell.

— Wayne Gamble m'a dit qu'une brigade spéciale avait été constituée pour enquêter sur ces disparitions.

— Ouais. Composée de ces deux agents spéciaux, en plus de Rinaldi et Galimore. Comme d'habitude : interrogatoire des témoins, de la famille, des connaissances et tutti quanti ; visite des lieux fréquentés ; étude des pistes habituelles. Le tout, pour remettre six semaines plus tard un rapport disant que Gamble et Lovette avaient probablement fait une fugue.

— Pour quelle raison ?

— Le mariage, peut-être bien. La petite était mineure.

— Et ils seraient allés où ?

— Selon la théorie, le Détachement patriote les aurait fait filer par ses réseaux clandestins.

— Wayne Gamble n'était pas du tout d'accord avec cette théorie à l'époque. Il ne l'est pas plus aujourd'hui.

— Les parents non plus… (Pause.) Cindi avait une prof, Ethel Bradford, qui a juré elle aussi que la fille n'aurait jamais pris la poudre d'escampette.

Un temps de réflexion, et j'ai déclaré :

— J'ai fait des recherches, moi aussi. Nulle part je n'ai retrouvé mention de cette affaire. Curieux, non, pour une enfant de dix-sept ans qui disparaît ?

— Eddie écrit qu'il y a eu pas mal de pression pour que rien ne sorte.

— Dans les journaux, vous voulez dire ?

— Ouais. Une vraie pression, notamment, pour se conformer à la ligne du parti.

— Venant de qui, cette pression ?

— C'est pas écrit.

— Eddie n'était pas d'accord avec les conclusions de la brigade spéciale ?

Une bonne minute s'est écoulée, le temps pour Slidell de feuilleter les notes de Rinaldi.

— Il ne le dit pas directement. Mais d'après la façon dont il formule les choses, c'est clair qu'il trouvait ça louche.

Slidell a l'exaspérante habitude de répondre à côté de la plaque. Le sachant, j'ai insisté :

— Qu'est-ce qu'il dit, exactement ?

— Faut que j'y aille. Des témoins à questionner. Dès mon retour, je sors le dossier.

— Comment va le détective Madrid ?

C'était le nouveau partenaire de Slidell depuis la mort de Rinaldi. Skinny ayant manifestement besoin d'un petit ajustage dans le domaine de la diversité culturelle, on avait décidé en haut lieu de lui assigner une femme pour coéquipier. Une certaine Theresa Madrid presque aussi grosse que lui. Exubérante et qui n'avait pas froid aux yeux. Elle se qualifiait elle-même de «double L» : latino et lesbienne. Côté boulot, c'était un flic de premier ordre.

Pour Slidell, l'horreur avec un grand H! Sa première réaction passée, il s'était bien entendu avec elle.

— Z'êtes assise? En congé de maternité, la bonne femme! Avec sa copine, elles ont adopté un enfant! Vous vous rendez compte?

— Vous travaillez donc en solo?

— Si c'est pas génial!

Sur ce, Slidell a coupé. Sans un au revoir, selon sa bonne habitude.

J'avais encore le téléphone à l'oreille quand la sonnerie a retenti une nouvelle fois. Larabee, et avec une drôle de voix :

— Je viens de finir l'autopsie de ton inconnu. Du diable si j'y pige quelque chose!

Chapitre 7

— Tu veux les détails ou la version courte ?

— La version courte.

— Le type avait des lésions à l'intérieur des voies respiratoires et un œdème pulmonaire. Il ne restait pas grand-chose des organes, mais j'ai quand même repéré des traces d'ulcération multifocale et d'hémorragie dans les muqueuses de l'estomac et de l'intestin grêle.

— Ce qui veut dire qu'il est décédé de mort naturelle ?

— Ce qui veut dire qu'il avait les poumons remplis de liquide et que ça déconnait aussi chez lui au niveau du système vasculaire. Mais c'est plus compliqué. Il avait également une hémorragie au niveau du lobe temporal. Provoquée par un choc sur le côté gauche de la tête.

— Une chute ou un coup.

— Si l'analyse toxico nous revient négative, on sera obligé d'inscrire : « TDM indéterminé ».

L'acronyme utilisé par Larabee se rapportait au type de la mort. On en dénombre cinq : mort naturelle, homicide, suicide, mort accidentelle et mort indéterminée.

— Et le fait qu'il ait fini dans une barrique de goudron ?

— Je ferai état de circonstances suspectes dans mon rapport.

— Quelque chose qui permettrait de l'identifier ?

— Rien. Je poursuis la piste Raines, même si tu penses que le temps écoulé a peu de chances de coller. Sa dernière visite chez le dentiste remonte à 2007, d'après sa femme, et ce monsieur est mort en 2009. Personne ne sait ce qu'il est advenu de ses dossiers.

— Des résultats pour les empreintes digitales ?

— Non. Elles ne figurent dans aucune base de données.

J'ai rapporté à Larabee mes conversations avec Wayne Gamble et Slidell, et j'ai conclu, sans y croire vraiment :

— L'inconnu de la décharge pourrait être Cale Lovette, je suppose.

— Ton estimation de l'âge de notre inconnu me paraît assez solide. D'après ses dents, il a plus de vingt-quatre ans. Tu pourrais obtenir un profil de Lovette ? Ne serait-ce qu'une photo. Tu pourrais voir ensuite si le squelette du type de la décharge présente des marqueurs quelconques qui permettraient de réduire la fourchette de l'âge.

— Tu veux ça pour aujourd'hui ?

— Galimore a déjà appelé deux fois ce matin. Les responsables du circuit en pissent dans leur slip tellement ils veulent voir cette affaire résolue au plus vite.

J'ai croisé le regard de Birdie. Accusateur.

M'a-t-il semblé.

J'ai demandé à Larabee si Joe était de service, cet après-midi. Sa réponse : oui.

— Je vais venir alors. Dans un petit bout de temps. (J'ai retenu à grand peine un soupir théâtral.)

— Bon soldat !

Faire apparaître à l'écran la liste des appels entrants. Descendre le curseur jusqu'à un certain nom. Enfoncer la touche de connexion. Ça faisait si longtemps que j'étais au téléphone que l'appareil était aussi chaud que mon foie.

Wayne Gamble a répondu à la seconde sonnerie. À en juger par le bruit de fond, il était toujours sur le circuit.

— Est-ce que vous pouvez me décrire Cale Lovette ?

— Un sac de merde.

— Physiquement, je veux dire.

— Des cheveux bruns, des yeux bruns, tout en tendons. Dans les soixante-quinze kilos, probablement.

— Sa taille ?

— Un mètre soixante-dix, soixante-douze. Pourquoi ? Vous avez du nouveau ?

— Non. J'ai juste besoin de précisions.

— J'ai aperçu le petit serpent qui me file. D'abord près du camion transporteur, et après, à côté de la caravane de Sandy. Chaque fois que je le repère, il se fond dans la foule.

— Monsieur Gamble...

— La prochaine fois, je lui tords les couilles jusqu'à ce qu'il crache tout ce qu'il sait.

— Merci de l'information.

Tout en roulant vers le MCME, j'ai réfléchi. Ce qualificatif de « bon soldat » que m'avait décerné Larabee au lieu de son habituel « bonne fille », c'était une promotion ou une rétrogradation comparé à son « championne » d'avant ?

Un papier m'attendait sur mon bureau, déposé par Larabee. Photocopie de photographie, avec le nom « Ted Raines » écrit en bas.

Pas vraiment un beau gosse : un menton fuyant et un nez proéminent qui lui donnaient l'air d'un dauphin à long bec.

Hawkins avait déjà roulé l'inconnu dans la salle qui pue et branché la scie Stryker. Avec son aide, j'ai extrait les clavicules et les symphyses pubiennes, ces petites excroissances qui se rejoignent au centre du bassin, côté ventre.

Laissant Joe dépouiller de leur chair les os prélevés, j'ai écarté le cuir chevelu vers l'arrière afin d'examiner la surface crânienne.

Le crâne d'un adulte se compose de vingt-deux os séparés par vingt-quatre sutures, qui se présentent sous forme de lignes ondulées. Tout au long de la vie, ces espaces se comblent jusqu'à disparaître complètement.

Certes, le processus varie d'une personne à l'autre, mais l'état plus ou moins jointif des sutures peut donner une idée approximative de l'âge.

Dans le cas présent, ces sutures indiquaient un âge moyen.

Les symphyses pubiennes subissent également des modifications au cours de la vie adulte, au niveau de la face. Chez l'inconnu, celles-ci étaient lisses, avec une sorte de rebord sur tout le pourtour. Ce qui suggérait une fourchette d'âge autour de trente-cinq ans.

L'épiphyse, la petite boule à l'extrémité des clavicules côté sternum, fusionne avec l'axe à un âge situé entre dix-huit et trente ans. Chez cet inconnu, ces deux boules étaient solidement accrochées.

Résultat des courses : pas d'erreur dans ma première estimation de l'âge. Tout prêtait à croire qu'au moment de sa mort, notre inconnu de la décharge était déjà entré dans sa quatrième décennie.

Un peu trop vieux pour être Cale Lovette, mais pas impossible.

Réflexion faite à voix haute, tout en tirant sur les doigts de mes gants pour les décoller et les jeter à la poubelle.

— C'est qui, Lovette ? a demandé Hawkins depuis l'évier, où il était en train de dénouer son tablier.

Je lui ai parlé des deux jeunes qui avaient disparu en 1998.

— Me rappelle pas avoir entendu parler d'eux, a-t-il déclaré sur un ton bizarrement brusque.

— Apparemment personne ne s'en souvient. En tout cas, j'en connais un qui sera content. Galimore.

Hawkins a expédié son tablier roulé en boule dans la poubelle à déchets biologiques, mais il a rebondi contre le rebord et atterri sur le plancher. Joe n'a pas cherché à le ramasser.

— Vous avez des problèmes avec Galimore ?

— Et comment, que j'ai des problèmes avec lui !

— Vous pouvez m'en dire plus ?

— C'est un homme à qui on ne peut pas faire confiance, a lâché Hawkins avec le même rictus que s'il venait de goûter quelque chose d'amer.

— Parce qu'il boit ?

— Une raison parmi tant d'autres. Alors pourquoi pas celle-là ?

Il s'est avancé vers la poubelle et, tout en maintenant de son talon la pédale enfoncée, il a ramassé son tablier par terre et l'a jeté à l'intérieur. Sur ce, il s'est dirigé vers la porte. Le couvercle est retombé avec un claquement sec.

Je me suis changée et suis partie à la recherche du patron.

Larabee n'était nulle part. Ni dans son bureau, ni dans la cuisinette, ni dans le hall d'entrée, ni dans la grande salle d'autopsie.

De retour dans mon bureau, je lui ai griffonné un mot sur mon estimation de l'âge de la victime, et j'ai quitté les lieux.

Dehors, un ciel couleur d'étain, piqueté de gros cumulo-nimbus noirs comme des prunes trop mûres : temps habituel, l'après-midi, en cette saison.

Tout en roulant vers la maison, j'ai pensé à cet homme enseveli dans du goudron.

Quelqu'un avait-il signalé sa disparition ? Est-ce que sa copine, sa femme ou son frère s'était rendu dans un poste de police pour remplir les formulaires et attendre ensuite un appel qui n'était jamais venu ? Si oui, quand et où ? À Charlotte ? Ailleurs ?

Au fin fond de mes tripes, je sentais qu'il avait passé des années dans ce baril. Y avait-il quelqu'un qui l'attendait toujours, ou les gens qui l'avaient connu l'avaient-ils tous oublié, emprisonnés dans leur train-train quotidien ?

La première goutte s'est écrasée sur mon pare-brise juste au moment où j'arrivais à l'Annexe.

Je verrouillais la voiture quand j'ai remarqué une Ford Crown Vic stationnée dix mètres plus loin, près de la remise à calèches, les portières avant grandes ouvertes.

En sont descendus deux hommes en tenue identique : costume sombre, chemise éblouissante de blancheur et cravate bleue. Je les ai regardés s'avancer vers moi d'un même pas.

— Docteur Brennan ?

— Qui la demande ?

— Agent spécial Karl Williams, a répondu l'un des deux en me présentant un badge aussitôt rempoché.

Il était petit et compact, avec une peau noir d'ébène et des narines incroyablement évasées.

— Et voici l'agent spécial Percy Randall, a-t-il ajouté.

Je me suis penchée sur le badge de son compagnon, avant de l'examiner lui-même : un Blanc de haute taille, avec des yeux gris écartés et des cheveux coupés à un demi-centimètre du crâne. Il m'a fait un petit salut de la tête.

J'ai attendu, mes clefs à la main.

Williams a pris la direction des opérations, laissant à Randall le soin de m'observer de près.

— Vous devinez les raisons de notre présence, je suppose.

— Pas le moins du monde. (Et de fait.)

— Il y a deux jours, vous avez récupéré un corps dans la décharge de Morehead Road.

Ni confirmation ni infirmation de ma part.

— Vous posez des questions sur Cindi Gamble et Cale Lovette.

Je m'attendais à tout sauf à ça. Wayne Gamble aurait-il contacté le FBI ? Ou Slidell ?

Ou Galimore ? Mais lui, comment aurait-il su quelles questions je posais ?

— Que voulez-vous savoir exactement ?

— Nous ne pouvons nous empêcher de nous demander si cet individu ne serait pas Cale Lovette.

— Pour les cas en cours d'analyse, vous devez vous adresser au médecin examinateur, le Dr Larabee. Je ne suis pas habilitée à en discuter.

— Nous n'arrivons pas à le joindre. Nous espérions, grâce à vous, éviter d'user nos semelles inutilement.

Williams a contorsionné ses lèvres en un rictus qui pouvait passer pour un sourire.

— Je regrette.

Une goutte s'est écrasée sur mon front. Je l'ai essuyée de la main, les yeux levés vers le ciel.

Williams ne s'est pas laissé rebuter par ce refus assez clairement exprimé.

— Je ne faisais pas partie des personnes impliquées dans l'affaire Gamble-Lovette en 1998, a-t-il répliqué, et ceux qui l'étaient ne travaillent plus en Caroline du Nord aujourd'hui. Cependant, je peux vous assurer que le groupe de recherches constitué à l'époque a mené une enquête très approfondie.

— Oh, je n'en doute pas un instant. Mais pour autant que je sache, il n'a pas réussi à les localiser, morts ou vifs.

— Il a conclu à la fuite. Wayne Gamble était un enfant à l'époque. Il ne s'est pas rendu compte des efforts déployés pour retrouver sa sœur.

— Avez-vous une question précise dont vous souhaiteriez discuter ? ai-je demandé, car il tombait à présent une pluie régulière.

— Famille, amis, professeurs, élèves, collègues, tout le monde a été interrogé. Tous ceux qui de près ou de loin avaient pu connaître Gamble ou Lovette.

— Même Grady Winge ?

Ce nom, celui de la dernière personne à avoir vu Cindi et Cale vivants, m'est sorti de la bouche sans même que je le décide.

Williams a eu un léger tressaillement des paupières inférieures.

— Évidemment. Personne n'a été oublié. Les pistes ont été suivies jusqu'au bout. Le consensus s'est fait sur l'idée que Gamble et Lovette avaient quitté le secteur de leur propre chef.

— Ce n'était pas l'avis des parents. Ni d'ailleurs d'Ethel Bradford.

J'ai balancé le nom de la prof, histoire de faire croire que j'étais très bien informée. Gros mensonge, en réalité.

Williams a réagi sur un ton parfaitement neutre :

— M. Gamble ne s'est toujours pas remis de cette histoire. Ce qui est parfaitement compréhensible, puisqu'il s'agit de sa sœur. S'il veut demander une réouverture de l'enquête, le Bureau n'y verra pas d'objection.

Williams attendait-il une réaction de ma part ? Il en est resté pour ses frais. Au bout d'un moment il a repris :

— Nous préférerions, bien sûr, qu'il agisse en toute discrétion.

— Je ne peux pas l'empêcher de s'adresser à la presse, si c'est ce que vous sous-entendez.

— Évidemment. Toutefois, nous aimerions qu'il s'abstienne de toute critique injustifiée à l'encontre du FBI.

La pluie tombait maintenant avec force. Williams n'en avait cure.

— Au cas où l'affaire est rouverte, le Bureau coopérera entièrement. Mais je vais être franc avec vous, docteur Brennan : nous ne savons absolument pas si Cindi Gamble et Cale Lovette sont vivants aujourd'hui.

— Je vous remercie de votre sincérité.

— Nous savons que nous pouvons attendre la même chose de vous.

Williams a-t-il souri de nouveau ? C'est possible.

— Si l'enquête est rouverte, ai-je demandé à tout hasard, est-ce que le médecin examinateur et la police de Charlotte auront accès aux informations recueillies par vos services en 1998 ?

Les deux agents ont échangé un regard.

— Loin de moi l'idée de vous décourager, docteur Brennan, mais je ne peux pas garantir que le FBI remette ses dossiers et notes internes à des gens de l'extérieur. Toutefois, vous pouvez me faire confiance quand je dis que nous ignorons totalement ce qui est arrivé à Gamble et à Lovette. Pour nous, ils se sont tout simplement évanouis dans la nature.

J'ai plongé mes yeux dans les siens.

— Mais vous-même qui vous êtes entretenu avec des membres de ce groupe de recherches, que pensez-vous qu'il leur soit arrivé ?

— Je crois qu'ils ont rejoint des extrémistes dans l'ouest du pays.

— Pourquoi ?

Williams a hésité. Petit débat intérieur sur cette fameuse sincérité réciproque ?

— Les confrontations qui ont eu lieu à Ruby Ridge et à Waco en 1992 et 1993 ont déclenché des controverses inouïes parmi ces groupuscules. À l'époque où Gamble et Lovette ont disparu, les ondes vibraient de conversations contre le gouvernement.

Williams faisait allusion à deux événements auxquels des agents fédéraux avaient participé : l'attaque de camps occupés par des contestataires. Les deux fois, plusieurs personnes avaient été tuées et la légitimité de l'action gouvernementale furieusement dénoncée.

— De tout ce que j'ai pu lire sur cette affaire, a repris Williams, il est clair que Lovette était un jeune homme virulent et Gamble une toute jeune fille amoureuse, entièrement soumise à son influence.

— Autrement dit, ils se seraient dissous dans la clandestinité.

— C'est la seule théorie qui tienne.

— Est-ce que c'est vraiment réalisable ?

— Il suffit de se planquer au fin fond du Michigan, du Montana ou de l'Idaho. Dans des coins aussi perdus, comment voulez-vous retrouver des cinglés pareils ?

— Surtout si les recherches ne durent que six semaines ! ai-je objecté.

— Je sais, c'est à cause de ça que Gamble est persuadé que l'enquête n'a été qu'une façade. Mais, croyez-moi : sa sœur et Lovette avaient si bien disparu du paysage qu'ils ne pouvaient qu'être entrés dans la clandestinité. C'est ce qu'on a pensé. Et quand toutes les pistes ont été épuisées, le FBI a décidé de dissoudre le groupe de travail et de s'en remettre à ses indics. Dans l'espoir d'obtenir de plus amples renseignements.

Cela m'a rappelé la phrase de Slidell. J'ai demandé :

— Vous espériez que Lovette vous mènerait à un plus gros poisson ? À Eric Rudolph, peut-être ?

— Nous y avons pensé, en effet.

J'ai remonté mon sac sur l'épaule. Il était trempé.

— Rentrez vous mettre à l'abri, docteur Brennan, a dit Williams en me décochant son semblant de sourire. Et merci pour cet entretien. Que vous le croyiez ou non, le Bureau est aussi impatient que vous de savoir ce qui s'est passé.

Williams et Randall ont filé vers leur voiture et débarrassé les lieux.

À quoi rimait cette visite du FBI ? me suis-je demandé tout en changeant de vêtements et en me séchant les cheveux. Tentative visant à me dissuader d'aider Wayne Gamble ?

Je venais tout juste d'enfiler des sandales quand le téléphone a sonné.

Slidell. Comme d'habitude, il a sauté les préambules de politesse.

Ce qu'il a dit m'a laissée ahurie.

Et a actionné dans mon cerveau le bouton *colère*.

Chapitre 8

— Disparus, vous dites ?

— Comme l'art de la broderie.

— Mais où ça ?

— Piqués par cette Foutue Bande d'Insignifiants ! (Slidell, ivre de rage.)

— Le FBI a emporté la totalité des dossiers Gamble-Lovette ?

— Jusqu'à la dernière page, trombones inclus !

— À l'époque où on a classé l'enquête ?

— Non, maintenant ! Hier. À douze ans d'intervalle, les v'là qui saisissent les dossiers !

— Sur ordre de qui ?

— De très haut, c'est tout ce que j'ai réussi à glaner.

— Et les carnets d'Eddie ?

— Ça, pas de risque, z'étaient pas dans le lot ! Je les ai là ! (Laissant retomber sa main bruyamment.) Sous les yeux.

Jeudi, un corps refaisait surface dans une décharge ; vendredi, Wayne Gamble venait me voir. Et tout de suite après, un dossier vieux de douze ans se retrouvait embarqué ? Qu'est-ce que ça voulait dire ?

Silence pesant sur la ligne. À l'autre bout, Slidell faisait la même chose que moi : réfléchir à ce que cette mise sous séquestre pouvait bien signifier. C'est lui qui a repris la parole :

— Ça pue !

76

— Oh oui.

— Eh bien, Erskine Slidell aime pas se faire baiser !

J'avais déjà vu Skinny fâché. Souvent, même. Mais rarement à ce point.

— Qu'est-ce que vous allez faire ?

— Je vous rappelle.

Coupé. Un quart d'heure plus tard, le téléphone sonnait : Slidell.

— Z'êtes libre ?

— Je peux me dégager.

— Je passe vous prendre dans dix minutes.

— Pour aller où ?

— À Kannapolis.

Trajet effectué dans le silence, si l'on excepte la soufflerie de l'air conditionné et les vrombissements furieux qui s'échappaient des narines de Slidell. Pour ne rien dire de ses tambourinades sur le volant ou de sa façon de le serrer si fort qu'il allait finir par l'écrabouiller !

À l'intérieur de la Taurus, un air lourd d'odeurs pénétrantes, malgré la température subarctique : frites, hamburgers, café froid, natte en bambou où Skinny calait son vaste postérieur. Sans oublier son odeur personnelle : mélange de tabac froid, d'eau de Cologne bon marché et de vêtements qui n'ont pas vu la machine à laver ou le nettoyeur depuis des lustres.

La nausée et l'hypothermie allaient bientôt m'emporter quand il s'est enfin arrêté devant un petit pavillon en brique avec des volets et des fenêtres peints en vert. De part et d'autre du perron, un massif d'hortensias. Et des géraniums en pot au coin des marches.

Nous étions rendus chez Ethel Bradford, professeur de chimie à l'école A.L. Brown en classes de débutants et de finissants, de 1987 à 2004, l'année de sa retraite. Elle avait acheté cette petite maison à l'époque où elle avait pris son poste et elle n'en avait plus bougé.

— Elle nous attend ?

— Ouais.

Prenant appui du coude sur le dossier, Slidell est parvenu à s'extraire de derrière le volant. Il s'est dirigé vers la maison. Je l'ai imité.

La porte intérieure s'est ouverte avant même que le doigt de Slidell n'ait atteint la sonnette.

Une image de ce professeur de chimie me tournicotait dans la tête, probablement basée sur les souvenirs que j'avais du mien. Est apparue à mes yeux une Ethel Bradford toute mince et bien plus jeune que je ne m'y attendais : à peine soixante-cinq ans, je pense, avec des cheveux auburn coupés à la garçonne et des yeux bleus très clairs qui paraissaient énormes derrière les verres épais de ses lunettes rondes.

Slidell a prononcé les phrases d'introduction d'usage en tenant son insigne plaqué contre la moustiquaire.

Bradford a reculé sans même y jeter un coup d'œil pour ouvrir la porte grillagée. Elle ne s'était pas changée pour nous recevoir, portait un short kaki et un chemisier en coton. Et elle était pieds nus.

Elle nous a fait entrer dans un vestibule décoré de photos de voyage et passer sous une arche à droite.

Un salon avec des rideaux en toile aux fenêtres et un tapis Oushak dans les tons fauve. Un plancher en chêne, brillant comme un miroir. Une cheminée en briques peintes en blanc, de même que les bibliothèques de part et d'autre, et le tour des fenêtres.

— Je vous en prie.

Ethel Bradford a désigné un canapé en cuir.

Slidell en a occupé un bon bout, moi l'autre. Bradford s'est posée dans un fauteuil de l'autre côté d'une malle faisant office de table basse.

Slidell n'a pas eu le temps d'ouvrir la bouche qu'elle l'interrogeait déjà :

— Vous avez retrouvé Cindi ?

— Non, m'dame.

— Elle est morte ?

— On sait toujours pas.

— Vous avez reçu de nouvelles informations ?

— Non, m'dame. On voudrait juste vous poser quelques questions.

— C'est bizarre, non ? Après si longtemps !

Elle s'est balancée d'un côté puis de l'autre pour replier ses pieds sous ses fesses.

— Ouais. Vous vous rappelez donc Cindi Gamble ?

— Bien sûr. Une si bonne élève, ce n'est pas si fréquent. Je la connaissais aussi par le STEM.

— Le STEM ?

Slidell s'est dépêché de sortir de sa poche un carnet à spirale et d'en faire tourner les pages de son doigt mouillé. D'un clic, il a fait jaillir la mine de son stylo.

— Science, technologie, ingénierie et mathématiques. Un club d'élèves où je représentais le corps enseignant.

— Vous vous rappelez l'époque où elle a disparu ?

Slidell n'a eu droit qu'à un regard éteint derrière les grosses lunettes Harry Potter.

— Je suppose que vous avez été interrogée alors ?

— Brièvement. La police ne s'est pas vraiment intéressée à moi, je n'avais pas grand-chose à dire.

Du doigt, Bradford a remonté ses lunettes. Elles ont immédiatement repris leur place dans le sillon en travers de son nez.

— Qu'est-ce que vous leur avez dit ?

— Que Cindi faisait l'école buissonnière, ces derniers temps.

— C'est tout ?

— C'est tout ce que je savais.

— Ils ont interrogé d'autres professeurs ?

— Je suppose, je ne sais pas.

Laissant Slidell mener l'interrogatoire, j'ai observé Bradford. Elle était très tendue bien qu'elle se soit efforcée de le cacher, et elle serrait très fort une de ses chevilles de sa main droite.

— Et Lovette ? a demandé Slidell.

— Quoi, Lovette ?

— Vous le connaissiez ?

— De nom. Je ne l'ai jamais rencontré. Il n'était pas élève chez nous. Vous devez déjà avoir tout cela dans vos dossiers, non ? On m'a posé exactement les mêmes questions à l'époque.

— Est-ce que vous saviez que c'était le petit ami de Cindi ?

— Oui.

— Elle parlait de lui ?

— Pas à moi.

— Étiez-vous au courant qu'il était proche d'un groupuscule appelé le Détachement patriote ?

— Je l'avais entendu dire.

Le regard de Bradford s'est vivement décalé sur la porte, comme si un bruit ou un mouvement l'avait surprise.

— C'était fréquent chez les élèves ce genre de chose ?

— Quelle chose ?

Slidell l'a regardée fixement, sans bouger. Son irritation était palpable.

— Avez-vous entendu Cindi dire qu'elle détestait les nègres ou les Juifs ? Les homosexuels ?

Slidell a prononcé « homosectuels ».

— Ce n'était pas son genre.

— Les proavortement, le gouvernement fédéral ?

— Je ne crois pas.

— Mais vous ne pouvez pas l'affirmer.

Slidell commençait à perdre patience.

— À vrai dire, et c'est bien triste, les profs savent très peu de choses de leurs élèves. De leur vie intime, je veux dire. À moins qu'un étudiant ne décide de se confier.

— Ce que Cindi ne faisait pas.

Bradford s'est raidie sous le ton accusatoire de Slidell. Son regard a croisé le mien. J'ai levé les yeux au ciel, comme pour lui faire passer le message que je le trouvais pénible, moi aussi.

Slidell s'est mis à tapoter son carnet avec son stylo, les yeux vrillés sur Bradford.

Elle n'a pas cillé.

La joute a été interrompue par la sonnerie du cellulaire de Slidell. Il l'a extirpé de sa ceinture d'un geste brusque et a regardé le numéro affiché.

— Faut que je le prenne.

Il s'est remis sur pieds lourdement et a quitté la pièce. J'ai décidé de continuer dans mon rôle du bon flic.

— Ce doit être bien triste de perdre une élève de cette façon.

Bradford a hoché la tête. J'ai demandé gentiment :

— Sur le campus, les conversations ont dû aller bon train, non ? Parmi le corps enseignant et parmi les élèves, je veux dire. On a dû se poser des questions sur ce qui lui était arrivé ?

— Franchement ? Non. Curieusement, l'histoire n'a pas fait beaucoup de vagues. Lovette n'appartenait pas à l'école, et Cindi ne faisait partie d'aucun petit groupe en dehors du STEM. Elle n'était pas très… aimée des autres.

De sa main libre, Bradford a dessiné en l'air un unique guillemet.

— Les enfants sont cruels, parfois.

— Oh, très ! Si vous saviez…

Petite conversation entre femmes. À l'évidence, Bradford mordait à l'hameçon.

— Cindi Gamble aimait les moteurs, elle voulait être pilote de course. À cette époque, ce n'était pas le genre de vocation qui faisait de vous la reine du bal de fin d'études. Même ici, à Kannapolis.

— Je comprends, c'est difficile de se rappeler des choses qui se sont passées il y a si longtemps, mais parmi les élèves, est-ce qu'il y en avait une qui était proche de Cindi ?

La main libre s'est levée, paume en l'air, en un geste de frustration.

— Pour autant que je sache, elle passait tout son temps sur les circuits.

— Vous ne vous rappelez pas l'avoir vue avec quelqu'un en particulier — à la récré, peut-être, ou à la cafétéria ?

— Si, peut-être. Lynn Hobbs. Elles mangeaient souvent ensemble.

— Est-ce que cette Lynn a été interrogée ?

— Je n'en ai aucune idée.

— Vous savez où elle habite aujourd'hui ?

Bradford a secoué la tête.

— Vous pourriez me donner le nom des gens qui vous ont interrogée en 1998 ?

— Deux officiers de police.

— De la police de Charlotte-Mecklenburg ?

— Oui.

— Vous vous rappelez leurs noms ?

— Non.

— Pouvez-vous me les décrire ?

— L'un était grand et mince. Très poli. Et pas originaire d'ici, d'après son accent. L'autre était plus carré. Il ressemblait à un culturiste.

— Les détectives Rinaldi et Galimore ?

— Oui, ça doit être ça.

Je me suis penchée en avant. Sur le ton des amies qui partagent un secret, j'ai demandé tout doucement :

— Personne d'autre ?

— Que voulez-vous dire ?

— Vous n'avez pas été interrogée par le FBI ?

Comme tout à l'heure, le regard de Bradford s'est levé vers l'arche dans mon dos pour reprendre sa place tout de suite. À l'évidence, notre présence l'angoissait.

Elle a hoché la tête.

— Vous avez signé une déposition ?

— Non.

— Est-ce que l'agent spécial a mentionné le Détachement patriote ?

— Je ne me souviens plus des détails de la conversation.

— Est-ce que le FBI vous a demandé de garder cet entretien confidentiel ?

Bradford n'a pas eu le temps de répondre. Slidell a réapparu sur le seuil et sonné le départ d'un mouvement de tête vers la sortie.

— Une dernière question, ai-je dit doucement.

Bradford a reposé sur moi un regard réticent.

— À votre avis, est-ce que Cindi Gamble a pu s'en aller de son plein gré ?

— Je n'y crois pas un instant ! a-t-elle répondu fermement. Je l'ai dit alors, je le répète aujourd'hui.

Nous sommes partis, en laissant nos cartes à Ethel Bradford.

Dans la Taurus, j'ai rapporté à Slidell ce que j'avais appris en son absence. Sa réponse :

— Elle avait autant envie de nous voir que d'avoir le cul plongé dans un baquet d'eau bouillante.

— C'est vrai, elle avait l'air mal à l'aise.

— Elle en sait plus long qu'elle ne le dit.

— Quelle raison aurait-elle de nous cacher des choses ?

— Les Feds ont dû lui balancer plein de conneries sur le terrorisme dans le pays, la confidentialité et la sécurité nationale.

— Et maintenant, qu'est-ce qu'on fait ? ai-je demandé.

— C'était qui la copine avec qui elle mangeait ?

— Lynn Hobbs.

— Son nom figure dans les carnets d'Eddie.

— Vous croyez que vous arriverez à la retrouver ?

— *Oh, yeah,* a répondu Slidell.

Il s'est posé sur le nez des Ray-Ban à vous faire tomber à la renverse avant d'ajouter :

— Je vais la retrouver.

Chapitre 9

Dimanche, pas de pluie, ô miracle !

Malheureusement, je n'avais personne avec qui profiter de ce temps délicieux. Katy était à la montagne, Ryan en Ontario, ma sœur, Harry, chez elle au Texas, ma meilleure amie, Anne Turnip, plongée dans un projet de déco, et Charlie Hunt coincé au bureau du procureur du comté de Mecklenburg pour préparer son réquisitoire dans le procès d'une femme accusée d'avoir descendu son souteneur.

Comment qualifier Charlie Hunt ? Dire que c'est un ami ? Un monsieur qui me fait la cour ? Un amant en perspective ? Jusqu'ici, les choses ne sont pas allées très loin entre nous. Ma décision, pas la sienne.

J'ai célébré l'apparition du soleil par un long jogging au Freedom Park, en plus de toutes les routes dédiées à la reine Charlotte. Et il y en a un paquet ! Il y a même un croisement Queens et Queens.

L'après-midi, désherbage dans le jardin et petite séance de toilettage sur Birdie. Incroyable, les kilos de vieux poils que j'ai pu extirper de sa fourrure. Après cela, il a totalement disparu de ma vue.

Dans la soirée, je me suis attaquée aux papiers en retard. Après quoi, je me suis grillé un steak que j'ai mangé en écoutant du rock : Foghat et Devo à plein volume. Pour le dessert, un esquimau Dove.

Je suis une île. Un rocher. Tout ce que vous voudrez.

Ryan a appelé vers neuf heures. Son but : éclairer ma lanterne sur les courses NASCAR au Canada. J'ai senti au son de sa voix qu'il préférait éviter le sujet Lily. Comprenant qu'il avait besoin de se changer les idées, je l'ai laissé discourir.

— Jacques Villeneuve est officier de l'Ordre national du Québec. Il a même eu droit au « Walk of Fame », le tour d'honneur réservé aux grands hommes de la nation.

— Pour un sportif, c'est rare.

— À ce jour, c'est le seul Canadien à avoir remporté l'Indianapolis 500 ou le championnat de Formule 1.

— Impressionnant…

— Il a pris le départ sur une douzaine de courses de la NASCAR. Cinq fois en Nationwide Series et trois fois en Sprint Cup.

— Et les autres ?

— La Camping World Truck Series, je crois. Je sais qu'en 2009 il a participé aux Canadian Tire Series. J'y étais.

— Pour quelle écurie est-ce qu'il court ?

— Là, il courait pour Braun Racing au volant de la Toyota n° 32. Je ne sais pas avec qui il est maintenant. Je crois qu'il essaie de réintégrer la Formule 1, mais la FIA, la Fédération internationale automobile, a décidé qu'il n'y aurait pas de nouvelle équipe cette année.

— Est-ce que Villeneuve est le seul pilote canadien à participer à des compétitions en NASCAR ?

— *Tabarnac**, non ! Mario Gosselin participe régulièrement aux Camping World Truck Series, ainsi que Pierre Bourque et D.J. Kennington. Mais eux, ils ne sont pas pilotes de métier. Quant à Jean-François Dumoulin et Ron Fellows, ce sont des as sur circuit routier.

— Ce qui veut dire ?

— Qu'ils courent essentiellement sur route, plutôt que sur circuit ovale… (Courte pause.) Et de ton côté ? Du nouveau avec ton inconnu de la décharge ?

Je l'ai mis au courant des derniers événements.

— Tu comptes retourner au circuit ?

— Si c'est nécessaire.

J'ai senti Ryan hésiter à l'autre bout de la ligne. Puis il s'est lancé :

— Si tu y retournes, tu seras tout près des stands de la Nationwide ?

J'ai éclaté de rire.

— Tu veux un autographe de Jacques Villeneuve, c'est ça ?

— Cet homme-là est une légende !

— Tu es tellement abruti.

— C'est quand même pas comme si je te demandais de lui voler son slip !

— Le lieutenant-détective Andrew Ryan, groupie de Jacques Villeneuve !

— Le docteur Temperance Brennan, la reine des finfinaudes.

Je pouvais voir mon Ryan tout rouge, là-haut dans son grand Nord.

— Tu as une casquette avec le numéro 32 et la photo de Villeneuve cousue à la visière ?

— Laisse tomber. Je ne suis même pas sûr qu'il participe à cette course.

Sur un *bonne chance**, il a raccroché.

J'étais en train de m'installer sur le canapé pour regarder une rediffusion d'un épisode de *Boston Legal* avec mon chat tout beau tout neuf, quand la sonnette de la porte d'entrée a retenti.

Échange de regards étonnés entre nous, car personne n'utilise jamais cette porte-là.

Prise de curiosité, j'ai traversé le salon pour aller regarder à travers l'œilleton.

Sur le perron, une Summer en train de fouiller à l'intérieur d'une besace aussi grosse que celle du facteur. Éclairée de dos comme elle l'était, on aurait dit qu'elle avait une auréole en barbe à papa à la place des cheveux.

Filer sur la pointe des pieds me cacher à l'étage ? Non.

Au bruit des verrous, sa tête s'est relevée d'un coup. Malgré la pénombre, j'ai pu voir qu'elle pleurait.

— Salut, a-t-elle dit.

— Salut.

— C'est un peu tard, je sais…

Un peu.

— Vous voulez entrer ?

J'ai reculé pour lui tenir la porte ouverte. Elle est passée devant moi en laissant derrière elle un sillage, pour ne pas dire un raz-de-marée, de parfum *Timeless*. Quand je me suis retournée, elle brandissait une boîte de Tic Tac dans ma direction.

— Une pastille à la menthe ?

— Non merci.

— Ce goût, je trouve que ça calme.

J'ai acquiescé. Venant d'elle, cette déclaration résonnait comme une promesse.

La petite boîte rangée à sa place, elle s'est mise à tournicoter nerveusement la bandoulière de son sac. Dans son haut rose à sequins dépourvu de bretelles et sa jupe rose bonbon, juchée sur ses hauts talons assassins, on aurait dit une pub pour les boutiques Frederick's of Hollywood.

— Passons au salon, on y sera plus à l'aise.

— OK.

Ses souliers ont cliqueté derrière moi tandis qu'elle avançait en tournant la tête comme une toupie pour ne pas perdre une miette du paysage. J'ai désigné le canapé.

— Vous voulez boire quelque chose ?

— Un merlot, s'il vous plaît.

— Je regrette, il n'y a jamais de vin chez moi.

— Oh ! (De confusion, ses sourcils se sont rejoints jusqu'à former un V.) Ce n'est pas grave, je n'en avais pas vraiment envie.

— Alors, qu'est-ce qui vous amène ?

M'attendant à une conversation pénible, je me suis laissée tomber dans le fauteuil de bureau et j'ai pris une attitude d'écoute.

— J'ai suivi votre conseil.

— Mon conseil ?

— J'ai fait exactement comme vous m'aviez dit.

— Summer, je ne…

— J'ai dit à Pete qu'il devrait manifester plus d'intérêt pour le mariage.

Elle a croisé l'une de ses longues jambes bronzées par-dessus l'autre et a ajouté :

— Ou alors…

— Attendez. Quoi ? Mais je…

— Je lui ai dit : Petey, si tu persistes dans ton attitude de sale sournois de merde, je ne crois pas que ça pourra marcher entre nous.

Les bonnets D se sont soulevés en tremblotant. Et ils sont retombés.

J'ai attendu.

Le récit entrecoupé de larmes ne s'est pas fait attendre.

Je l'ai écouté au rythme de petites phrases percutantes qui se renvoyaient la balle dans mon cerveau.

Tire-toi, Pete !

Tire-toi vite.

Et très loin !

Mesquin, je sais. Mais telle était bien la réponse que me fournissaient mes cellules grises.

Je n'en ai rien montré. Je me suis contentée de lui tendre une boîte de Kleenex en hochant la tête avec force onomatopées compatissantes.

Plus elle avançait dans son discours, plus j'étais horrifiée. Vu la façon dont elle avait interprété mes paroles, j'imaginais sans mal la fureur de Pete devant mon affreuse trahison.

Que dit toujours ma sœur dans ces moments-là ? Il n'y a pas de bonne action qui ne reste impunie.

Ouais. J'étais partie pour me faire sacrément remettre à ma place par mon ex.

Le triste récit a atteint son apogée : l'ultimatum, la dispute et le départ en larmes sur une porte claquée.

Enfin, Summer s'est tue. Je lui ai tendu un autre mouchoir en papier.

Elle a soigneusement tamponné l'une après l'autre ses paupières inférieures aux cils raidis de mascara.

— Et maintenant… (Longue inspiration saccadée.) Qu'est-ce que je fais ?

— Summer, je suis on ne peut plus désolée…

— Il faut que vous m'aidiez. (Nouvelle crise de larmes.) Ma vie est foutue.

— Je crains d'avoir déjà créé bien trop de problèmes. (Non que j'en croie un mot, mais la conversation menaçait d'être encore pire que prévu.)

— Justement ! À vous de les réparer.

J'ai cherché un mot gentil :

— Je ne crois pas être la personne la mieux placée pour cela.

— Il faut que vous parliez à Pete. Vous devez lui faire retrouver la raison. (De plus en plus hystérique à mesure qu'elle parlait.) Il faut que vous…

— C'est bon. Je l'appellerai demain matin.

— Juré devant Dieu ?

— Oui.

— Promesse et signe de croix ?

Pitié, Seigneur !

— Oui.

Le temps d'une abominable minute, j'ai cru qu'elle allait me serrer dans ses bras. À la place, elle s'est mouchée.

Son nez était de la même couleur que la chaussette que je suspends à mon sapin de Noël, mais ses yeux : impeccables. Je me suis demandé quelle marque de mascara elle employait.

J'en étais toujours à me poser cette question quand elle s'est écriée, la tête penchée sur le côté :

— Oh, le beau petit minou !

J'ai suivi sa ligne de mire.

Birdie venait d'entrer dans la pièce et nous contemplait, les oreilles ramenées en visière de casquette et la queue bien serrée tout autour de ses pattes.

Summer a agité les doigts, tout en poursuivant de cette même voix dégoulinant de saccharine :

— Viens me voir, *sweetie*.

S'il est deux choses que Birdie déteste en plus de l'orage, ce sont les gens qu'il ne connaît pas et les parfums capiteux.

Mais là, à mon grand étonnement, il s'est avancé à pas feutrés et a sauté sur le canapé. Et quand Summer lui a caressé le dos, il s'est laissé tomber sur ses pattes avant, la queue dressée tout droit.

Ourlant les lèvres, Summer y est allée de son couplet bêtifiant.

Ce traître de chat s'est mis à ronronner.

— Excusez-moi, Summer, mais il se fait tard et j'ai encore un tas de choses à faire…

— Vous devez vous dire que ma maman ne m'a pas appris les bonnes manières.

Après une dernière caresse à la tête du chat, Summer a récupéré son sac et s'est levée.

Arrivée à la porte, elle a pivoté sur les talons et déclaré, avec un sourire réjoui :

— Un jour, nous rirons de bon cœur en nous rappelant tout ça.

— Mm.

— Tempe, je reprends toutes les mauvaises pensées que j'ai pu avoir à votre sujet.

Sur ces mots, elle s'est dissoute dans la nuit.

Au moment de m'endormir, je me suis demandé comment on pouvait reprendre des pensées. Les reprendre à qui, d'abord ? Et pour en faire quoi ?

Lundi matin, Birdie m'a réveillée en grignotant mes cheveux.

Vengeance normale après la séance de toilettage de la veille.

Quadruple espresso, une gaufre grillée et une part de melon afin de me donner du cœur au ventre. Et j'ai appelé Pete.

— Summer est passée me voir hier soir.

— Vraiment.

— Elle était complètement à plat.

— J'espère bien !

— Écoute, Pete. J'ai fait ce que tu m'avais demandé. Elle a voulu parler, je l'ai écoutée.

— Apparemment, tu n'as pas fait que l'écouter.

— Je ne lui ai donné aucun conseil et je n'ai pas pris parti.

— Eh bien, ce n'est pas ce qu'elle a retiré de votre rendez-vous.

— Disons qu'elle a une façon bien à elle de voir les choses, ai-je répliqué en choisissant mes mots.

— Quoi qu'il en soit, tu l'as rendue complètement folle.

Je n'ai pas eu besoin de déployer trop d'efforts pour arriver à ce résultat, ai-je pensé par-devers moi.

— Qu'est-ce que tu lui as fait, pour qu'elle devienne aussi susceptible ?

— Elle considère que tu ne t'intéresses pas au mariage, et ça l'angoisse.

— Mais ça intéresse qui, la couleur des serviettes ou le parfum du glaçage du gâteau ?

— Ta fiancée, justement.

— À croire qu'un monstre a pris possession de son esprit !

Pas difficile, vu la taille de l'esprit en question. Mais ça aussi, je l'ai gardé pour moi.

— Qu'est-ce qui t'a pris de lui dire que je détestais les mariages ? a poursuivi Pete.

— Mais je n'ai jamais dit ça ! J'ai dit seulement que les tralalas, ce n'était pas ton truc.

Et de fait, Pete n'est allé à aucune de ses soirées de fin d'études, que ce soit à l'école, au collège ou à la faculté de droit.

Notre mariage, c'est ma mère qui l'a organisé. De A à Z. Jusqu'aux perles sur les ronds de serviettes, assorties à la couleur des assiettes, elles-mêmes assorties à la couleur des serviettes bordées de dentelle écrue. Pete, lui, n'a eu qu'à se pointer à l'église.

— Qu'est-ce que tu me conseilles ? a-t-il demandé avec lassitude.

Un pistolet paralysant.

— Fais semblant, dis quelque chose. Blanc ou ivoire, cerise ou framboise, mais exprime-toi !

— Elle n'est jamais d'accord avec ce que je propose.

— Au moins, tu auras fait un effort.

— Ces conneries, c'est plus de mon âge.

Hell-o.

— Pete ?

— Oui.

— Elle t'a vraiment traité de sale sournois de merde ?

Tonalité.

Après cette prise de bec avec mon ex, j'avais besoin de me dépenser physiquement. Comme Birdie me regardait lacer mes Nike, je lui ai jeté :

— Mais qu'est-ce que tu lui trouves, toi aussi, à cette *bimbo* ?

Silence radio de sa part.

— Côté intellect, elle n'est pas plus profonde qu'un lavabo.

Le chat n'a pas émis un son pour sa défense.

Aujourd'hui encore, une chaleur de mois d'août. Huit heures et quart, et déjà un petit vingt-huit degrés.

Ce matin, une petite boucle suffirait, le long de Queens Street et à travers le parc. À neuf heures et demie, j'étais rentrée à la maison, douchée et habillée.

Comme Slidell risquait de m'appeler avec des renseignements sur Lynn Hobbs, j'ai parcouru mes courriels et réglé des factures. Puis j'ai lu un article dans le *Journal of Forensic Sciences* sur les possibilités d'établir l'âge d'une victime en se basant sur la variation du taux d'acides aminés dans les dents selon les races. Sujet léger.

À onze heures, toujours sans nouvelles, j'ai décidé d'aller au MCME, histoire de me changer les idées. Je terminerais mon rapport sur l'inconnu de la décharge et je préparerais un paquet avec des prélèvements d'os. Si jamais une analyse d'ADN s'avérait nécessaire, les spécimens seraient prêts à partir.

Je venais à peine d'entrer dans mon bureau quand Larabee a fait irruption sur le seuil.

Il m'a suffi de voir sa tête pour comprendre qu'il y avait un problème.

Chapitre 10

— Où est l'inconnu de la décharge ? a jeté Larabee.

Sa tenue de chirurgien tachée de sang prouvait qu'il avait déjà pratiqué une autopsie ce matin.

Pas étonnant. Pour les coroners ou les médecins légistes, le lundi est souvent le jour le plus chargé de la semaine.

Surtout si ce lundi succède à un chaud week-end d'été.

— Pardon ?

— Le MCME 227-11, le type dans le goudron ! Samedi, quand tu as fini, qu'est-ce que tu en as fait ? (Sur un ton plutôt coupant.)

— J'ai dit à Joe de le rapporter en chambre froide.

— Il n'y est pas !

— Il doit bien y être, pourtant.

— Je te dis qu'il n'y est pas !

— Tu as demandé à Joe ?

— Il est de congé.

— Appelle-le chez lui.

— Ça ne répond pas.

Un peu énervée, j'ai foncé à la chambre froide et manœuvré la poignée de la porte. Elle s'est ouverte sur moi dans un chuintement, livrant passage à une odeur de chair glacée.

Cinq civières en acier étaient regroupées contre le mur du fond, quatre autres s'alignaient le long des parois. En tout, six sacs mortuaires.

Je suis entrée à l'intérieur de la chambre froide. Larabee est resté sur le seuil, les bras croisés sur la poitrine. Sous son œil vigilant, j'ai entrepris de vérifier les étiquettes et le numéro qu'elles portaient.

Le patron disait vrai : pas trace du MCME 227-11 !

Je suis ressortie et j'ai refermé la porte métallique. J'avais la chair de poule, je claquais des dents.

— Tu as regardé dans le congélateur ?

— Bien sûr que oui. Ne s'y trouve que le vieux qui y végète depuis deux ans, transformé en glaçon.

— Un cadavre, ça ne se tire pas ailleurs avec ses cliques et ses claques !

— Ça va de soi.

— Tu n'as signé aucune autorisation de transfert de corps ? ai-je demandé.

Question idiote, mais à délire, délire et demi.

Pour toute réponse, Larabee m'a jeté un regard noir.

— Tu as pratiqué l'autopsie dans la matinée de samedi ; moi, j'ai fini l'analyse des os aux alentours de quatre heures. Par conséquent, c'est après qu'il a été enlevé d'ici.

Larabee a hoché la tête d'un air pincé.

J'ai passé en revue diverses possibilités pour les rejeter aussitôt l'une après l'autre :

— Il ne peut pas s'agir d'une confusion commise par une entreprise funéraire, puisqu'il n'y a pas de remise de corps le samedi.

— Surtout qu'aucun autre corps ne manque à l'appel.

— Quand est-ce que tu t'es rendu compte que notre inconnu avait disparu ?

— Il y a à peu près une heure. Quand je suis entré dans la chambre froide pour y prendre un individu tué par balle.

— Quelqu'un est venu ici pendant le week-end ? Les services de nettoyage ? De maintenance ? De réparations ?

Larabee a secoué la tête.

— Joe était de service ?

— Oui.

— Est-ce que quelqu'un aurait pu s'introduire dans les lieux sans qu'il l'entende ?

Joe est un peu dur d'oreille. Lorsqu'il est de garde, il dort, porte fermée, dans un cagibi près des toilettes pour hommes. Une armée traverserait le bâtiment qu'il ne l'entendrait pas.

— Pour voler un cadavre ? a répliqué Larabee sur un ton des plus sceptiques.

— Et alors, c'est déjà arrivé ! (Moi, sur la défensive.)

— Pour s'emparer d'un cadavre, le voleur aurait dû commencer par couper le système de sécurité.

— Et tout tripatouillage dans les fils aurait déclenché une alarme ?

— En principe, a lâché Larabee, et son ricanement a révélé l'étendue de ses doutes quant à la technologie moderne.

— Allons voir s'il y a des traces d'effraction quelque part.

Ce que nous avons fait.

Sans rien trouver.

— C'est dément !

Je ne comprenais plus rien.

— Il faut que je te dise quelque chose, m'a soufflé Larabee alors que nous nous trouvions à côté de la balance, près de l'entrée de service par laquelle les corps sont réceptionnés.

Je l'ai regardé d'un air étonné.

— Allons à mon bureau, a-t-il dit d'une voix tendue.

Il a soigneusement refermé la porte avant d'aller s'asseoir à sa table. Je me suis installée dans le fauteuil en face de lui.

— Samedi, au moment où j'allais partir, j'ai eu la visite du FBI.

— Les agents spéciaux Williams et Randall ? ai-je demandé à tout hasard.

— Oui. (Confirmation après un coup d'œil à un papier sur son sous-main.) Ils s'intéressaient à notre inconnu.

— Qu'est-ce que tu leur as dit ?

— Après l'autopsie, je leur ai fait part de mes conclusions et du profil biologique que tu avais établi. J'ai ajouté que j'avais effectué des prélèvements en vue d'une analyse toxicologique, mais que je n'aurais pas les résultats avant un bon moment.

— Et ils ont dit ?

— Williams a proposé de porter lui-même les spécimens au laboratoire, disant qu'il se débrouillerait pour accélérer la procédure. J'ai appelé la délégation du FBI à Charlotte. Ces messieurs étaient bien des agents de chez eux. J'ai donc demandé à Joe de leur remettre les échantillons. Et ce matin, vers dix heures, je recevais déjà un fax du labo avec le résultat des analyses.

— Tu rigoles ! ai-je lancé, aussi ahurie que Larabee.

En général, ça prend des semaines, voire des mois, pour obtenir une réponse du labo.

— J'avais précisé que l'inconnu souffrait de lésions et d'œdème pulmonaires, qu'il avait des ulcérations dans les viscères et une hémorragie. Ça a dû rappeler quelque chose à Williams, car c'est à l'Institut de veille sanitaire qu'il a fait porter mes spécimens, en réclamant une analyse immuno-chromatographique de toute urgence.

Sans être experte en la matière, j'avais une vague idée de ce dont parlait Larabee : un test immunologique très particulier, fondé sur diverses réactions chimiques et permettant de détecter s'il y a, ou non, telle ou telle substance organique dans l'élément analysé.

Petit exposé.

Les antigènes sont des molécules reconnues par le système immunitaire comme étant des intrus. Il peut s'agir de toxines, d'enzymes, de virus, de bactéries ou même d'un greffon de poumon défaillant.

Les anticorps sont des protéines qui attaquent et neutralisent ces envahisseurs. À l'état normal, nous en possédons des quantités à l'intérieur de notre corps. Mais nous pouvons aussi en fabriquer d'autres plus spécifiques, pour répondre à des antigènes bien précis. C'est ce qu'on appelle la réaction immunitaire.

Étant donné qu'une menace X déclenche une réponse Y, ces tests immunologiques se fondent sur cette particularité des anticorps à se fixer sur des antigènes. Pigé ? En science médico-légale, on recourt à cette technique quand on veut identifier et quantifier la présence d'éléments organiques inconnus dans des échantillons soumis à l'analyse. Si tel anticorps produit telle réaction, ça signifie que telle substance est très probablement présente dans le corps de l'individu autopsié.

— Le test a conclu à la présence de ricine dans deux de mes échantillons, a repris Larabee.

— De la ricine ! ?

Je n'ai pu dissimuler ma surprise, car la ricine est un poison parmi les plus virulents au monde, qui peut provoquer la mort d'un individu de trente-six à soixante-douze heures après contact. C'est une toxine naturelle, dérivée des graines de la plante appelée ricin ou *Ricinus communis* en latin.

Les essais immunologiques ont ceci d'intéressant qu'ils produisent des signaux mesurables dès qu'il y a fixation entre antigène et anticorps. Dans le cas de la ricine, une luminosité verte apparaît. C'est la partie chromatographique du test en question.

Cette lumière verte est mesurée à l'aide d'un spectrophotomètre ou d'un appareil similaire. En gros, plus la luminosité est forte, plus le taux de ricine dans l'échantillon est élevé.

— C'est donc pour ça que les résultats ont pu être obtenus aussi vite, ai-je dit.

Ces dernières années, en effet, il est devenu très facile de pratiquer ces tests immunitaires. Des kits spéciaux permettent de détecter rapidement la présence de ricine, d'anthrax, de peste, de tularémie et de bien d'autres toxines encore.

— Certes, mais ça ne nous dit pas comment de la ricine a pu pénétrer à l'intérieur de notre individu, a fait valoir Larabee.

— C'est avec ça qu'on a tué Georgi Markov. Tu sais, le journaliste bulgare qui a été assassiné à Londres en 1978.

— Je doute que notre inconnu ait été poignardé dans les fesses avec un parapluie.

— Markov, c'est à la jambe qu'il avait été piqué.

Larabee m'a fait les gros yeux.

J'ai réfléchi un moment. Quelle que soit la forme sous laquelle on l'absorbe, par ingestion, inhalation ou injection, la ricine déclenche des nausées, des spasmes musculaires, une diarrhée grave et des convulsions qui finissent par plonger l'individu dans le coma et provoquent sa mort.

— L'empoisonnement à la ricine, ça correspondrait assez à tes résultats d'autopsie.

— Et ça expliquerait l'intérêt du FBI.

Le téléphone a sonné.

— Ça fait des années que les militaires planchent sur les effets de la ricine, a poursuivi Larabee sans y prêter attention. Ils ont tenté d'en enduire les balles et les boulets. Ils en ont utilisé dans des bombes à fragmentation. J'ai fait une recherche rapide dès que j'ai été informé de la nouvelle, a-t-il ajouté en frappant le fax de sa main. La ricine figure sur la liste des substances soumises au contrôle de catégorie 1 publiée dans la Convention de 1972 sur les armes biologiques et elle a été reprise dans celle de 1997 sur les armes chimiques.

— Concernant la guerre biologique, il existe des toxines bien plus efficaces que la ricine, ai-je objecté en me fondant sur un article que j'avais lu quelque part. L'anthrax, par exemple : un seul kilo suffit là où il faut des tonnes de ricine pour le même usage. Et la ricine se dégrade rapidement, tandis que l'anthrax conserve son pouvoir de destruction pendant des décennies.

— Oui, mais pour un quidam quelconque, il est impossible de se procurer de l'anthrax, de la botuline ou du tétanos. Alors que le premier cinglé venu peut faire pousser du ricin dans son jardin, c'est une plante d'ornement.

J'ai voulu objecter, Larabee ne m'en a pas laissé le temps.

— Près d'un million de tonnes de graines de ricin sont exploitées dans le monde chaque année. Cinq pour cent finit sous forme de déchets contenant un taux de ricine élevé.

— Dans ce cas, la question est : de quelle manière notre homme a-t-il été empoisonné à la ricine ?

— Pour finir à l'intérieur d'un baril de goudron au fin fond d'une décharge de Concord ? a achevé Larabee.

— Et surtout, qui est-ce ?

En guise de réponse, Larabee a branché le haut-parleur de son téléphone et a enfoncé un bouton par trois fois.

Dix sonneries, un signal occupé, et enfin la voix d'Hawkins.

— Pouvez plus vous passer de moi, docteur ?

— Désolé de vous déranger pendant votre jour de repos. (Larabee, d'une voix tendue.)

— Vous ne me dérangez pas.

— Ça peut paraître bizarre, mais nous n'arrivons pas à mettre la main sur le corps récupéré dans la décharge.

Silence de Joe. En arrière-fond, un match de baseball à la télé.

— Vous êtes là ?

— Oui. J'essaie juste de comprendre le sens de votre question.

— Le MCME 227-11, le type dans le tonneau de goudron.

— Ça, j'ai compris. Je sais de qui vous parlez.

— Le Dr Brennan et moi-même n'arrivons pas à remettre la main dessus.

— Normal, puisqu'il n'est plus là !

— Comment ça, plus là ? a fait Larabee en tournico-tant le fil du téléphone dans un sens et dans l'autre.

— Une entreprise de pompes funèbres est venue le chercher.

— Je n'ai pas signé de papier autorisant la remise du corps, que je sache !

Nouveau silence de Joe.

— Excusez-moi… Je voudrais juste comprendre.

— L'agent du FBI, je ne sais plus son…

— Williams.

— Ouais, Williams. Vous m'avez bien dit de lui remettre tout ce qu'il demanderait ? Eh bien, j'ai suivi vos consignes.

— Que voulez-vous dire ?

— Il a emporté vos échantillons toxicologiques, samedi. Dimanche, il a appelé pour me prévenir qu'un fourgon allait venir chercher le corps et qu'en conséquence je devais le préparer au départ. Il a pris aussi toutes les radios.

— Le corps a quitté la morgue hier ?

— Oui, j'ai tous les documents signés.

Les yeux de Larabee ont croisé les miens.

— Merci, Joe.

Le temps de reposer le combiné, et Larabee filait déjà en direction du bureau de Mme Flowers à l'accueil. Je lui ai emboîté le pas.

— Est-ce que Joe a laissé hier un bon de transfert ?

Mme Flowers a parcouru les papiers rangés dans sa boîte des messages entrants. Elle en a sorti un et l'a tendu à Larabee. Le patron l'a lu tout bas et a jeté, sans relever les yeux de la feuille :

— Qu'est-ce que c'est que cette société : SD Conveyance ?

— Jamais entendu parler d'elle !

— C'est signé de l'agent spécial Williams.

— Une entreprise de pompes funèbres est mentionnée ?

— Non, a répliqué Larabee en me fourrant le papier dans les mains.

Derrière nous, Mme Flowers se tenait coite, visiblement toute ouïe.

— C'est inadmissible ! Un ME doit pouvoir agir en toute indépendance. Je ne supporterai pas que des agents du gouvernement pénètrent dans ma morgue pour confisquer des restes.

Connexion subite dans mon cerveau.

— Tu m'as bien dit que le gouvernement s'intéressait à la ricine en tant qu'arme biologique éventuelle ?

— Et alors ?

— Ted Raines travaille à l'Institut de veille sanitaire.

— Le type qui a disparu la semaine dernière ?

J'ai fait signe que oui.

Comprenant ce à quoi je faisais allusion, Larabee s'est mis à arpenter la pièce.

Mme Flowers nous observait, le patron et moi, à la façon d'un spectateur à un tournoi de tennis : en reportant les yeux de l'un à l'autre et vice-versa.

— Les salauds ! s'est exclamé Larabee, pourpre de fureur.

— Va pas nous faire une crise cardiaque, surtout !

— Comment peut-on identifier un cadavre en l'absence de ses restes ? Quand on n'a même plus ses radios ?

— Peut-être que les Feds ne veulent pas que ce corps soit identifié.

Nous en étions là, à retourner cette idée dans nos têtes, quand mes cellules grises m'en ont soufflé une autre :

— Les échantillons d'os ! J'avais fait des prélèvements, au cas où une analyse ADN serait décidée.

Un sprint jusqu'à la salle qui pue.

Rien sur le comptoir. Rien dans les placards. Rien dans le petit réfrigérateur où l'on conserve les échantillons.

Fouille de la grande salle d'autopsie.

De mon bureau.

De toutes les étagères de la chambre froide.

Du labo, sans oublier le microscope.

Mes prélèvements avaient disparu, eux aussi.

Chapitre 11

Je venais juste de regagner mon bureau quand le téléphone a sonné. Au bout du fil une Mme Flowers furieuse et dépitée.

— Je lui ai bien dit d'attendre, mais il n'a rien voulu savoir ! Avec lui, c'est toujours pareil.

La cause de son irritation m'a été révélée par un bruit de pas pesants. J'ai à peine eu le temps de lui répondre de ne pas s'en faire que Slidell s'encadrait dans ma porte. Il arborait aujourd'hui une veste en polyester fauve sur une chemise orange et une cravate noire.

Entré sans y être invité, il s'est laissé choir dans un fauteuil.

— Entrez, je vous en prie…

— Là où y a de la gêne, y a pas de plaisir.

Deux mocassins éculés se sont tendus vers moi. Surmontés de chaussettes orange assorties à la chemise. D'un chic !

— Mme Flowers aime bien annoncer les visiteurs.

— S'en r'mettra.

— Elle considère que cela fait partie de ses fonctions.

— Fallait bien que j'vous voie !

D'abord le corps évanoui dans la nature, maintenant Slidell. Mieux valait respirer un bon coup.

— Williams et Randall nous ont fauché notre inconnu.

Ramenant ses pieds vers lui, Slidell s'est penché en avant de tout le buste.

— Vous rigolez.

— J'aimerais bien.

— Pour l'emmener où ?

— C'est ce qu'on souhaiterait savoir. Larabee est en train d'appeler le FBI.

— Une idée de ce qui a pu les motiver ?

J'ai évoqué l'histoire de la ricine.

— Ils pensent à un acte terroriste ? a réagi Slidell.

J'ai levé les deux mains. Qui sait ?

— Mais quand même, vous pensez quoi ?

Petit débat avec moi-même : lui faire part de mes suppositions ? Pourquoi pas ?

— Ted Raines travaille pour l'Institut de veille sanitaire. Il vient à Charlotte pour les courses automobiles et disparaît. Juste après, un corps est découvert dans une décharge, pile à côté du circuit. Un corps empoisonné par une biotoxine.

Les yeux de Slidell se sont rétrécis, signe de réflexion.

— Et ça, vous en pensez quoi ? Cale Lovette fricotait avec des cinglés d'extrême droite. Il disparaît en 98, l'année où du courrier fourré à l'anthrax commence à se déverser dans les boîtes aux lettres des cliniques gynéco. Notamment, dans celle où le Dr Barnett Slepian est assassiné.

— Le médecin qui pratiquait des avortements ?

— Ouais.

Pas mal, Skinny.

— À mon avis, l'inconnu est trop vieux pour être Lovette.

— Z'en êtes sûre ?

— Non. Les indicateurs de l'âge varient d'un individu à l'autre et il se peut très bien que chez Lovette ils aient correspondu au niveau supérieur de sa tranche d'âge.

Pendant un moment, Slidell est resté sans rien dire, tout comme moi. Puis il a posé les coudes sur ses cuisses et s'est penché vers moi, en appui sur ses bras. Sa cravate orange s'est mise à se balancer entre ses genoux.

Me regardant fixement par-dessous ses paupières gonflées, il a dit :

— J'ai réussi à retrouver Grady Winge.

Il m'a fallu un temps pour comprendre.

— L'homme qui a vu Cindi et Cale quitter le circuit, le soir où ils ont disparu ?

— Ouais. L'a pas fait ce qu'on appelle une carrière époustouflante.

— C'est-à-dire ?

— L'a toujours le même boulot qu'à l'époque. Je suis en route pour Concord.

— Je vous accompagne !

Joignant le geste à la parole, j'ai attrapé mon sac dans le tiroir de mon bureau.

Le Charlotte Motor Speedway offre bien davantage que la seule possibilité d'assister aux courses. Outre son circuit de deux kilomètres et demi (un ovale avec une ligne droite coudée), et les tribunes des spectateurs, ce terrain comporte sur ses deux cents hectares des concessions alimentaires, des installations sanitaires, des emplacements de camping pour le public de base, et aussi, pour une clientèle plus fortunée, un luxueux Country Club de cinquante-deux chambres et plusieurs suites, avec restaurant élégant et divertissements variés.

Les pilotes disposent de la zone des stands de la Sprint Cup — d'une superficie de presque deux mille mètres carrés —, d'un circuit sur route de trois kilomètres et demi et d'une piste de karting d'un kilomètre à l'intérieur de l'ovale. Un second ovale de quatre cents mètres utilise une partie de la piste située devant les tribunes et les voies d'accès aux stands. À ces deux circuits, il faut ajouter un troisième ovale de trois cent cinquante mètres, situé juste derrière le virage n° 3.

La billetterie et les bureaux administratifs sont regroupés dans un bâtiment de sept étages appelé la tour Smith. Enfin, il y a un petit parc industriel qui abrite diverses entreprises liées au sport automobile.

Le Speedway sert également d'habitat à toute une faune naturelle.

Et il ne faut pas oublier la décharge, bien entendu.

Grady Winge s'occupait des fleurs dans tous ces secteurs, sauf les deux derniers.

Pour une Race Week, la circulation était relativement fluide : quarante minutes seulement pour couvrir le trajet Charlotte-Concord. Un jeune homme nous attendait devant la tour Smith. Harley, à en croire son badge. Il a proposé de nous conduire à l'intérieur du circuit à bord d'une voiturette de golf.

Slidell a voulu prendre sa Taurus.

Harley a fait valoir l'impossibilité de circuler au milieu d'une foule aussi compacte. Slidell a insisté.

Sans se départir de son sourire, Harley a exprimé avec plus de fermeté son intention de nous conduire.

J'ai résolu le problème en sautant à bord de la voiturette, choisissant le siège orienté vers l'arrière pour que Slidell soit au moins assis dans le sens de la marche.

Non sans rechigner, Skinny a fini par introduire sa masse substantielle à l'intérieur du petit véhicule.

Ayant dégagé la manette de freins, Harley a slalomé au milieu de la cohue jusqu'au souterrain permettant d'accéder au centre du circuit.

Au milieu du tunnel, je me suis retournée pour jeter un coup d'œil à Slidell.

Dans la pénombre, il m'est apparu, nimbé de la lumière du soleil venant de l'autre bout du souterrain. De sa grosse paluche, il se cramponnait au montant de la voiturette comme s'il se préparait à passer dans une centrifugeuse de type 20G.

Les terrains de camping étaient envahis de tentes et de caravanes. Les fans transpiraient, affalés dans des transats ou sur le toit de leurs véhicules. Nombre d'entre eux arboraient une tenue vestimentaire des plus succinctes et un mépris criant à l'endroit des crèmes anti-UV. D'autres aficionados s'entassaient autour des tables de pique-nique dressées devant les stands de boisson et se gavaient d'épis de maïs, de frites, de hamburgers ou de brochettes grillées au barbecue.

Harley s'est enfin arrêté près d'un bâtiment gris et bleu portant les mots «Centre de presse». D'énormes camions étaient rangés devant, les uns à côté des autres, dans un espace clôturé.

En descendant de la voiturette, je l'ai entendu dire à Slidell que c'était les transporteurs des pilotes de la Nationwide. Celui-ci n'a pas réagi. Soit qu'il s'en fiche, soit qu'il n'ait pas compris.

Entrer à l'intérieur du centre de presse, c'était comme de passer du cœur d'un haut-fourneau à une chambre frigorifique. Harley a désigné à droite un groupe de tables rondes en plastique et un homme assis à la plus éloignée.

— C'est Grady Winge.

Un type énorme que ce Winge, et qui devait bien faire cent cinquante kilos pour un mètre quatre-vingt quinze. Il avait des cheveux bruns retenus dans le cou en une maigre queue-de-cheval, et une chemise kaki maculée de terre et tachée sous les bras de grandes traces noires en forme de demi-lune.

— Voici mon numéro de cellulaire, a dit Harley en me remettant sa carte. Appelez-moi quand vous en aurez fini.

Sur un dernier sourire, il s'est dirigé vers les profondeurs du bâtiment.

Nous sommes restés un moment à observer notre cible. Winge avait un visage bronzé, buriné par le soleil. Pas facile de lui donner un âge. Sa casquette posée sur la table était trempée de sueur jusqu'au 3 ventru imprimé au milieu de la visière. Il portait au cou une chaîne avec une croix.

Autre caractéristique remarquable chez cet individu, en plus de sa taille : sa tranquillité.

Les doigts croisés, les yeux baissés, il était assis dans une immobilité parfaite.

Nous nous sommes avancés.

— Grady Winge ?

Slidell a attendu qu'il relève les yeux pour lui présenter son insigne.

Winge a regardé la plaque sans dire un mot.

Nous avons pris place sur les chaises de plastique en face de lui.

— Vous savez pourquoi nous sommes ici, a déclaré Slidell sur le ton du constat.

Winge n'a pas répondu. J'ai désigné sa casquette :

— Je vois que vous êtes un supporter de Dale Earnhardt.

— Oui, m'dame.

— C'était le meilleur, ai-je ajouté à tout hasard.

— Oui, m'dame.

Mais Slidell n'était pas d'humeur à bavarder de la pluie et du beau temps.

— Cindi Gamble et Cale Lovette ont disparu d'ici le 14 octobre 1998. D'après le dossier, vous avez été le dernier à les voir ce jour-là.

Cette fois encore, Winge n'a pas bronché.

— Vous avez déclaré que ce soir-là, vers les six heures, Gamble et Lovette avaient eu une discussion houleuse avec un homme et qu'après ils étaient partis tous les trois ensemble.

— C'est exact.

— Vous connaissiez cet homme ?

— Je l'avais déjà vu dans le coin.

— Êtes-vous sûr que ces deux jeunes étaient bien Gamble et Lovette ?

Une pause, puis :

— Pour Lovette, je suis sûr.

— Pourquoi ?

— Parce qu'il travaillait ici.

— Est-ce qu'il vous arrivait de le rencontrer ailleurs que sur le circuit ?

— Possible, a répondu Winge en haussant les épaules.

— Où ça ?

— Dans un bar, le Double Shot.

— Celui de Mooresville ?

Slidell devait avoir repéré ce nom dans les carnets de Rinaldi.

— J'avais ma roulotte pas loin de là, près du lac. Alors, j'y allais de temps en temps prendre une bière.

— Et Lovette, c'était un habitué ?

— Il y venait boire un coup avec des copains.

— Des types de la milice.

Silence radio, côté Winge.

— Hein ? (Slidell, sur un ton bourru.)

— Hein, quoi ?

— J'attends une réponse.

— J'attends une question.

— Te fous pas de ma gueule, abruti !

— C'est possible qu'ils l'étaient.

— Dis-moi un peu, Grady. Tu traficoterais pas avec le Détachement ?

La pomme d'Adam de Winge a tressauté. Un petit moment s'est écoulé avant qu'il ne déclare :

— Je suis plus le même homme aujourd'hui.

— Ouais, t'es un prince. Et si tu me donnais des noms ?

— Il y avait un type appelé J.D. Un autre Buster. Peut-être un E-Man. C'est tout ce que je me rappelle.

— Bon pour un début. De vrais noms ? Des noms de famille ?

— J.D. Danner. C'est le seul que j'aie entendu.

Des doigts, Slidell lui a signifié : « Encore, encore. » Winge a embrayé.

— J.D., c'était le chef.

— Ça veut dire quoi, exactement ?

— C'est lui qui nous disait quoi faire.

— Et qu'est-ce qu'il vous disait de faire, J.D. ?

Winge a piqué du menton et saisi la croix pendue à son cou, nous révélant sur son crâne un rond chauve et luisant, couvert de pellicules. Il était visiblement mal à l'aise.

J'ai levé la main pour intimer à Slidell de se taire. Il a obtempéré en soupirant.

— Monsieur Winge, nous pensons qu'il est arrivé malheur à Cale et à Cindi.

Le jardinier a relevé les yeux sur moi. J'ai poursuivi :

— Est-ce que le Détachement patriote menait des actions politiques ?

— Qu'est-ce que vous voulez dire ?

— De quoi parliez-vous pendant vos réunions ?

— On disait qu'on détestait les Noirs, les Juifs, et les gens de Washington. Que tout le monde était responsable de nos problèmes, mais jamais nous.

— Et recourir à la violence, c'était une solution que vous envisagiez ?

Une expression de méfiance est passée dans le regard de Winge. Il n'a pas répondu.

— Est-ce que vous parliez de tout faire sauter ? De mettre le feu à des bâtiments ? D'empoisonner des plans d'eau ?

— Jamais de la vie !

— Vous savez où nous pourrions trouver J.D. Danner ?

— Non.

— Est-ce qu'il vous arrive de tomber sur lui au Double Shot ?

Winge a secoué la tête.

— J'ai accueilli Jésus dans mon cœur, a-t-il déclaré et sa tête a plongé tandis que ses lèvres prononçaient le nom sacré. Le Seigneur n'approuve pas l'usage de l'alcool. Depuis que j'ai chassé Satan hors de moi, je ne vais plus dans les bars.

— À votre avis, monsieur Winge, est-ce que Cindi et Cale sont partis de leur plein gré ?

Les massives épaules de l'homme se sont soulevées puis rabaissées.

— Est-ce que vous pensez que J.D. et le Détachement ont quelque chose à voir avec leur disparition ?

Winge a secoué la tête.

— Non, m'dame. Je crois pas.

Je suis passée à un autre sujet.

— Vous dites, dans votre rapport, que Cale et Cindi sont montés en voiture.

— Oui, dans une Mustang Petty Blue, modèle 1965, avec un autocollant vert fluo sur le pare-brise, côté passager.

— Vous aviez déjà vu cette voiture ?

— Non. Mais c'était toute une bagnole. Et sa couleur aussi. J'avais rencontré Richard Petty une ou deux fois. Un sacré pilote. Bonhomme cool.

— Pouvez-vous me décrire le conducteur ?

— Rien de particulier. De taille moyenne, les cheveux bruns. Pas vraiment grand, pas vraiment petit. L'aurait pu être noir, j'imagine.

À court d'idées, j'ai posé la même question qu'à Williams et à Randall.

— Selon vous, qu'est-ce qui a pu arriver à Cale et Cindi ?

— Je prie le bon Seigneur Jésus pour qu'ils aient trouvé la paix de l'âme.

Chapitre 12

— Cet imbécile m'a juste fait perdre une heure de ma vie !

— Ce n'est pas du temps perdu.

Nous étions remontés dans la Taurus et Slidell manipulait les boutons de l'air conditionné avec tant de hargne qu'ils allaient sûrement lui rester dans les doigts.

— Peut-être que Danner fréquente toujours le Double Shot.

— Ce serait bien si la vie était aussi simple.

Une rigole de sueur a dégouliné du front de Slidell pendant qu'il extirpait son cellulaire de sa ceinture et tapait sur les touches.

Quelques minutes plus tard, nous savions que le Double Shot servait toujours de la boisson de midi à deux heures du matin.

Mooresville aboutit à un réservoir artificiel de forme sinueuse, Lake Norman. Cette petite bourgade, située à une quarantaine de kilomètres de Charlotte, dans le comté d'Iredell, compte vingt-cinq mille habitants et un ranch de bisons.

De même que les autres villes de la région, Huntersville, Cornelius, Kannapolis ou Concord, Mooresville accueille quantité de magasins dévolus à la NASCAR. Bobby Labonte. Martin Truex. Jr. Brian Vickers. D'où ce surnom qu'elle s'est elle-même attribué : Race City, U.S.A. La ville des courses.

Nous avons déniché le Double Shot sur une étroite route à deux voies, à deux kilomètres à l'est de la I-77. Vu que ce bar ne se trouvait ni en bordure du lac ni le long de l'autoroute, il est à croire qu'il devait sa prospérité à ses seuls habitués, des gens du coin.

Vu de la route, ce n'était manifestement pas la beauté du lieu qui attirait les clients : un ranch dans le style années 1950, avec un revêtement rouge qui avait viré saumon sous le soleil.

Côté route, sur toute la longueur de la façade, les mots «Double Shot» tracés en majuscules au siècle passé et jamais repeints depuis.

À côté de l'entrée, quatre motos bien rangées en ligne et, dans le stationnement recouvert de gravier, deux pick-up garés n'importe comment.

Je dois trop regarder la télé, car je m'attendais à ce que tous les regards convergent sur nous, sitôt franchi le seuil. J'en suis restée pour mes frais.

À gauche, deux hommes en train de jouer au billard sous le regard d'un troisième, assis à califourchon sur une chaise en chrome et vinyle, les bras autour du dossier. À un bout du bar, une paire de buveurs de bière qui a poursuivi sa conversation comme si de rien n'était. À l'autre bout, un client concentré sur son hamburger.

Des fenêtres à carreaux peints, qui maintenaient les lieux dans la pénombre. Au plafond, des ventilateurs qui faisaient danser les lumières au néon orange, rouges et bleues des réclames de bière suspendues au mur. Résultat obtenu : une irréalité sautillante.

Un temps pour que mes yeux s'accommodent, et j'ai enregistré d'autres détails.

Trois banquettes en bois le long du mur de droite et, quelque part derrière, un doigt pointé indiquant les toilettes.

Droit devant, des tables occupant tout l'espace en face du comptoir. Derrière le bar, un type à barbe grise en train de laver des tasses en les faisant tourner sur une brosse fixée à côté de l'évier.

Que des hommes dans la salle. Tous en jeans et bottes de cuir, malgré les trente-cinq degrés ou pas loin. Trois d'entre eux avec d'impressionnants tatouages ; quatre qui auraient eu besoin d'un petit tour chez le coiffeur et deux, le crâne rasé.

Slidell a sondé des yeux le moindre recoin pendant que nous avancions vers le bar. À la tension de ses épaules, j'ai compris qu'il était remonté à bloc.

Barbe Grise n'a pas bougé la tête, mais il était clair qu'il épiait tous nos gestes. Nous nous sommes arrêtés devant lui et avons attendu.

Barbe Grise n'a pas interrompu ses mouvements de piston avec les verres.

— Tu veux peut-être que je brandisse mon badge, histoire d'impressionner ton élégante clientèle ? a déclaré Slidell sur un ton tout sauf paisible.

— Z'ont déjà pigé à qui z'avaient à faire, a rétorqué Barbe Grise en reposant une chope pour s'emparer d'une autre.

— Tiens donc.

— Ils flairent le flic de loin.

— Regarde-moi quand tu me parles, tas de merde.

Barbe Grise a relevé les yeux. Dans la pénombre, leur blanc avait une couleur jaune pisse.

— On peut causer ici, a dit Slidell. Ou dans un endroit plus joli et officiel. Et pendant ce temps-là, je peux faire fouiller ta décharge par tous les flics au nord d'Aiken.

— En quoi puis-je vous aider, monsieur le détective ?

— Si tu commençais par me dire ton nom.

— Posey. Kermit Posey.

— C'est une blague ?

— Je ne blague pas.

— C'est toi, le proprio ?

Posey a hoché la tête.

— Je m'intéresse à un certain J.D. Danner.

Posey a posé sa tasse à côté des autres sur un torchon à carreaux bleus et blancs.

— J'attends, abruti, a jeté Slidell sur un ton menaçant. Mais pas longtemps.

— D'après vous, ça ressemble à un endroit où les
gens échangent leurs cartes de visite ?

— J.D. Danner !

— J'ai peut-être entendu ce nom.

— J'ai un témoin qui dit que Danner était un régulier
ici, en 98.

— Ça fait longtemps.

— Il dit que Danner était avec une bande qui avait
pour nom le «Détachement patriote».

Posey a haussé une épaule, l'air de dire : «Ah bon ?
Possible. Qui sait ?»

Tendant le bras par-dessus le comptoir, Slidell l'a
attrapé par sa barbe et tiré jusqu'à dix centimètres de
son visage.

— T'as des problèmes d'audition, Kermit ? Ça va
mieux comme ça ?

S'étouffant à moitié, Posey a posé les deux mains à
plat sur le bar. À un bout du comptoir, la conversation
s'est arrêtée ; à l'autre, ça a été la mastication du hamburger. Derrière nous, les boules de billard ont cessé de
cliqueter et les plaisanteries se sont tues.

— Danner, il passe de temps à autre se rincer le gosier ?

Posey a hoché la tête autant qu'il lui était possible de
le faire. Un gargouillis glaireux est sorti de sa gorge, mi-
toux, mi-étranglement.

— Où je peux le trouver ?

— Je sais rien que des rumeurs.

— Fais-moi plaisir, a dit Slidell.

— Paraît qu'il habiterait à Cornelius. (Nouvelle
quinte étranglée.) C'est tout ce que je sais, je le jure
devant Dieu.

Slidell a relâché sa prise.

Posey a basculé en arrière. Ses doigts ont raclé le
comptoir à la recherche d'une prise. Le torchon a dégrin-
golé. Les chopes se sont écrasées au sol dans un vacarme
de verre brisé.

— Toujours ça de moins à laver ! a fait Slidell en désignant les tessons du menton.

Remonté dans la Taurus, il s'en est pris de nouveau à l'air conditionné. J'ai profité de ce qu'il appelait son QG pour téléphoner au MCME.

Notre inconnu de la décharge avait été placé en quarantaine, m'a appris Larabee. Conformément aux instructions du Cahier des procédures à respecter par le médecin-chef de l'État et par le coroner dans les cas de contamination mortelle.

— C'est à cause de la ricine.

— *Bullshit !* a répliqué Larabee. La contamination à la ricine ne s'effectue pas par contact. Il faut en absorber soi-même par voie respiratoire ou orale.

Ou être piqué par un parapluie infecté.

Slidell a marmonné quelque chose et balancé son cellulaire sur le tableau de bord. J'ai demandé à Larabee où le corps avait été transporté.

— Le FBI refuse de le dire, mais j'arriverai bien à le savoir. Ils peuvent compter sur moi.

Slidell a mis ses Ray-Ban de contrefaçon, bouclé sa ceinture et enclenché la marche avant.

— Tu me tiens au courant, ai-je dit encore avant de raccrocher.

Slidell a détalé du stationnement en faisant voler le gravier sous ses pneus.

— On vous a donné une adresse, pour Danner ?

— Les collègues sont sur le coup.

À quoi bon insister ? Il me dirait tout quand l'envie le prendrait.

Ça n'a pas mis plus d'une minute.

— Lynn Mary Hobbs a suivi des cours à l'université de Caroline du Nord de 1998 à 2001, mais n'a pas passé son diplôme. En 2002, elle s'est mariée avec un certain Dean Nolan. Elle s'appelle maintenant Lynn Nolan.

La radio y est allée de ses crachotements statiques. Slidell l'a coupée.

— Après ses études, Nolan est revenue au bercail. Elle travaille dans un centre de recherches sur les questions respiratoires, le CRRI. Ça se trouve près de China Grove, dans une espèce de parc industriel.

Un instant de réflexion et j'ai demandé si c'était le Parc régional pour la recherche dans le Sud-Est.

Réponse : oui.

Comme c'était à un jet de pierre de Kannapolis, j'ai supposé que nous nous y rendions.

— Mme Nolan est au courant de notre visite ?

— Je me dis qu'une petite surprise donnera peut-être un peu de pep à la situation.

— Sur quoi ils travaillent, au CRRI ?

— Z'allez dire que je suis fou, mais j'ai comme l'impression qu'y passent pas mal de temps à s'triturer les méninges sur des problèmes liés aux poumons.

Je me suis détournée, ostensiblement.

Les rangées de maïs s'étiraient jusqu'à l'horizon, telle une armée en marche. Dans la chaleur de l'après-midi, elles luisaient d'un éclat sombre. Au-dessus, un faucon à queue rouge volait bas dans le ciel, en cercles paresseux.

Slidell n'a pas repris la I-77. Il a coupé par la NC-152 en direction de l'ouest. Juste avant China Grove, trois virages à droite et un quatrième à gauche, et nous nous sommes retrouvés sur une large route pavée.

Finis, les champs de maïs. Ici, c'était des fleurs sauvages aussi loin que portait le regard. Un véritable océan de couleurs, du plus pur style Monet.

Sept cent cinquante mètres plus loin, deux murs de brique rouge séparés par une grande grille de fer barrant la chaussée d'un côté à l'autre. Au-delà, un parc entretenu avec soin. Parc régional de recherches pour le Sud-Est, indiquait une plaque en pierre.

Slidell s'est arrêté près de la guérite et a baissé sa fenêtre. Un jeune homme en uniforme a émergé, lesté d'une planchette.

— Que puis-je faire pour vous ?

— Nous voudrions voir Lynn Nolan.

— Oui, monsieur. Je vérifie vos noms sur la liste des visiteurs.

— Nous n'y figurons pas.

— Je suis désolé, mais…

Slidell a sorti sa plaque.

L'homme l'a examinée avec une grande attention.

— Vous avez un mandat ?

— Pourquoi ? Y a des trucs problématiques par ici ?

— Je vais devoir appeler pour obtenir l'autorisation de vous laisser passer.

— Non, a répliqué Slidell. Vous n'allez pas téléphoner. Nolan travaille au CRRI. Où est-ce que je peux la trouver ?

— Bâtiment 3. Deuxième étage.

— Je vous souhaite une bien belle journée.

Sur ce, Slidell a tapé sur un bouton. Sa fenêtre est remontée en ronronnant.

L'homme a reculé. La grille s'est ouverte, Slidell est passé.

Le parc de recherches ressemblait à un petit campus universitaire du Mississippi. Des bâtiments de brique à larges perrons, avec des colonnes, des portiques et des frontons de style gréco-romain. Des aires de stationnement protégées par des auvents. Un jardin soigné. Des hectares entiers de gazon d'un vert agressif. Un petit étang et sa panoplie complète de canards et d'oies, sans oublier le cygne.

Pourtant rien ne bougeait. On se serait cru dans un de ces films catastrophes où un virus a détruit toute vie humaine en laissant le paysage intact.

Le bâtiment 3, uniquement identifiable grâce à son numéro, était un édifice de quatre étages, situé sur Progress Avenue. Un progrès qui n'avait pas vu ses espoirs concrétisés, à en croire les constructions inachevées de part et d'autre.

Slidell s'est garé juste devant l'entrée en dépit du panneau d'interdiction de stationner.

Des portes en verre teinté. Un vestibule étincelant, où le bois de rose le disputait au marbre. Au centre, une sculpture en pierre futuriste. Un panneau confirmait que le CRRI se trouvait bien au 204.

Un ascenseur d'une propreté impeccable nous a transportés jusqu'au deuxième étage. Là, la palette du décorateur avait eu pour nom «sable» ou «blé». Du beige partout: murs, plinthes, moquette et sièges, mais dans des tons un poil différents. Pas une seule tache de couleur, si ce n'est sur les photos en noir et blanc aux murs: sur l'une, les lèvres d'une femme soulignées en rouge; sur l'autre, un parapluie rehaussé de vert; ailleurs, une queue de cerf-volant mouchetée en jaune et bleu.

Le 204 se trouvait à mi-couloir sur la droite.

Derrière le bureau placé juste en face de la porte, une femme assise. Minuscule, avec des yeux couleur caramel, une peau bronzée par le soleil et de longs cheveux bruns qui jaillissaient d'une barrette au sommet de sa tête.

À notre entrée, ses yeux se sont écarquillés. Sa main manucurée s'est élevée jusqu'à sa bouche.

— Vous êtes vraiment là pour m'arrêter?

Merci, gardien, pour ta discrétion!

Chapitre 13

Raidie par l'angoisse, elle nous a regardés avancer jusqu'à son bureau.

— Lynn Nolan ? (Pas vraiment un aboiement, mais pas loin.)

Elle a hoché la tête, les doigts toujours pressés contre ses lèvres. Des ongles lavande.

Slidell a plaqué son insigne sur la table.

— J'aurais quelques questions à vous poser. Sur Cindi Gamble.

Les yeux de Nolan se sont encore écarquillés, si c'était possible.

— Vous vous rappelez d'elle ?

Nouveau signe que oui.

— Vous tenez absolument à ce qu'on reste debout ?

Sa main a quitté sa bouche pour désigner deux sièges en face de son bureau.

Ses yeux ont dévié sur moi pendant que nous nous asseyions, mais elle n'a rien dit.

Laissant Slidell démarrer l'entretien, j'ai détaillé les lieux.

Dans le coin rendez-vous, des meubles comme dans tous les bureaux : en noyer, recouverts de tweed. Et cela concernait aussi bien la table que nos fauteuils ou le petit canapé bien centré contre le mur du fond et agrémenté d'un guéridon supportant des magazines. Des magazines qui, tous, comprenaient dans leur titre les mots :

air, atmosphère ou énergie. Ici comme dans le couloir, le beige était de mise.

Au-dessus de Nolan, un panneau représentant le logo du CRRI : un moulin à vent stylisé dont le mât central se détachait sur fond de verdure. Les trois pales étaient entourées des mots : GÉNOMIQUE. PROTÉOMIQUE. MÉTABOLOMIQUE.

— C'est vous, la réceptionniste ? a lancé Slidell en sortant un carnet.

Davantage dans le but d'impressionner Lynn Nolan que pour prendre en notes ce qu'elle dirait, ai-je pensé.

La jeune femme a réitéré son signe de tête.

— Qu'est-ce qu'on fabrique ici ?

— Des recherches.

Slidell est resté à la fixer. Elle n'a pas détourné le regard.

— D'où c'que je tire l'impression que vous êtes pas ravie-ravie de nous voir ?

— Sur la pollution atmosphérique.

Si mon compte était juste, elle n'avait pas lâché sept mots depuis que nous étions entrés dans la pièce.

— Pour qui, ces recherches ? a demandé Slidell, le stylo bien en main.

— Des consortiums industriels, des sociétés spéciali-sées dans les tests, des firmes tournées vers la recherche et le développement, des boîtes de consultants.

Réponse apprise par cœur. Et que, à l'évidence, elle ne débitait pas pour la première fois.

Slidell a gribouillé quelques mots dans son carnet avant de plonger au cœur du sujet.

— Vous êtes allée à l'école A.L. Brown, n'est-ce pas ? Avec Cindi Gamble ?

Nolan a encore hoché la tête. Elle avait vraiment un don pour ça.

— Que pouvez-vous me dire sur elle ?

— À quel sujet ?

— Réfléchissez bien, mademoiselle Nolan.

— C'est madame…

— D'accord, d'accord.

— Je la connaissais à peine. Elle voulait devenir pilote de course. Ce n'était pas mon truc.

— Mais vous étiez amies.

— En classe, seulement. De temps en temps, on mangeait ensemble.

Nolan s'est mise à triturer la cuticule d'un de ses pouces à l'aide du faux ongle de l'autre. Curieux que la vue d'un policier la mette aussi mal à l'aise.

— Et après ? a insisté Slidell.

— Après, elle a disparu.

— C'est tout ?

— En dernière année, on ne se voyait pas.

— Pourquoi ça ?

— À cause de son petit ami, un vrai crétin.

— Cale Lovette.

Elle a levé les yeux au ciel. Mimique digne des ligues majeures.

— Il me foutait la trouille.

— Comment ça ?

— Tous ses trucs de tête rasée et de tatouages. C'était vulgaire.

— C'est ça qui vous dégoûtait en lui, son sens esthétique ?

Les lignes verticales, apparues sur le front de Nolan, ont formé de petites bosses à hauteur du pont de son nez.

— Avec ses copains dérangés, ils ne faisaient que parler armes à feu. Ils trouvaient ça cool de jouer aux soldats et de ramper dans les bois. Moi, je trouvais ça idiot.

— C'est tout ?

— Ils avaient plein d'idées tordues.

— Comme quoi ?

— Comme de dire que c'était les Japonais qui avaient fait sauter le bâtiment fédéral, à Oklahoma. Vous trouvez pas ça bête, vous ? Ah, et aussi que l'ONU voulait renverser le gouvernement. Il y en avait même qui parlaient de transformer les réserves nationales en camps de concentration.

— Dans votre déposition de 1998, vous dites que vous avez entendu Lovette parler de poison avec quelqu'un.

— Un autre abruti.

— Chauve et le corps couvert de dessins ?

— Non, vieux et plein de poils.

— Vous le connaissiez, ce type ?

— Non.

— Vous déclarez que Lovette et son copain parlaient d'empoisonner quelque chose.

Nolan a baissé de nouveau les yeux sur sa cuticule. Qui saignait maintenant.

— J'ai peut-être mal compris. C'est pas comme si je m'étais donné du mal pour écouter en douce. Mais le fait est qu'ils étaient plutôt… (Elle a dessiné en l'air des ronds avec ses doigts.) Quel est le mot, déjà, pour dire que les gens, vous savez, parlent en faisant beaucoup de gestes ?

— Excités ? ai-je suggéré.

— Ouais, excités. C'est quand je suis passée devant eux pour aller aux toilettes.

— Et de quoi parlaient-ils ? (Slidell.)

— De balancer du poison quelque part, quelque chose comme ça. Et aussi d'une hache, ou quelque chose dans le genre.

— Où a eu lieu cette conversation ?

— Dans un bar vraiment moche, près de Lake Norman.

— Son nom ?

— Je ne m'en souviens plus.

— Qu'est-ce que vous fichiez là-bas ?

— Cindi voulait retrouver Cale, mais ses parents auraient pété les plombs s'ils avaient su où elle allait… Vous savez… dans un bar. Elle leur a raconté qu'il y avait une soirée à l'école et elle a insisté pour que je l'accompagne. Pour que ça ait l'air plus vrai. Cet endroit, c'était plutôt un trou, comme on dit.

— Et c'était à peu près deux mois avant que Lovette et Gamble ne disparaissent ?

— Je me souviens seulement que c'était l'été.

— Vous pensez que Lovette et ses copains se préparaient à commettre un acte illégal ?

— Comme de braquer une banque ?

À présent, ses yeux caramel formaient deux ronds parfaits.

— Réfléchissons un peu, Lynn. Vous parliez de poison ?

— Je sais pas. Peut-être. Cale était pire qu'un serpent.

— Dites m'en plus sur ce point.

— Un jour, Cindi est arrivée à l'école, les bras couverts de bleus. Comme des marques de doigts, vous savez ? (Nolan parlait maintenant de façon plus expressive, en remuant les mains pour donner de l'emphase à ses dires.) Elle ne l'a jamais avoué, mais je suis sûre que Cale la battait.

Slidell lui a signifié de poursuivre.

— Parfois il s'adressait à elle comme si c'était une demeurée. Mais Cindi était loin d'être bête. Elle était au STEM. Et les élèves acceptés dans ce groupe, c'était tous des cerveaux, comme on dit.

Son ongle lavande a perforé l'espace.

— Il y a quelqu'un qui pourrait vous en dire plus. Maddy Padgett. Elle était au STEM, elle aussi. Et en plus, elle était accro aux voitures et aux moteurs. Je pense qu'elle était très proche de Cindi.

Slidell a écrit une note dans son calepin, puis :

— Mais pourquoi est-ce que Cindi acceptait d'être traitée comme de la merde par Lovette ?

— L'amour…, a répondu Nolan, et son ton indiquait que cette question la laissait confondue.

— Vous croyez qu'elle aurait pu s'enfuir avec lui ?

— Mm.

— Alors quoi ?

Elle a fait passer son regard de Slidell à moi pour revenir sur Slidell, et elle a lâché dans un souffle :

— Je pense que Cale l'a tuée et qu'il a pris la fuite.

Retour à la voiture. L'air humide nous collait à la peau. Le soleil n'était plus qu'un disque argenté dans le ciel. Une brise anémique transportait une odeur de brique chauffée et d'herbe coupée.

— Un triton, pour la puissance intellectuelle !

Ce n'était pas faire justice à cet amphibien, mais je me suis bien gardée de le dire à Slidell.

— Qu'est-ce que c'était, la merde au-dessus de sa tête ?

De quoi voulait-il parler ? Du logo ou de la coiffure de Nolan ? J'ai opté pour la première solution.

— La génomique est l'étude du fonctionnement d'un organisme à l'échelle de son génome.

— Pour identifier son ADN ?

— Oui. La protéomique, c'est l'étude des protéines, et la métabolomique, l'étude des processus cellulaires.

Un peu simpliste, comme réponse, mais assez proche de la vérité.

— Comment est-ce que tout ça s'imbrique dans la pollution atmosphérique ?

— Je vais chercher CRRI sur Google.

À l'intérieur de la voiture, une chaleur de Vallée de la Mort. Ma ceinture bouclée, j'ai demandé à Slidell :

— Que pensez-vous de la théorie de Nolan ?

— Que Lovette aurait tué Gamble ? Ça m'a traversé l'esprit.

— Vraiment ?

Slidell n'a pas dit un mot de plus avant d'avoir tourné la clef de contact, branché au maximum l'air conditionné, développé un Juicy Fruit et se l'être fourré dans la bouche.

— Dans ses notes, Eddie mentionne un certain Owen Poteat, a-t-il repris enfin, tout en faisant demi-tour pour rejoindre la rue principale. En 98, ce Poteat a déclaré avoir vu Lovette à l'aéroport de Charlotte le 24 octobre.

Le sous-entendu était clair.

— Dix jours après qu'il avait disparu avec Gamble. Mais comment Poteat pouvait-il être sûr qu'il s'agissait bien de Lovette ?

— Il avait vu sa photo sur un tract. Les tatouages et le crâne rasé, ça l'avait marqué.

— Son témoignage a été considéré comme crédible à l'époque ?

— En tout cas, par le groupe de recherches. Selon Eddie, le rapport de Poteat a pesé lourd dans la conclusion que Lovette et Gamble avaient fui.

— Et Cindi ?

— Quoi, Cindi ? a demandé Slidell.

— Est-ce que Poteat l'a vue aussi à l'aéroport ?

— Il n'en était pas aussi sûr. Mais il y a un truc intéressant.

Slidell s'est interrompu pour faire un signe au garde pendant que nous franchissions la grille. Le jeune homme nous a regardés passer sans nous rendre notre salut.

— Tout au bout du carnet d'Eddie, il y a une page remplie de grands points d'interrogation.

— Signifiant quoi ?

— Qu'il se posait des questions, a répliqué Slidell.

Il a tendu le bras et, du plat de la main, a tapé sur le bouton de l'air conditionné.

T'énerve pas, Brennan.

— Des questions sur ce Poteat ? ai-je demandé d'une petite voix sucrée.

— Comment diable je saurais ? Cette partie des notes est en code. J'y comprends rien.

Il a sorti son carnet à spirale d'une poche de sa chemise et me l'a balancé sèchement.

— C'est recopié là-dedans.

ME/SC 2X13G-529 OTP FU

Wi-Fr 6-8

Typiques de Rinaldi, ces inscriptions codées. Quand il était pressé par le temps ou craignait une possible indiscrétion, Eddie utilisait une sténo qu'il était seul à connaître.

J'ai considéré les deux premiers mots de la phrase la plus longue et supposé :

— Maine et Caroline du Sud ?

Slidell a manifesté son ignorance en levant les épaules. Je suis passée à la combinaison alphanumérique.

— Ça ne serait pas une plaque minéralogique ?

— Je vérifierai.

— FU signifie probablement *follow up* — à suivre.

Je me suis amusée à ce petit jeu pendant un moment. Sans rien découvrir d'autre.

— Je peux vous prendre cette page ?

— Ouais, bien sûr.

J'ai arraché la feuille et l'ai glissée dans mon sac. Puis :

— C'est qui, Owen Poteat ?

— Je le saurai bientôt.

Je me suis laissée retomber contre le dossier et j'ai fermé les yeux. La chaleur combinée au mouvement de la voiture agissait comme un narcotique. Je commençais à piquer du nez quand mon cellulaire a sonné.

Joe Hawkins.

J'ai pris la communication.

— Salut, Joe. (Sur un ton quelque peu ralenti.)

— Le médecin légiste a appelé pour nous informer des premiers résultats sur la substance visqueuse dans le baril. Du bon vieux goudron, comme nous le pensions.

— Ça ne nous avance pas beaucoup.

— Peut-être que non, peut-être que oui. L'échantillon contenait du Rosphalt, un produit de synthèse fabriqué par Royston qu'on ajoute au mélange sec et qui possède toutes sortes de propriétés telles qu'imperméabiliser une surface et la rendre antidérapante, la protéger contre les formations d'ornières, de bosses ou de fendillements dus à l'usure thermique. Ce genre de choses.

— Mmm. (En réprimant un bâillement.)

— Le Rosphalt se présente sous trois formes. La première est utilisée principalement pour les routes et les tunnels, la deuxième pour les pistes d'aéroport… Vous êtes toujours là ?

— Oui, oui. (En luttant de mon mieux pour rester éveillée.)

— Votre échantillon contenait le troisième type de Rosphalt, le R50/Rx. Celui-là est surtout utilisé sur les pistes de course.

Mon cerveau s'est remis au boulot :

— Utilisé sur le circuit de Charlotte ?

— Je savais que vous me poseriez la question. Je leur ai donc passé un coup de fil. Le circuit présente une pente plutôt raide. Ça, plus le soleil et les bagnoles qui prennent les virages à toute vitesse, ça fait chauffer l'asphalte. Il peut se liquéfier et dégouliner. Pour y remédier, ils emploient du Rosphalt. Ça renforce l'adhérence.

Damn. L'asphalte contenu dans le baril venait probablement du circuit.

— Ça paraît logique, vu que la piste est juste à côté.

— Merci, Joe.

J'ai coupé la communication dans un état d'excitation extrême, et j'ai rapporté ma conversation à Slidell.

— Ce Rosphalt relie notre inconnu au circuit.

— Vous voulez dire quoi ? Que la victime a été tuée sur le circuit, fourrée dans un baril, scellée à l'intérieur avec du goudron et balancée dans la décharge ?

— Pourquoi pas ? Des bidons de cent vingt litres, il y en a des quantités sur les circuits.

Slidell ruminait cette théorie quand mon téléphone a sonné de nouveau. Cette fois, c'était Larabee.

— Ces trous de cul sont allés trop loin !

— Quels trous de cul ?

— Ils ne s'en tireront pas comme ça.

— Se tirer de quoi ?

— Le maudit FBI a fait flamber notre inconnu !

Chapitre 14

Slidell entendait les braillements furieux qui sortaient de mon téléphone, sans rien y comprendre. Résultat, il n'arrêtait pas de tourner la tête vers moi, et moi, de lui intimer par gestes de se concentrer sur la route.

L'histoire a fini par m'être livrée dans son entier avec force jurons.

Après de multiples coups de fil, menaces réitérées et même l'intervention du médecin-chef de l'État depuis Chapel Hill, Larabee avait fini par découvrir ce qu'il était advenu de l'inconnu de la décharge. En fait, si notre MCME 227-11 avait été saisi aux termes du Patriot Act, c'était en raison de la présence de ricine dans son corps. Cela laissait supposer l'éventualité d'un acte de bioterrorisme. Transporté dans un laboratoire d'Atlanta, il avait subi une contre-autopsie et d'autres échantillons avaient été prélevés.

Jusque-là, ce n'était pas très conforme aux procédures habituelles, mais compréhensible.

C'était ensuite que l'affaire se corsait.

Par un concours de circonstances plus malheureuses les unes que les autres, au nombre desquelles une déplorable confusion parmi les papiers, la pénurie de personnel et l'erreur d'une employée inexpérimentée, notre inconnu avait été dirigé sur la salle d'incinération au lieu de réintégrer la chambre froide.

Larabee, fou de rage, avait tempêté, jurant de se plaindre auprès du gouverneur, du ministère de la Justice, du directeur du FBI, du secrétaire chargé de la sécurité du pays ; de remonter jusqu'à la Maison-Blanche et même jusqu'au pape s'il le fallait.

Le moment était mal choisi pour lui parler du Rosphalt.

La communication terminée, j'ai rapporté à Slidell ce qui était arrivé. Son commentaire :

— Ça pue aussi fort qu'une barrique de poissons morts.

Il n'a pas dit un mot de plus jusqu'au stationnement du MCME. Là, s'étant garé à côté de ma voiture, il s'est complètement retourné vers moi en se cramponnant au volant.

— Et vous, doc, vous en dites quoi ?

J'ai résumé en comptant sur mes doigts :

— Un garçon et une fille disparaissent en 1998. Le groupe de recherches conclut à un départ volontaire, ce que refusent d'admettre la famille et les amis. Le couple fréquentait un circuit automobile, et c'est là qu'il est aperçu pour la dernière fois. Des années plus tard, un cadavre enfoui dans un baril d'asphalte refait surface. Ce baril est enfoui dans une décharge jouxtant ledit circuit, très précisément dans un secteur et une couche de déchets datant de la période 1990-2005.

Je suis passée à l'autre main.

— Le goudron dans le baril contient un additif généralement utilisé sur les circuits. L'autopsie révèle une contamination à la ricine, poison utilisé autrefois par des groupes extrémistes antigouvernement. Or le garçon qui a disparu appartenait justement à une milice d'extrême droite. Informé de la chose, le FBI fait immédiatement saisir le corps et ordonne son incinération.

Slidell a gardé si longtemps le silence que je me suis dit qu'il allait me traiter d'abrutie. Mais non.

— Vous croyez donc que l'inconnu de la décharge a un lien avec la disparition de Gamble et Lovette ?

J'ai fait signe que oui.

— Comment ça ?

— Je ne sais pas.

— Et c'est qui, le cadavre ?

— Je ne sais pas.

— Lovette ?

— Les indicateurs de l'âge ne correspondent pas, mais on ne peut pas éliminer cette possibilité.

— Et si c'était ce Raines d'Atlanta ?

— Le baril avait l'air bien trop vieux. En plus, les caractéristiques propres au secteur où il a été retrouvé n'en font pas un lieu où l'on aurait pu se défaire d'un corps récemment.

— Cependant, si j'en crois votre ton, vous ne pouvez pas non plus exclure cette possibilité.

— Non, je ne peux pas.

Le silence est retombé. Puis Slidell a repris :

— Peut-être que le petit frère de Cindi Gamble ne raconte pas d'histoires, après tout.

— Quand il prétend qu'en 1998 on aurait maquillé les résultats des recherches ?

Slidell s'est passé la main sur la mâchoire. Une fois. Deux fois.

— Si ce qu'ils veulent, c'est baiser la police, ces salauds en costume trois pièces ont pas choisi le bon flic !

— Qu'est-ce que vous comptez faire ?

— Avant tout, m'offrir un autre petit tête-à-tête avec votre copain de la NASCAR.

J'arrivais à la porte de ma cuisine, un cabas de chez Harris Teeter au bout du bras, quand une Mazda gris métallisé s'est engagée sur l'allée en demi-cercle de ma résidence.

Mon ex, probablement. Je me suis arrêtée, pas vraiment ravie à l'idée d'avoir une nouvelle conversation sur sa copine Summer.

La RX-8 a longé le manoir et continué sa route en direction de l'Annexe. La tête du conducteur m'est apparue en contre-jour. Une tête en drôle de forme de poire dont, seul, le sommet émergeait au-dessus du volant.

Rien à voir avec Pete.

Avec une curiosité mêlée de méfiance, j'ai regardé la voiture se garer au même endroit que Williams et Randall, le samedi précédent.

En est descendu un homme d'un mètre soixante tout au plus — et encore, en comptant ses talonnettes.

Des cheveux d'un joli marron de lémurien mort, grâce aux bons offices de la teinture Grecian Formula. Des vêtements coûteux : chemise en soie vert pâle, pantalon en lin de chez Tommy Bahama, mocassins cousus dans un cuir plus tendre que des fesses de nouveau-né. Perchées sur un nez en bec d'aigle, des lunettes de soleil Armani.

— Bonsoir, docteur Brennan, a déclaré l'individu en me tendant une main illuminée d'un saphir aussi gros que la patte de mon chat. J.D. Danner.

— Je vous connais, monsieur ?

— Le bruit court que vous avez entendu parler de moi.

Derrière le sourire, une attitude hostile, intimidante. Mon cerveau a fait tilt !

— Ah oui, le Détachement patriote. Vous y apparteniez, tout comme Cale Lovette.

— J'en étais le chef, m'dame.

J'ai resserré les doigts autour de mon sac de victuailles. Danner a fait un pas vers moi.

— Je peux vous aider ?

— Non, merci.

Il s'est écarté, les deux mains levées en l'air.

— Je voulais seulement vous soulager.

— Vous savez quelque chose sur Cale Lovette ou sur Cindi Gamble ?

— Non, m'dame. Des jeunes sympathiques. J'espère qu'ils ont trouvé ce qu'ils recherchaient.

— C'est-à-dire ?

— La vie. La liberté. Le bonheur. N'est-ce pas ce à quoi tout le monde aspire ?

— Qu'est-ce que je peux faire pour vous, monsieur Danner ?

— Nous laisser tranquilles.

— C'est-à-dire ?

— Le Détachement patriote avait pris Cale Lovette sous son aile. Il lui offrait son soutien, ses conseils, la chaleur d'une famille. Quand il a disparu, nous nous sommes retrouvés en première ligne des gens à éliminer. (De nouveau, ce sourire tout sauf sincère.) Mais le Détachement n'a rien à voir avec ce qui a pu leur arriver, à Lovette et à sa copine.

— Pourquoi Lovette avait-il besoin de votre aide ?

— Il était dans le pétrin. Décrocheur, des petits boulots sans avenir, un père jamais là et une mère dérangée.

Pour la première fois, quelqu'un évoquait enfin la vie personnelle de Cale Lovette.

— Je vois. Une proie toute trouvée pour les idéologues de votre acabit, qui conspirent contre l'Amérique.

Danner a croisé les bras et ancré les pieds au sol. Des pieds tout petits, comme le reste de son corps. Une image de Napoléon m'est venue à l'esprit.

— C'est vrai qu'on était indisciplinés à l'époque, peut-être même naïfs sous bien des aspects, mais sûrement pas anti-américains. Loin de là !

— Parce que vous ne l'êtes plus ?

— Le Détachement patriote s'est dissous volontairement en 2002.

— Quels étaient vos buts ?

— Agir en tant que milice inorganisée.

Milice inorganisée, terme qui se rapporte aux bataillons créés voilà plus d'un siècle, quand la conscription obligatoire a été abolie. Il figure dans des textes de lois appartenant aussi bien au code fédéral qu'à celui des États. Aujourd'hui, il relève typiquement du discours des fascistes d'extrême droite.

— En ce qui me concerne, je préfère l'armée et les marines, ai-je dit.

— Sur le plan des statuts, le Détachement patriote avait tout d'une milice, comme les autres organisations de ce genre. C'était un bras du gouvernement, légal et constitutionnel, sauf qu'il n'était pas sous contrôle dudit gouvernement. (Avec un mouvement négatif de l'index sur les derniers mots.) C'est ça, la différence. Le Détachement était là pour retenir le gouvernement au cas où il verserait dans la tyrannie.

— Vous croyez vraiment que le gouvernement pourrait devenir tyrannique ?

— Docteur Brennan, de grâce. Vous êtes une femme intelligente.

— Intelligente, justement.

— L'histoire contemporaine parle d'elle-même. Les élections de Bill Clinton et de Barack Obama. Les émeutes de Rodney King. L'Accord de libre-échange nord-américain. Les douzaines de décrets actuellement à l'étude visant à nous dépouiller du droit de posséder des armes. Les meurtres commis à Ruby Ridge et Waco.

— Meurtres ?

— Évidemment.

— La quantité d'explosifs conservée dans ces hangars aurait suffi à rayer de la carte une ville tout entière.

Danner a ignoré mon interruption.

— Le gouvernement ne s'arrêtera devant rien dans sa lutte contre ceux qui refusent de se plier à ses ordres. Les milices indépendantes doivent absolument exister afin de protéger les libertés pour lesquelles nos pères fondateurs ont sacrifié leur vie.

Débat stérile. Autant changer de sujet.

— Parlez-moi un peu des parents de Cale Lovette.

Danner a laissé retomber son menton. Un long soupir s'est échappé de ses narines.

— Je n'aime pas dire du mal des gens, mais Katherine Lovette n'était pas ce que vous appelleriez une dame. C'était… comment dire ? Une groupie de la NASCAR, si vous voyez le topo.

— Pas du tout.

— Il y a des femmes qui se hissent jusqu'aux rock stars en usant de leurs charmes. Pour Kitty Lovette, la star, c'était la NASCAR. Propriétaires d'écurie, pilotes, mécaniciens, peu lui importait. Dans les années 1970, le circuit tout entier était son champ d'action.

— Tout ça pour dire que c'était une femme facile ? (Danner m'énervait avec son côté sainte-nitouche.)

Il a incliné la tête.

— Elle est tombée enceinte, évidemment. Elle a donné au bébé le nom d'un gars qui remportait quantité de courses à l'époque, Cale Yarborough.

— Vous voulez dire que c'était le père de Cale ?

— Non, non. Pas du tout. Pendant des années, Kitty n'a jamais voulu dire qui c'était. Mais, en grandissant, Cale s'est mis à ressembler à un gars du nom de Craig Bogan, toujours fourré sur le circuit. Les mêmes cheveux roux, les mêmes yeux bleus, la même fossette au menton. À six ans, c'était son portrait craché, son clone. Kitty a fini par admettre que c'était lui le père. Du coup, Bogan s'est mis en ménage avec elle. Mais il était clair dès le début que ça ne marcherait pas entre eux.

— Pourquoi ?

— Bogan avait dans les vingt-cinq ans. Il était ambitieux et intelligent. Kitty avait dépassé les trente ans depuis un bon moment et… Allez, ça suffit.

Danner a secoué la tête d'un air pincé.

— Comment est-ce que Kitty subvenait à ses besoins ?

— En vendant les légumes et les fines herbes qu'elle faisait pousser dans son jardin. Elle gagnait à peine de quoi se nourrir avec son petit. Bogan a su faire de son commerce une affaire florissante, et il a fini par la lui racheter. Il a ouvert des succursales, a ajouté des services, livraison à domicile, entretien de jardin.

— Vous les connaissiez tous les deux ?

Danner s'est-il véritablement raidi ou l'ai-je seulement imaginé ?

— Kitty, je préférais m'en tenir à distance.

— Continuez.

— Cale n'avait pas douze ans qu'elle était déjà à fond dans la drogue et l'alcool. Elle a fait une *overdose* très vite après qu'il soit entré à l'école secondaire. À ce qu'on dit, c'est lui qui l'aurait retrouvée morte. (Danner a de nouveau secoué la tête.) À partir de là, les choses se sont gâtées entre Bogan et lui. Deux ans plus tard, ils ont eu une terrible dispute et Cale a abandonné l'école et quitté la maison.

— Pour aller où ?

— Il avait une passion pour les courses de stock-cars, la seule chose probablement qu'il ait héritée de ses parents. À force de traîner sur les pistes de terre, il s'était fait des amis. Des gars qui rêvaient de connaître la gloire, mais qui faisaient des temps médiocres. Il passait la plupart de son temps avec eux.

— Et Bogan ? ai-je demandé après un moment de réflexion. Il vit toujours dans le coin ?

Danner a haussé les épaules, signifiant par là qu'il l'ignorait.

— Que savez-vous de Cindi ?

— Le genre voisine d'à côté. La fille propre sur elle et sans problèmes.

— Vous pouvez être plus précis ?

— Plutôt intelligente, si c'est ça qui vous intéresse. Centrée sur son but : devenir pilote. La NASCAR, elle n'avait que ce mot à la bouche. Apparemment, ses parents dépensaient une fortune pour que ça se produise. Ils l'ont fait participer à des courses de Bandoleros.

— Qu'est-ce que c'est ?

Danner m'a jeté un regard apitoyé.

— C'est le premier niveau pour les courses. Les Bandoleros sont comme des stock-cars en plus petit, à mi-chemin entre le kart et la voiture. Le cadre est fait en tubes, le corps en feuilles de métal. On y entre par le toit.

J'ai dû avoir l'air perdu, car il a expliqué :

— Comme les karts, les Bandoleros ont le frein au pied gauche et un axe d'embrayage centrifuge, de sorte qu'on n'a pas besoin de changer de vitesse. Les deux principes de base sont économie et simplicité. Tout assemblé, ce véhicule ne compte pas plus de cent cinquante pièces.

— Et ça roule vite ?

— Ça peut atteindre les cent dix kilomètres-heure dans les côtes, mais l'accélération est plutôt lente.

— Et c'est fait pour les enfants ?

— Les pilotes de Bandolero ont généralement de huit à seize ans, mais rien n'interdit que des gens plus âgés participent aux courses.

— Ils roulent sur de véritables pistes ?

— Sur des ovales de quatre cents, six cents et six cent cinquante mètres. Asphalte ou terre battue, c'est selon. Il y a trois divisions. Cindi Gamble courait dans la Beginner Bandit, avec les débutants.

Une chance que ma fille, Katy, n'ait jamais entendu parler de ce sport quand elle était petite, n'ai-je pu m'empêcher de penser. Faire hurler son moteur à cent dix kilomètres-heure, elle aurait adoré ! Mais c'était hors sujet.

— Est-ce que Cindi avait l'air de tenir à Lovette ?

— Je dirais que oui.

— Où est-ce qu'ils se retrouvaient ?

— Ici, à Concord, sur le circuit. À Midland. Ils y passaient tous les deux la plus grande partie de leur temps.

— Est-ce que Lovette était gentil avec elle ?

— Plutôt.

— Que voulez-vous dire ?

— Ils venaient de deux mondes différents. Cindi était une fille de banlieue, qui allait à l'école. Lovette avait une mère morte junkie et un père fermier. Le rêve de participer à des courses était aussi fort chez l'un que chez l'autre, mais Cale n'avait personne pour le financer.

— Il en voulait à Cindi d'être soutenue par ses parents ?

De nouveau, un haussement des épaules en guise de réponse.

— Est-ce que Cindi avait de l'avenir ?

— C'est sûr qu'elle était douée ! Elle avait remporté pas mal de courses. Oui, a conclu Danner en remuant la tête, elle se serait certainement fait un nom.

— Et vous-même, comment avez-vous rencontré Craig Bogan et Kitty Lovette?

— À une époque, j'allais de temps en temps sur les circuits.

Il a jeté un coup d'œil à sa montre — un véritable baromètre de bateau.

— J'espère vous avoir été utile. Mais le but de ma visite, c'était de vous redire ce que j'ai déjà dit en 1998 : le Détachement patriote n'a rien à voir avec ce qui a pu arriver à ces jeunes-là.

Il a tiré une brochure de la poche de son Tommy Bahama et me l'a tendue. J'ai changé mon cabas de main pour la prendre. C'était un texte imprimé sur ordinateur personnel, avec un joyeux sigle en première page : un aigle tenant le drapeau américain dans son bec et surmonté des mots : « MOUVEMENT LOYALISTE ».

En dessous, une devise : « Agis comme il se doit. » Plus bas encore, une photo représentant des rangées de jeunes hommes en tenue de campagne, le fusil à l'épaule. Alignés sans qu'aucune tête ne dépasse.

— L'organisation que je dirige aujourd'hui regroupe près de quatre mille hommes répartis dans douze États, a dit Danner. Tous sans exception sont de vrais patriotes.

Rapide survol des visages : rien que des hommes, rien que des Blancs.

— Nous n'avons rien à cacher, docteur Brennan. Pas plus aujourd'hui qu'à l'époque. Nous sommes fiers de ce que nous faisons.

— C'est-à-dire ?

— Protéger le pays contre ceux qui voudraient le détruire.

Sur ce, Danner a fait demi-tour et a regagné sa voiture.

Chapitre 15

La nuit nous a offert un nouvel orage. Birdie l'a passé roulé en boule au creux de mon genou, selon son habitude.

Mardi, l'aube s'est levée sur un paysage gris et détrempé. Vue depuis la fenêtre de ma cuisine, la brique du jardin était noire d'humidité, et la brume retenue prisonnière dans les toiles d'araignée autour du lierre et des fougères.

Slidell a téléphoné à huit heures. Pas question pour Gamble de s'éloigner de la fosse technique alors que la Coca-Cola 600 approchait à grands pas. La voiture de Stupak nécessitait encore des réglages. Notre entretien avec lui aurait donc lieu au circuit.

À neuf heures, je roulais dans la Taurus de Slidell en direction de Concord, dans une lourde odeur de biscuits et de saucisses. Manifestement, il avait fait un arrêt dans un Bojangles avant de passer me prendre. Tandis qu'il conduisait d'une seule main, je lui ai raconté ma rencontre avec J.D. Danner. Il a répondu qu'il se renseignerait sur ce mouvement loyaliste. De son côté, il avait localisé le père de Lovette à Weddington. Son entreprise horticole, CB Botanicals, avait appartenu autrefois à Katherine Lovette.

En ce mardi, journée sans courses, le circuit était beaucoup plus tranquille que le jeudi d'avant. Certes, tentes et caravanes continuaient de s'entasser sur les aires de camping, mais la foule des fans était beaucoup moins nombreuse. Les mères devaient être en train de dévaliser les grandes surfaces et les pères de roupiller, pour se remettre de leur gueule de bois.

Wayne Gamble nous attendait devant la tour Smith. Il nous a conduits en voiture jusqu'aux stands de la Sprint Cup. Il avait l'air crevé. Sur l'accoudoir entre nous, du Pepto-Bismol et des mouchoirs en papier utilisés ; sur le plancher à mes pieds, des bouteilles d'eau vides.

Génial, les microbes fonçaient droit sur moi. J'ai fait en sorte de garder la tête tournée vers la fenêtre, le plus discrètement possible.

Les autres membres de son équipe étaient tous plongés dans les entrailles de la Chevrolet 1959. Nous nous sommes installés dans le salon de la caravane de Stupak, qui était vide. Gamble s'est effondré sur le sofa intégré. À croire qu'il n'avait plus que du vermicelle à la place des muscles.

Les présentations faites, Slidell a rapporté à Gamble notre conversation avec Lynn Nolan.

— Elle pense que Lovette battait votre sœur, a-t-il déclaré sans ambages.

Une rougeur est apparue au creux de la gorge de Gamble.

— Elle pense que Lovette l'a tuée.

La tache est remontée vers la mâchoire de Gamble et s'est propagée à tout son visage. Il continuait à garder le silence.

— Elle dit avoir vu des bleus sur les bras de Cindi. Est-ce que vous avez remarqué vous-même quoi que ce soit de ce genre ?

Gamble a bondi sur ses pieds.

— Oh, mon Dieu ! Oh, mon Dieu !

— Ça veut dire non ?

— Je l'aurais tué, ce gars-là !

En le voyant aussi ému, j'ai pris un ton apaisant :

— Est-ce que Cindi a changé ses habitudes cet été-là ? Ou à l'automne ? Est-ce qu'elle a modifié quoi que ce soit à sa routine habituelle ?

— Comment je le saurais ? s'est écrié Gamble en levant les mains au ciel. Elle avait seize ans, moi douze. Nous ne vivions pas dans la même galaxie.

Il s'est mis à arpenter la pièce.

— Rien de spécial dans son comportement ?

— On aurait dit qu'elle avait peur de son ombre.

Du geste, je l'ai engagé à poursuivre.

— Elle passait son temps à regarder autour d'elle. Vous savez, comme si elle avait peur d'être suivie. Parfois, elle s'en prenait à moi sans raison. Ce qui n'était pas son genre.

— Continuez.

Gamble s'est arrêté de marcher. Pour étudier notre réaction ?

— Quand j'y repense maintenant, j'ai l'impression d'avoir toujours eu dans l'idée qu'elle avait laissé tomber Lovette.

— Qu'est-ce qui vous fait croire ça ?

— Une ou deux semaines avant de disparaître, Cindi a demandé qu'on change toutes les serrures de la maison sous prétexte qu'elle avait perdu ses clefs.

— Et alors ?

— Elle ne les avait pas perdues du tout. Elle les avait dans son sac, je les ai vues. Pourquoi a-t-elle inventé cette histoire ?

— Oui, pourquoi, à votre avis ? ai-je demandé.

— Je pense qu'elle avait viré Lovette, et qu'il l'avait mal pris. Et que c'est ça qui la rendait nerveuse. Elle avait peur qu'il revienne. Elle a raconté tout ce baratin à maman pour s'assurer que la maison était protégée.

Gamble s'est remis à marcher. Dans cet espace réduit, on aurait dit un fauve en cage. Slidell lui a ordonné de s'asseoir. Gamble n'y a pas prêté attention. Il était incapable de tenir en place.

— Vous avez raconté ça aux flics, à l'époque ? a demandé Slidell.

— Oui, à un très grand type.

— Galimore ?

141

Gamble a haussé les épaules.

— Je ne saurais pas vous dire son nom. J'étais un enfant. Plus tard, j'ai appris que ce Galimore faisait partie du groupe de recherches. Je ne le connais pas, mais j'ai entendu dire qu'il travaillait ici, à la sécurité.

— La police a suivi cette piste ?

— Qui sait ?

— Et le FBI ?

— Je vous le répète : je n'étais qu'un enfant, et mes parents n'étaient pas sur leur liste d'appels.

L'escalier en fer a tremblé sous des pas. Une porte s'est ouverte à l'autre bout de la caravane. Un homme en combinaison de travail a passé la tête à l'intérieur. En sueur et haletant.

— On a un problème avec le pneu arrière droit à la sortie du virage nº 3. Il faudrait augmenter la pression.

— Donne-moi cinq minutes, a jeté Gamble.

— Stupak est en train de virer fou.

— Cinq minutes !

Le mécano s'est retiré. J'ai repris :

— Vous avez parlé avec vos parents de ce qui pouvait mettre Cindi dans cet état ?

— Vous croyez qu'ils s'intéressaient à ce qu'un jeune comme moi pouvait penser du caractère de sa sœur de seize ans ?

Un point pour lui.

— Vos parents sont décédés, n'est-ce pas ? a demandé Slidell.

Gamble a acquiescé.

— Ma mère d'un anévrisme en 2005, mon père deux ans plus tard, juste devant chez nous. Écrasé par un chauffard qui a pris la fuite. *Fuck*, ç'a été difficile. Il faisait ce trajet à pied tous les jours depuis dix ans.

Le cellulaire de Slidell a sonné. Il l'a coupé sans même consulter l'écran.

— Qu'est-ce que vous savez de J.D. Danner ? a-t-il demandé en changeant brutalement de sujet

— Jamais entendu parler de lui. Qui c'est ?

142

— Le gars qui dirigeait le Détachement patriote.

Les muscles de l'avant-bras de Gamble se sont bombés en même temps que ses doigts se resserraient en poings.

— Je vais retrouver les salauds qui ont fait ça !

— Calmez-vous. Qu'est-ce que vous savez sur Danner et ses copains ?

— Je me tue à vous dire que je n'avais que douze ans ! Ce qui m'intéressait, les trois quarts du temps, c'était comment cacher mes boutons.

— Vos parents ne parlaient jamais de lui ?

Une ride a creusé le front de Gamble. Un front moite, malgré l'air conditionné.

— C'est possible que j'aie entendu ce nom pendant une querelle avec Cindi.

— Qu'est-ce qu'ils disaient ?

Gamble a secoué la tête.

— Cet été-là, il y a eu pas mal de disputes à la maison. Pour ne pas entendre, je jouais à des jeux vidéo. Tout ce que je peux dire, c'est que Lovette revenait toujours sur le tapis.

— Et que pensez-vous d'un certain Grady Winge ?

— Il travaille ici, au circuit. Un bonhomme correct, mais pas très futé. Pourquoi ? Il est impliqué dans l'affaire ?

— Du calme. On ne fait que citer des noms, a répondu Slidell et il a lâché un rot parfumé à la saucisse. Et Ethel Bradford ?

— La prof de chimie à A.L. Brown. Vous l'avez retrouvée ? Qu'est-ce qu'elle dit ?

— Elle ne croit pas que Cindi soit partie de son plein gré.

— Vous voyez bien que je ne suis pas fou. Tout le monde pense pareil. Peu importe. Le FBI disait aux flics quoi faire. Et pour eux, ça signifiait qu'ils n'étaient plus dans la course.

Slidell a posé encore plusieurs questions sur Maddy Padgett et Lynn Nolan. Gamble n'avait aucun souvenir de Padgett et ne se rappelait pas grand-chose de Nolan.

— Un corps *Playboy* et un cerveau Mattel.

Pas très flatteur comme commentaire, mais assez bien vu.

Au lieu de revenir au MCME par la I-85, Slidell a choisi de traverser la ville en suivant Sharon Amity Road et tous ses méandres.

Note à propos de Charlotte : un million de rues au moins contiennent le nom « Sharon » : Sharon Road, Sharon Lane, Sharon Lakes, Sharon Oaks, Sharon Hills, Sharon View, Sharon Chase, Sharon Parkway. Je ne connais pas son histoire, mais ce devait être une sacrée fille !

Pendant plusieurs kilomètres, le seul bruit à l'intérieur de la voiture a été la charge statique émise par la radio. Après ce que nous venions d'apprendre, Slidell était plongé dans ses pensées, tout comme moi.

Cindi avait-elle été assassinée ? À en croire Nolan, Cale la maltraitait. Pour quelle raison ? Parce qu'il était jaloux que ses parents la soutiennent financièrement ? Cindi avait-elle fini par se rebeller et rompre avec lui, ce qui expliquerait qu'il l'ait tuée ? Cale avait-il disparu après le meurtre et endossé une nouvelle identité ? Le Détachement patriote l'avait-il aidé à entrer dans la clandestinité ?

Cindi et Cale avaient-ils été assassinés tous les deux ? Si oui, par qui ? Le Détachement patriote ? Mais là encore, pour quelle raison ?

Les conclusions du groupe de recherches étaient-elles exactes ? Cindi et Cale auraient-ils disparu de leur plein gré ? Si oui, pourquoi, et pour aller où ? Le Détachement patriote avait-il pris part à l'organisation de leur fuite ?

Les soupçons de Gamble étaient-ils légitimes ? Le FBI avait-il pris en main l'ensemble des recherches et dissimulé la vérité sur ce qui était arrivé à sa sœur et à son petit ami ? Si oui, pour quelle raison ?

J'ai repensé aux notes de Rinaldi concernant cette affaire et à tous les points d'interrogation sur la dernière page du carnet. Eddie aurait-il eu vent de certaines irrégularités ? Galimore ?

Mon esprit rebondissait d'une supposition à l'autre comme un ballon captif dont les amarres auraient lâché.

Finalement, c'est moi qui ai brisé le silence.

— Cindi n'était qu'une enfant et Cale n'avait pas vraiment les pieds sur terre. En admettant qu'ils soient partis de leur plein gré, comment ont-ils réussi à couvrir leurs traces aussi efficacement ? Je veux dire, à ne pas commettre une seule erreur tout au long de ces années ? À n'être vus par personne ?

— Sauf par Owen Poteat.

— Le type à l'aéroport ?

Slidell a hoché la tête.

— À propos, vous avez des renseignements sur lui ?

— Pas encore, mais j'en aurai.

— À supposer que Gamble dise vrai, quelle raison le FBI aurait-il eu de vouloir camoufler cette affaire ?

— Je me suis posé la même question.

Slidell a tourné à droite dans Providence Road. Ce n'est qu'après qu'il a repris :

— Mettons que le FBI aurait amené Lovette à retourner sa veste.

— Et fait de lui son indic ?

— Oui. Le Détachement a pu l'apprendre et décider de lui faire la peau. À lui et à sa copine.

— Peut-être que ce n'était pas Lovette, l'indic, mais Cindi, ai-je dit au bout d'un moment. Elle en aurait eu marre de subir ses mauvais traitements et aurait accepté d'espionner la bande pour le compte du FBI. Ça expliquerait sa peur des derniers temps.

— Mm.

— Ou encore : Cindi, ou même Lovette, travaille pour le FBI. Sa couverture est grillée. Le FBI les exfiltre tous les deux et les cache grâce au programme de protection des témoins.

Comme Slidell restait silencieux, j'ai ajouté :

— On devrait interroger Cotton Galimore.

Slidell a éructé le fameux gargouillis qu'il réserve aux choses qui le dégoûtent. Il détestait Galimore. Joe Hawkins aussi. Pour quel motif ? J'ai voulu le savoir.

— C'est quoi, son histoire, à Galimore ?

— Il a déshonoré la police.

— L'alcool ? Ce n'est pas le premier flic à avoir des problèmes de boisson.

— Y a plus que ça.

— Galimore a été renvoyé de la police. Ce n'est pas suffisant comme punition ?

Les Ray-Ban de contrefaçon ont pivoté dans ma direction.

— Ce salaud nous a tous trahis. Et de quoi il a écopé pour ça ? De deux petites années, c'est tout.

— Galimore a fait deux ans de prison ? (Je n'en avais jamais rien su.) Sur la base de quoi ?

— Corruption avérée et obstruction à la justice. Le gars est une ordure.

— Il s'est peut-être racheté avec le temps.

— Une ordure reste une ordure, même quand elle sent bon.

— Quand même ! Il est aujourd'hui chef de la sécurité sur un circuit important.

Slidell a crispé la mâchoire, mais il n'a rien dit.

Ce Galimore, je l'avais aperçu dans le bureau de Larabee. Il s'intéressait au corps de la décharge. Corps que le FBI devait placer sous séquestre quelque temps plus tard.

Coïncidence ?

Je ne crois pas aux coïncidences.

J'ai raconté la chose à Slidell. Son cellulaire a sonné pendant que je parlais. Cette fois, il a pris la communication.

Côté Slidell, surtout des questions : «Combien ? Quand ? Où ?» Et il a raccroché.

— *Sonofabitch.*

— Mauvaises nouvelles ?

— Double homicide. Je vous ramène chez vous ?

— Ouais. De là, j'irai au MCME. Je mettrai Larabee au courant pour le Rosphalt et je verrai s'il a obtenu d'autres renseignements sur notre inconnu volatilisé.

Je suis bien allée au MCME, mais rien de ce que je comptais y faire ne s'est réalisé.

En revanche, une tout autre question a trouvé sa solution.

Chapitre 16

Un Post-it écrit avec soin indiquait que Mme Flowers avait quitté le MCME à onze heures cinquante pour l'Alexandre Michael's Pub où elle luncherait et qu'elle serait de retour à treize heures.

En entendant quelqu'un tousser, j'ai fait un pas à l'intérieur de la salle des enquêteurs. Dans le second cubicule : Susan Volpe, une nouvelle recrue que je ne connaissais quasiment pas.

La peau moka, des cheveux noirs crépus, une coupe au carré asymétrique. Son âge ? Environ vingt-cinq ans. Ce que l'on retenait d'elle : ses dents d'un blanc plus blanc que la neige et son enthousiasme débordant pour son nouveau boulot.

Sa tête s'est relevée d'un coup quand je me suis encadrée sur le seuil. À l'en croire, Larabee et Hawkins avaient été appelés sur une scène d'homicide, je les avais ratés de peu. Les deux autres pathologistes, absents également. Partis pour où ? Elle l'ignorait.

Le tableau effaçable indiquait trois arrivées. Dans le petit carré à côté du numéro attribué au troisième corps, mes initiales. Autrement dit : à moi de m'occuper de ce cas.

Tout en marchant vers mon bureau, je me suis demandé si Hawkins et Larabee étaient partis pour le même endroit que Slidell.

Un formulaire de consultation m'attendait sur ma table. MCME 239-11. Le temps de me débarrasser de mon sac et de mon ordinateur, et j'y ai jeté un coup d'œil.

Un crâne découvert dans une crique près de la I-485. Larabee voulait en connaître le profil biologique et tout particulièrement le temps écoulé depuis la mort.

OK. Tout d'abord, manger.

Petit tour à la cuisinette pour y prendre un Coke Diète qui accompagnerait mon sandwich cheddar-tomate apporté de la maison. À peine l'ai-je sorti de son emballage que mon téléphone se mettait à sonner.

Volpe. Un flic qui voulait me voir. Je lui ai dit de me l'envoyer.

Quelques secondes plus tard, des pas résonnaient dans le couloir. Skinny, probablement. Je me suis retournée.

Whoa !

Sur le seuil de ma porte un homme façonné par les dieux de l'Olympe et brisé ensuite.

Un mètre quatre-vingt dix pour cent kilos de muscles. Des cheveux noirs et des yeux d'un vert éclatant. Le type même de l'Irlandais noir, aurait dit ma grand-mère. Deux choses seulement tenaient ce dieu éloigné de la pure perfection : une cicatrice qui coupait en deux son sourcil droit, et une déviation du nez à peine visible, souvenir d'une ancienne fracture.

Mon expression a dû lui télégraphier ma surprise.

— La dame m'a dit de passer par-derrière, a déclaré Cotton Galimore, désignant du pouce le compartiment de Susan Volpe.

— Je m'attendais à voir le détective Slidell.

— Désolé de vous décevoir.

Un sourire a ridé l'admirable visage.

Sans attendre que je l'y invite, Galimore est entré dans la pièce et, du pied, a approché une chaise de mon bureau. Mon nez a enregistré une eau de Cologne coûteuse et juste le bon dosage de transpiration masculine.

— Mais bien sûr, entrez donc.

— Merci. (Il s'est assis.)

— Que puis-je faire pour vous, monsieur Galimore ?

— Vous savez qui je suis ?

— Je sais qui vous êtes.

— C'est un plus ?

— À vous de me le dire.

— Vous travaillez avec Skinny ?

J'ai hoché la tête.

— Mes condoléances.

Réédition du sourire gamin. Je suis restée de marbre.

— Je ne crois pas pouvoir compter Slidell au nombre de mes admirateurs.

— Non, en effet.

J'ai baissé les yeux sur mon sandwich. Galimore a suivi mon regard.

— Vos employeurs sont si radins que ça ?

— J'aime le fromage.

— Oui. C'est bon, le fromage.

— Je ne suis pas autorisée à discuter du corps découvert dans la décharge, si tel est le motif de votre visite.

— En partie seulement.

— Désolée.

— Vous n'aurez pas le choix, vous savez ?

— Vraiment ?

— Absolument. Tôt ou tard, il faudra bien que vous vous adressiez à moi.

Mais quel aplomb ! Je n'ai pas répondu. Je l'ai juste regardé fixement. Il a soutenu mon regard.

Ses cheveux grisonnaient aux tempes et il avait plus de rides que je ne l'avais remarqué de prime abord.

Il avait de ces yeux… Des yeux qui me tenaient prisonnière d'une façon que je n'aurais su expliquer…

Et qui se sont détournés les premiers, pendant qu'il sortait un paquet de Camel de sa poche. Il en a extrait à demi une cigarette et me l'a proposée.

— Le bâtiment est non-fumeur.

— Je n'aime pas les règles.

Il a fait remonter la pochette d'allumettes coincée sous la cellophane du paquet et a allumé sa clope. Longue bouffée exhalée avec lenteur. Une fumée âcre a flotté jusqu'à moi.

— Monsieur fait son rebelle ? (Sur un ton plutôt frais.)

Il a haussé les épaules. Je lui aurais volontiers écrasé son mégot sur le front. J'ai enchaîné avec un sourire arctique :

— Dans mon bureau, c'est moi qui édicte les règles.

— Dans ce cas... heureux de m'y conformer.

Il a tiré une dernière bouffée de sa Camel et l'a écrasée sur le flanc de ma corbeille à papiers métallique. S'étant redressé, il a exhalé la fumée. Un autre nuage toxique s'est dirigé droit sur moi.

— Le détective Slidell n'est pas réputé pour son objectivité, a-t-il déclaré.

Incontestablement.

— Il vous a raconté l'histoire dans son entier ?

— Il m'a dit que vous buviez.

— Jamais pendant le boulot.

— Et que vous aviez fait de la prison.

— En effet, j'ai eu ce plaisir.

— Pour corruption.

— C'était un coup monté.

— Naturellement.

— Vous voulez savoir ce qui s'est passé ?

Ma réponse : un geste vague de la main signifiant : « Si vous y tenez. »

— La semaine d'avant mon arrestation, j'ai coincé un drogué du nom de Wiggler Coonts. Un monsieur vraiment gentil. Les flics voulaient ma peau bien plus que la sienne. Ils ont convaincu son avocat de porter un micro. Ce tas de merde m'a emmené dans un bar et aligné les verres devant moi. J'ai dit des bêtises, ça c'est sûr, n'empêche que c'était un piège. Pile-poil comme dans les manuels.

— À première vue, ça n'est pas suffisant pour être envoyé en prison.

— On a retrouvé une liasse de billets dans une poubelle au sous-sol de mon immeuble.

— Pas vraiment une preuve non plus.

— Sauf que cette poubelle était à moi.

— Et pas l'argent.

— Jamais vu auparavant.

— Vous dites que ces billets ont été placés là par vos collègues ?

— Vous soutenez le contraire ?

— Pour quelle raison ?

— Un motif pour me virer.

— C'est aller un peu loin, non ?

— Il n'y avait pas que ça.

Galimore a posé sa cheville droite sur son genou gauche. Son pantalon rouille est remonté le long de sa jambe, dévoilant un mollet nu.

— C'est arrivé juste au moment où la disparition de Gamble et Lovette était en tête de liste des priorités chez nous. On voulait en finir rapidement avec cette affaire, il y avait beaucoup de pression. Disons qu'on m'a considéré comme un empêcheur de tourner en rond.

— Comment ça ?

— Ça vous dirait, quelque chose de meilleur que le fromage ? a lancé Galimore en désignant mon sandwich. Je vous raconterai tout.

Dans l'instant, ma libido a déclaré forfait.

Mon néocortex a pris un temps de réflexion.

Slidell allait grimper aux rideaux, Hawkins faire la gueule, Larabee trouver matière à objecter.

Mais Galimore avait fait partie du groupe de recherches chargé de retrouver Gamble et Lovette. Il pouvait détenir des renseignements utiles, c'était même probable.

— OK. Au Bad Daddy's dans vingt minutes.

— Que les choses soient bien claires entre nous : je ne discuterai pas de l'inconnu découvert dans la décharge.

— Compris.

Galimore était installé au fond du restaurant, devant un verre de thé glacé.

Je me suis glissée sur la banquette d'en face.

— Que vous a dit Skinny ?

— Ce que je fais avec le détective Slidell ne relève pas du domaine public. (Sur un ton coupant.)

Galimore a éclaté de rire.

— Vous êtes fidèle à votre réputation de bagarreuse.

Une serveuse, apparue avec des menus, s'est présentée sous le nom d'Ellen.

— Un autre verre ?

Galimore a hoché la tête.

— Un thé glacé pour vous aussi ?

— Un Coke Diète, s'il vous plaît.

Quand elle est revenue avec mon verre, j'ai commandé un hamburger Mama Ricotta. Galimore a choisi la « Salade à votre façon ». S'en est suivie l'énumération d'une bonne vingtaine d'ingrédients.

Ellen repartie, j'ai pris les rênes de la conversation.

— Est-ce que vous sous-entendez que vous auriez été piégé pour avoir refusé d'entériner les conclusions du groupe de recherches ?

— Je ne le sous-entends pas, je l'affirme haut et clair.

— Pourquoi ?

— La police avait pas mal de raisons de vouloir se débarrasser de moi. D'accord, je buvais. Ensuite, je n'avais pas que des amis parmi les collègues. Pendant un temps, j'ai cru que ça s'arrêtait là, que le procureur était vraiment convaincu de ma culpabilité : il y avait des choses dans l'enregistrement qui m'incriminaient méchamment, et il y avait l'argent dans la poubelle qui donnait à ces dires force de preuve.

Il a balayé la salle des yeux et s'est à nouveau concentré sur moi.

— Une maison d'arrêt, ce n'est pas comme une prison. C'est un enclos où vous n'avez strictement rien à faire, moyennant quoi, vous réfléchissez. Et moi, plus je réfléchissais, plus je voyais de choses qui me turlupinaient.

— Quoi donc ?

— Des choses qui ne collaient pas ensemble.

Deux ados se sont installés sur les banquettes voisines. Le garçon en t-shirt sans manches sur un short de basket-ball qui lui descendait jusqu'aux genoux, la fille dans une petite jupe évasée qui lui recouvrait à peine les fesses.

— Les Gamble n'ont jamais cru que leur fille ait pu partir de son plein gré, ai-je dit. Vous pensez qu'ils avaient raison ?

— Peut-être.

— Vous leur avez fait part de vos doutes ?

— Je n'avais pas lieu de le faire.

— Pourquoi est-ce que vous jugez bon de m'en faire part à moi ?

— Parce que je comprends, rétrospectivement, que l'enquête a laissé des vides assez grands pour y fourrer un char d'assaut.

— Ces fameuses choses qui ne collent pas ensemble…

— Oui. Cet été-là, Cindi a demandé à ses parents de changer les serrures de la maison. D'après son petit frère, c'était parce qu'elle avait peur de Lovette.

— Et vous-même, vous en pensez quoi ?

— À l'époque, je pensais qu'elle avait effectivement peur de quelque chose. Je l'ai dit au FBI. Ils m'ont envoyé promener. Et ça, ça ne colle pas du tout. Quand vous apprenez qu'un enfant disparu avait peur de quelque chose, vous cherchez à savoir de quoi il avait peur.

Ellen est arrivée avec nos plats. Pendant un moment, nous nous sommes concentrés sur les sauces et les condiments.

— Autre chose me perturbait : un type que j'avais interrogé au tout début de l'enquête. Il prétendait avoir vu Gamble et Lovette sur le circuit le soir de leur disparition.

— Grady Winge ?

Galimore a secoué la tête.

— Non, Eugène Fries. Il jurait leur avoir vendu des épis de maïs aux alentours de huit heures du soir.

— Alors que Winge soutenait qu'ils avaient quitté le circuit en fin de journée, à six heures.

— Exactement.

— Ce Fries, il a été réinterrogé plus sérieusement ?

— Justement pas. Nos frères du FBI ont prétendu qu'il se défonçait au crack et qu'on ne pouvait pas lui faire confiance.

— Vous en avez discuté avec Rinaldi ?

Galimore a acquiescé.

— Ça le gênait aussi, cette contradiction dans les dépositions.

— Est-ce que vous-même, ou Rinaldi, avez approfondi la question ?

— On a essayé. Mais Fries n'avait plus son stand. De mon côté, ma vie partait en lambeaux : très vite après, je me suis fait virer de la police, je me suis retrouvé derrière les barreaux, mon mariage a explosé.

Il s'est enfourné une pleine fourchette de laitue.

— J'ai mis du temps à avaler tout ça. Je détestais les flics, le FBI, ma pute de femme, la vie en général. Le dossier Gamble-Lovette me restait en travers du gosier. Le seul moyen de remonter la pente, c'était de tout oublier.

— Je ne comprends pas bien ce qui vous motive aujourd'hui : vous revenez sur cette affaire parce que votre patron veut savoir qui est cet inconnu trouvé dans la décharge ou parce que vous pensez que la victime pourrait être Cale Lovette ?

Galimore s'est penché en avant, le regard intense.

— Je me contrefous de mon patron. Des crétins m'ont mis en taule pour m'empêcher de poursuivre une affaire qui comptait pour moi. Je veux savoir pourquoi.

— Est-ce que Rinaldi a poursuivi sur cette piste, après que vous avez été mis hors circuit ?

— Je ne sais pas.

— Est-ce que vous ne seriez pas un peu parano ?

— Hé, on parle du FBI ! Avec les moyens qu'ils ont, ces salauds, vous ne croyez pas qu'ils auraient pu résoudre cette affaire, s'ils l'avaient voulu ?

Je dois dire que cette pensée m'était venue à l'esprit.

— Mais il n'y avait pas que le FBI et les flics. Il y avait moi, aussi, a ajouté Galimore en pointant sa fourchette sur sa poitrine.

Je l'ai laissé continuer.

— Les Gamble étaient de braves gens, pris entre deux hypothèses aussi terribles l'une que l'autre : ou bien leur fille leur avait tourné le dos, ou bien elle avait décidé de les faire souffrir. Ils m'appelaient tous les jours au début. Au bout d'un moment, j'ai fini par ne plus les prendre au téléphone. Pas de quoi en être fier.

— Autrement dit, votre intérêt actuel est double et personnel. Vous voulez à la fois libérer votre conscience et prendre votre revanche sur la police.

— Ce n'est pas tout. J'ai reçu un coup de fil au bureau au début de la semaine. Un homme a priori, mais avec une voix étouffée par une sorte de filtre.

— Hum-hum.

— Je vous épargne le discours haut en couleur. En résumé, on me menaçait de révéler mon passé dans la presse si je ne laissais pas tomber l'affaire Gamble-Lovette.

— Et vous avez répondu ? ai-je demandé en m'efforçant de cacher mon scepticisme.

— Rien. J'ai raccroché.

— L'appel venait d'où ? Vous avez réussi à le savoir ?

— D'un téléphone jetable.

— Votre explication ?

— Le corps découvert dans la décharge. L'article dans le journal.

Galimore a de nouveau balayé des yeux la salle de restaurant.

— Il y a quelqu'un dans le coin qui est très, très nerveux.

Chapitre 17

— Qu'est-ce que vous comptez faire ?

— Aller trouver Fries, a répondu Galimore sans hésiter. Pendant un bon bout de temps, il s'est évaporé dans la nature. Et, brusquement, il y a de ça environ cinq ans, il a réapparu. Il habite aujourd'hui du côté de Locust. Vu qu'il a dans les quatre-vingts ans, il est probablement sénile.

Sa façon de qualifier les personnes âgées m'a révulsée et c'est plutôt brutalement que j'ai attrapé l'addition. Galimore n'a pas eu un geste pour s'y opposer. J'ai jeté sur un ton brusque :

— Donc, vous voulez l'interroger ?

— Ça ne peut pas faire de mal.

En cherchant mon portefeuille dans mon sac, je suis tombée sur la page arrachée au carnet de Slidell. Je l'ai sortie en même temps.

J'ai attendu qu'Ellen soit repartie avec ma carte de crédit pour la déplier et lire à haute voix le texte codé de Rinaldi.

— Ça vous dit quelque chose ?

J'ai fait pivoter la feuille vers lui.

— Qu'est-ce que c'est ?

— Une note sur l'enquête Gamble-Lovette trouvée dans les carnets de Rinaldi.

Galimore a relevé les yeux sur moi.

— Un homme droit, Rinaldi.

— Exact.

Ses yeux verts ont soutenu mon regard un long moment avant de se baisser enfin sur le papier. J'avais les joues en feu.

Jesus, Brennan.

— Wi-Fr. C'est probablement Winge-Fries. Lui aussi, ça le titillait, la contradiction entre leurs deux dépositions.

Je me suis sentie toute bête de ne pas y avoir pensé. Mais c'est vrai que je venais seulement d'apprendre l'existence de ce Fries.

— Pour OTP, je propose : *Occupation du territoire par les partisans* ?

— Vraiment ?

— *On trafique le programme*, alors ? Vous savez, comme dans les systèmes de surveillance électronique.

— Pourquoi pas : *Obéissance totale au projet* ? Comme une sorte de rappel, un mot de passe permettant d'accéder à quelque chose.

— Possible, a dit Galimore et il a repoussé le papier vers moi. Pour le reste, aucune idée. Sauf pour « FU » : là, ça me paraît un juron évident.

Au retour d'Ellen, j'avais encore les yeux levés au ciel. J'ai signé le récépissé, récupéré ma carte de crédit et suis sortie dans le stationnement, Galimore sur les talons.

— Vous me ferez savoir ce que Fries aura dit. (En guise d'adieu.)

— Ça marche dans les deux sens, vous ne croyez pas ? (Il a chaussé des lunettes de soleil parfaitement inutiles par ce temps.) De votre côté, vous avez certainement découvert des choses intéressantes sur cet inconnu, à l'heure qu'il est. Non ?

Oh, oui ! La ricine, la saisie du corps, sa destruction, le Rosphalt. Mais pas question de divulguer ces renseignements.

— Je verrai avec le Dr Larabee.

— Je ne suis pas mauvais dans mon genre, vous savez ! Dix ans d'une vie à enquêter, ça laisse des traces. (Les lunettes fixées sur moi.)

J'hésitais entre plusieurs réponses quand mon iPhone a retenti par-dessus le vacarme de la circulation dans East Boulevard. Tournant le dos à Galimore, je me suis écartée de quelques pas.

— *Yo.* (Slidell. Et la bouche pleine, comme d'habitude.) Un mot seulement, vu que j'ai deux zigouillés sur les bras et un blessé qui pisse le sang et va pas faire long feu. Règlement de comptes entre deux bandes, apparemment.

— Je vous écoute. (Avec un Galimore qui tendait sûrement l'oreille, mieux valait rester dans le vague.)

— C'est à propos d'Owen Poteat. Né en 1948 à Faribault, dans le Minnesota… (Une pause, le temps pour Slidell de faire passer de gauche à droite ce qu'il avait sous ses molaires.) Marié, deux filles. Un boulot dans la vente de systèmes d'irrigation. Viré en 95. Divorcé deux ans après. La femme a déménagé à St. Paul avec les enfants. Mort en 2007.

— Qu'est-ce qu'il faisait à l'aéroport ?

— Il allait voir sa *madre*, qui était en train de passer l'arme à gauche.

— Mort de quoi, lui ?

— Du cancer, comme sa mère.

Échec dans le travail. Rupture des liens familiaux. Décès de la mère. Histoire somme toute banale, mais qui m'a foutu le cafard, je ne sais pas pourquoi.

— Pour l'affaire Gamble-Lovette, je vais devoir me retirer du jeu momentanément. Avec ces guerres de gangs, le patron nous ramène au bercail.

— Je comprends.

— Je remonte à bord dès que ça se calme.

— Concentrez-vous sur votre enquête. J'ai une autre piste.

— Ah ouais ?

Deux pas de plus sur le côté pour lui faire un petit topo sur ce que je venais d'apprendre sur Fries.

— D'où tenez-vous ces renseignements ?

— De Cotton Galimore.

— *Fuck !* a explosé Slidell.

— Il a participé à l'enquête. Je me suis dit qu'il avait sûrement des informations utiles. Et c'est le cas.

— Qu'est-ce que je vous ai dit sur ce trou de cul ?

— Il soutient qu'il a été piégé.

— Comme Charlie Manson qui s'prétendrait directeur d'un camp de jour !

Réaction conforme à mes prévisions et à laquelle j'ai répondu vertement :

— Je n'ai pas l'intention de sortir avec lui !

— Ouais, bon. En tout cas, il s'est pas trop forcé, Galimore, en 98, à ce qu'on dit.

— Qu'est-ce que vous sous-entendez ?

— L'enquête est allée droit dans le mur. Pourquoi ça ? je m'demande. Et comme je vois pas d'explications, je m'renseigne.

— Auprès de qui ?

— De flics qui traînaient dans le coin à l'époque.

— Et d'après eux, Galimore aurait entravé le travail du groupe de recherches ?

— C'est ce qu'ils impliquent.

Mauvais usage du verbe. Je n'ai pas relevé. J'ai juste demandé à Slidell dans quel but Galimore aurait agi ainsi.

— Je suis pas son confesseur.

— Ils ont donné des exemples ?

— Tout ce que je dis, c'est que ce type est un serpent. Vous copinez avec lui, vous mettez une croix sur moi !

Tonalité.

— C'était Skinny, n'est-ce pas ?

Dans mon énervement, je n'avais pas entendu Galimore approcher derrière moi. Je me suis retournée, le visage inexpressif.

— Ça le fait chier qu'on se voie, a-t-il ajouté.

Je n'ai pas répondu.

— Il vous ordonne d'être une bonne fille et de m'envoyer paître.

— Il appelait pour me prévenir qu'il serait très occupé ces jours-ci.

— Autrement dit, nous voilà livrés à nous-mêmes.

— Quoi ?

— Juste vous et moi, jeune fille !

Clin d'œil appuyé. Effet minime sur moi, à cause des lunettes.

Sous prétexte de ranger mon téléphone dans mon sac, je l'ai scruté des pieds à la tête. Comme la fois d'avant, petit soubresaut au niveau du ventre.

Vite, détourner les yeux !

À l'angle du restaurant, sur un coin d'herbe, deux chats se disputaient une proie à belles dents. L'un brun, l'autre blanc. Tous les deux, le pelage parcouru d'ombres sinueuses sur les flancs. Le tracé de leurs côtes sous la peau.

— J'imagine que vous aimeriez rencontrer Fries, a dit Galimore.

Exact.

— Et Bogan aussi, a-t-il repris.

Le père de Cale.

— Vous allez les voir maintenant ? (Question posée sans quitter les chats des yeux.)

— Absolument.

Mauvaise idée ! m'ont hurlé des millions de cellules grises.

J'ai laissé passer une pause. Le temps qu'une autre partie de mon cerveau monte au créneau. Comme rien ne venait, j'ai fini par déclarer :

— On prend ma voiture.

La Caroline du Nord regorge de coins perdus demeurés à l'écart de tout développement, Dieu sait comment. Fries s'était dégotté l'un de ces endroits au bout du monde. Ou quelqu'un l'avait déniché pour lui.

Suivant les indications de mon passager, j'ai emprunté le périphérique extérieur et pris la NC 24/27 en direction de l'est. Juste avant Locust, j'ai coupé vers le nord par la route 601. Après plusieurs virages, je me suis retrouvée sur une piste en gravier. Difficile de la qualifier de route.

Tout au bout, une petite clairière au milieu de pins et de feuillus. Arrêt pour une observation de plusieurs minutes.

Sur tout le périmètre, des tas et des tas de détritus. Au centre, une roulotte ou plutôt un machin orphelin de ses roues maintenu plus ou moins à l'horizontale grâce à son attache en fer en appui sur une grosse pierre. Des fenêtres oscillantes bloquées par la rouille. Face à nous, en contrefort, une montagne de déchets jusqu'à mi-hauteur du flanc. Si nous étions effectivement au bon endroit, alors Eugene Fries vivait dans le lieu le plus minable que j'aie vu de ma vie.

Gravé dans l'aluminium brûlé par le soleil, un nom à peine lisible : «Boler». La marque du carrossier? Le nom de la roulotte? Celui de son propriétaire? Peu importe. Ce véhicule, garé ici à un moment quelconque de ce millénaire, n'en avait jamais plus bougé, c'était sûr.

Derrière, à droite, une cabane faite de planches épaisses assemblées n'importe comment. Toute grise et vieillie par les intempéries, bien qu'elle ait l'air de construction plus récente que Boler. Les chiottes. Accès direct depuis la roulotte par un sentier qui contournait la grosse pierre soutenant l'accroche en fer.

À gauche, un vieux chêne qui devait bien faire deux mètres cinquante de diamètre et qui étendait sa ramure noueuse au-dessus de la roulotte et du hangar. À son pied, une terre noire et nue.

Fichés dans le tronc, à un mètre vingt du sol, deux boulons d'où partaient deux chaînes aux maillons étincelants. Flambant neuves, selon toute évidence.

Je les ai suivies des yeux jusqu'au sol et plus loin. Comme de juste, elles aboutissaient chacune à un collier étrangleur.

— Il doit y avoir des chiens. Et des gros.

— Ouais, a renchéri Galimore, pas plus rassuré que moi.

D'un même mouvement, nous avons baissé nos vitres.

Silence total. Pas un chant d'oiseau. Pas un aboiement. Pas la moindre musique country sortant d'une radio.

J'ai humé l'air.

Odeurs de feuilles mouillées et de terre humide. Puanteur d'ordures organiques se décomposant dans du plastique.

— Restez ici. Je vais voir s'il y a quelqu'un.

Je n'ai pas eu le temps d'objecter, Galimore était déjà sorti. Je ne dirai pas que ça m'a déplu : trop de rottweilers et de dobermans me trottaient dans la tête.

Galimore a fait deux pas et s'est arrêté.

Aucun molosse ne l'a attaqué.

Il a parcouru les trois mètres qui séparaient la route de la roulotte sans cesser de regarder des deux côtés. Le recul de son coude droit indiquait qu'il tenait une arme à la main.

Marchant d'un pas décidé, il est allé se planter devant l'unique porte de la roulotte.

— Monsieur Fries ? Vous êtes là ?

Pas de réponse.

Second appel, plus fort.

— Eugene Fries ? Nous voudrions vous parler.

Rien.

— Nous ne partirons pas, monsieur Fries. (Tambourinades du plat de la main gauche sur la porte en métal.) Il vaudrait mieux que vous sortiez.

Toujours pas de réaction.

Galimore a reculé pour examiner à nouveau les parages. Même vision que moi : un seul chemin dans cette clairière, celui menant à la cabane.

Il a contourné le rocher où reposait l'accroche en fer. Je l'ai suivi des yeux jusqu'à ce qu'il disparaisse de ma vue, caché par la roulotte.

Du temps s'est écoulé.

Trois heures vingt-sept à ma montre.

Combien de minutes depuis que Galimore était parti ?

J'ai scruté la clairière. La lisière des bois. La roulotte.

Trois heures trente et une.

Impatientée, j'ai tapé des doigts sur le volant. Où était-il donc passé ?

Trois heures trente-quatre.

Une guêpe a bourdonné contre le pare-brise, histoire de voir si elle pouvait le franchir. S'est posée. A fait quelques pas, ses antennes en action.

Une brise des plus ténues a fait bruire la forêt.

Trois heures trente-six.

Galimore m'avait peut-être appelée pour que je le rejoigne. J'ai sorti mon cellulaire. Vérifié les appels : aucun message. La sonnerie ? Branchée.

Agacée, je me suis penchée vers le plancher côté passager pour attraper mon sac.

Quand je me suis redressée, ma tempe a heurté l'acier froid d'un canon de pistolet.

Chapitre 18

Un frisson glacé a descendu le long de ma colonne vertébrale.

Du coin de l'œil, j'apercevais une silhouette vêtue de sombre à l'extérieur de la voiture. Un homme ou une femme, qui appuyait d'une main ferme contre mon crâne ce fusil de chasse glissé dans l'ouverture de la fenêtre. Des chiens grognaient et donnaient des coups contre la carrosserie. La terreur me paralysait.

J'étais seule au milieu de nulle part. Du mauvais côté d'un canon de fusil et de la gueule de deux molosses.

Dieu du ciel, où avait donc disparu Galimore ?

— Énoncez la raison de votre présence !

La voix, basse et rauque, m'a fait retrouver mes esprits. C'était celle d'un homme à la respiration sifflante. J'ai dégluti.

— Monsieur Fries ?

— Qui diable le demande ?

— Temperance Brennan. (Surtout, ne pas trop en faire.) Je suis une amie de Wayne Gamble. Le frère de Cindi.

Grondements et raclements de griffes ont remplacé les grognements. La Mazda a vacillé.

— Assis, nom de Dieu !

Un beuglement à crever les tympans ! Une nouvelle giclée d'adrénaline a déferlé en moi.

— Rocky ! Rupert ! Cul à terre !

Son mat d'une botte rentrant dans du mou. Jappement immédiat.

Mon cœur s'est mis à tambouriner dans ma poitrine. Qui était ce fou ? Avait-il tué Galimore ? Je n'osais pas tourner la tête.

Le museau de l'arme me perforait le crâne.

— Dehors, maintenant. Lentement et gentiment. Les mains bien en l'air, que je les voie !

Déclic de la poignée. La portière s'est grande ouverte.

Mains levées, j'ai extirpé mes jambes et me suis mise debout.

Rocky et Rupert étaient aussi gros que des élans, tout noirs, avec des demi-lunes marron à l'endroit des sourcils. Ils ne me lâchaient pas des yeux. Un grondement sourd sortait toujours de leurs gorges massives, mais ni l'un ni l'autre n'a esquissé de mouvement menaçant.

Leur maître avait l'air aussi vieux qu'un être humain peut l'être. Un front, un menton et un nez proéminents, un teint blafard de parchemin, des joues creuses encadrées de favoris blancs hirsutes.

Malgré la chaleur étouffante, il portait un pantalon de laine, une chemise en flanelle, un chapeau de chasse orange et un anorak fermé jusqu'au milieu de la poitrine.

Ses yeux bleus chassieux me fixaient avec une assurance égale à celle de sa main qui tenait la carabine : une Winchester aussi vieille que lui. Du canon, il suivait le moindre de mes gestes.

— Qui vous a envoyé ici ?

— Personne, monsieur.

— La vérité !

Comme tout à l'heure, sa véhémence m'a fait sursauter.

— Avancez !

Demi-cercle de l'arme et arrêt sur l'autre bout de la clairière.

Entrer dans la roulotte, c'était quasiment réduire à néant toute chance de fuite. Je n'ai donc pas bougé.

— Avancez !

— Monsieur Fries, je…

Le canon de la Winchester s'est enfoncé dans mon sternum. Sous le choc, j'ai basculé en arrière et me suis cogné le dos contre le bord de la portière restée ouverte.

À mon cri de douleur, les chiens se sont relevés.

L'homme a baissé la main.

Les chiens se sont rassis.

— J'ai dit : avancez ! (Un ton glacé, dangereux.) Par là !

Et il a de nouveau agité l'arme dans la direction indiquée précédemment.

Ne pas obéir à un ordre aussi péremptoire ? Impossible. J'ai donc obtempéré, marchant aussi lentement que possible sans accroître encore sa colère. Derrière moi, une respiration essoufflée et des bottes écrasant le sol.

Désespoir absolu. Comment me sortir de là ? En venant, je n'avais repéré ni poteau électrique ni ligne téléphonique sur la route. Mon cellulaire était resté dans la voiture. Je n'avais prévenu personne de l'endroit où je me rendais.

Mon cœur battait à grands coups de plus en plus rapprochés.

J'étais coincée.

En compagnie d'un fou.

Pas l'ombre d'un Galimore à l'horizon.

Nouvel arrêt près de la roulotte pour tenter encore de le convaincre.

— Je ne vous veux aucun mal, monsieur Fries…

— Vous faites un pas, et je vous fais exploser la tête ! m'a-t-il jeté en passant devant moi.

Claquement des doigts en direction des molosses. Rocky et Rupert se sont affalés sur le ventre, la gueule ouverte. Deux langues pourpres se balançant par-dessus des dents jaunies.

Sa Winchester au creux du bras tenue pointée sur ma poitrine, le vieux s'est plié en deux pour attraper une chaîne et l'attacher au collier de Rupert ou de Rocky. Au tour de la seconde.

Mouvement dans l'ombre derrière lui, juste au moment où il se relevait.

Et Galimore a frappé tel un ninja.

Le bras autour de la gorge du vieux, il l'a tiré loin des chiens et lui a arraché sa carabine. Le chapeau de chasse a volé en l'air et atterri plus loin.

Une véritable frénésie s'est emparée des chiens.

Terrifiée, j'ai bondi en arrière du plus vite que j'ai pu.

Déstabilisés et furieux, les molosses se sont jetés en avant, muscles bandés, tantôt sur Galimore, tantôt sur moi. La salive leur dégoulinait en longs fils des gencives et de l'intérieur des joues.

— Faites-les taire !

L'ordre de Galimore s'est perdu au milieu des aboiements furieux. Un gargouillis est sorti de la gorge du vieux.

— Faites-les asseoir ou je les descends !

— Suffit ! a marmonné le vieil homme d'une voix étranglée.

Galimore a libéré son étreinte. Plié en deux, le vieux s'est mis à tousser et à cracher.

La fureur des chiens a grimpé encore d'un cran.

Le vieux s'est redressé.

— Suffit ! a-t-il répété avec plus de force, une main tremblante tendue vers les chiens.

Les molosses se sont laissés tomber à terre, prêts à bondir, les yeux braqués sur leur maître. Manifestement pas convaincus.

— Votre nom ? a demandé Galimore sur un ton sans réplique.

— Eugene Fries. (Sa pomme d'Adam allait lui jaillir de la gorge.) Z'êtes ici chez moi. De quel droit vous osez me menacer ?

— Vous pointiez votre fusil sur le cœur de la dame.

— J'aurais pas tiré.

— Je ne pouvais pas m'en douter. Elle non plus.

C'était sûr, j'en avais encore le cœur qui me cognait contre les côtes.

Se penchant un peu plus bas, le vieil homme a expectoré un graillon impressionnant.

Galimore a ouvert la carabine et vu qu'elle n'était pas chargée. Il est allé ramasser le chapeau du vieux et l'a frappé contre sa cuisse pour le nettoyer, avant de le lui visser sur sa tête chauve.

— On n'est pas là pour s'éterniser, monsieur Fries. On a juste deux, trois questions à vous poser, et on repart.

Fries n'a rien répondu. Galimore l'a fait avancer en veillant à rester hors de portée des chiens.

Le regard de Fries a dévié brièvement vers moi. Encore sous le choc, j'ai laissé mon compagnon entamer la conversation.

— Nous nous intéressons à deux jeunes qui ont disparu en 1998 sur le circuit de Charlotte. Cale Lovette et Cindi Gamble. Ça vous dit quelque chose ?

— Oui, je sais de qui vous parlez, mais je les connaissais ni l'un ni l'autre.

— Vous avez dit dans votre déposition que vous les aviez servis vers huit heures du soir, le jour où ils ont disparu. C'est exact ?

Fries a hoché la tête.

— Comment saviez-vous que c'était eux ?

— Les flics m'ont montré des photos. Lovette, c'était facile de s'en souvenir à cause de ses tatouages.

— C'est pas ça qui manque, les gars qui se font marquer à l'encre.

— C'est bon. Je le connaissais de réputation.

— Comment ça ?

— Il était proche d'un groupe genre milice. Des types vraiment mauvais, à ce qu'on disait.

Galimore a laissé passer un temps de réflexion. Puis :

— Vous connaissez Grady Winge ?

— Un taré.

— Selon lui, Gamble et Lovette ont quitté le circuit vers les six heures du soir.

— Quand je vous dis que c'est un taré !

— Comment pouvez-vous être aussi certain de l'heure qu'il était ?

— Je passais mon temps à regarder ma montre.

— Pourquoi ?

— Une dame devait passer me voir à neuf heures.

— Elle est venue ?

— Non. J'ai déjà dit tout ça aux flics à l'époque. J'ai bien failli y laisser ma peau.

— Qu'est-ce que vous voulez dire ?

— Ce que je dis : j'ai bien failli y laisser ma peau.

Galimore a vrillé ses yeux dans ceux de Fries.

— Juste après ma déposition, je reçois un coup de fil. Un gars qui me dit que j'ai intérêt à changer mon histoire si je veux pas qu'il m'arrive malheur.

— Qui c'était ?

— Si j'le savais, y s'rait en train de fertiliser la forêt, le salaud, à l'heure qu'il est !

— Qu'est-ce que vous avez fait ?

— J'lui ai dit d'aller se faire foutre. Deux jours plus tard, mon chien était mort sur le perron.

— Il est peut-être mort de sa belle mort.

— Ben tiens ! Avec une balle dans le crâne ! Deux jours après, c'est ma baraque qui brûlait.

Abasourdie, j'ai demandé :

— Vous croyez vraiment que cet homme a mis ses menaces à exécution ?

— Non. C'était juste Al-Quaida qui cherchait à me recruter. (Dit avec un mépris souverain.)

Il s'est tourné vers moi. Ses lèvres blanches formaient un U à l'envers.

— Après ça, vous avez fait quoi ? a demandé Galimore.

— Vous auriez fait quoi, vous ? J'ai lâché mon boulot et je me suis tiré dans l'Ouest. Quelques années plus tard, mon frère m'a proposé cette roulotte. J'suis revenu chez moi. Je m'suis dit qu'assez d'temps avait passé.

— Assez de temps pour réfléchir, en tout cas. Et vous forger des soupçons.

Fries a gardé le silence une longue minute. Sa réponse ? Une mimique. Le froncement de ses sourcils au-dessus de ses yeux en une grosse ligne blanche et broussailleuse. Puis :

— J'en dirai pas plus : Lovette et ses copains, c'était pas du gâteau si j'en crois la rumeur.

— Vous voulez dire : le Détachement patriote ?

Il a hoché la tête. J'ai demandé :

— Mais quelle raison auraient-ils eu de vous menacer ?

— Comment diable j'le saurais ? J'ai l'air d'une police ?

Les sourcils du vieux lui sont remontés d'un coup sur le front.

Je lui ai posé alors la même question qu'à tout le monde.

— À votre avis, monsieur Fries, qu'est-ce qui a pu arriver à Cindi Gamble et Cale Lovette ?

— Je pense qu'avec ses abrutis de copains, Lovette a tué quelqu'un ou fait exploser quelque chose, et qu'après il a pris la fuite avec sa copine.

— Où diable étiez-vous passé ?

Nous étions remontés en voiture et je bouclais ma ceinture de sécurité, encore secouée par l'afflux d'adrénaline.

— J'explorais un sentier derrière la roulotte. Je n'avais pas envie que Fries déboule des bois droit sur nous.

— Eh bien, c'est réussi.

Les premiers kilomètres, je les ai passés concentrée sur la conduite. Et à essayer de calmer mon énervement.

Apparemment, Galimore comprenait dans quel état j'étais, ou alors il se concentrait lui aussi. Sur ses propres pensées.

Je roulais déjà sur la I-485 quand je me suis enfin sentie assez maîtresse de moi-même pour engager la conversation. Et le faire avec une sorte d'impatience. Le contrecoup d'avoir été sauvée des mains d'un maniaque armé d'un fusil et de ses chiens, je suppose.

Pour autant, je ne suis pas sortie du cadre professionnel

Selon Galimore, Fries n'avait jamais fait l'objet de harcèlement et de menaces. C'était de l'exagération. Je n'étais pas d'accord. C'était facile de vérifier si sa maison avait été incendiée. Et d'ailleurs qu'aurait-il gagné à mentir ?

Le problème, c'était ces deux dépositions contradictoires sur l'heure à laquelle Lovette et Gamble avaient quitté le circuit. À six heures, comme l'affirmait Grady Winge, ou plus tard, comme le soutenait Eugene Fries ? S'agissait-il d'une erreur d'appréciation ou d'un mensonge délibéré ? Et de la part de qui des deux ? Dans quel but ? Pour moi, c'était Fries qui disait la vérité, j'en aurais mis ma main à couper.

Quant à ce qui avait pu advenir à Gamble et Lovette, nous avions pour l'heure cinq théories.

La première : Cale et Cindi étaient partis de leur plein gré, que ce soit pour rejoindre une autre milice ou pour se marier. C'était la conclusion du groupe de recherches. Elle ne me convainquait pas. Si tel avait été le cas, l'enquête l'aurait démontré. Même la plus superficielle.

Deuxième théorie : Cale avait tué Cindi et se cachait. À en croire Wayne Gamble, Cindi avait viré Lovette et craignait pour sa vie. Selon Lynn Nolan, Lovette battait Cindi.

Troisième théorie, suggérée par Slidell : Cale, ou Cindi, travaillait pour le FBI. L'ayant découvert, le Détachement patriote les avaient tués tous les deux.

Quatrième théorie, variante de la précédente et qui avait ma faveur : le FBI, apprenant que son indic était grillé, avait exfiltrés Cale et Cindi et les avait placés en lieu sûr, conformément au programme de protection des témoins.

Cinquième théorie : Cale avait commis un acte illégal sous la houlette du Détachement patriote, et il était entré dans la clandestinité avec Cindi. Quant à Eugene Fries, il avait inventé toute cette histoire en se fondant sur la rumeur.

Mais quand même. Une disparition aussi bien orchestrée, j'avais du mal à y croire.

Pas un seul coup de téléphone pendant toutes ces années ; pas la plus petite erreur de leur part révélant qu'ils étaient en vie, ça jetait un sérieux discrédit sur la théorie de la fugue.

Sauf qu'il y avait Owen Poteat. S'il avait vraiment aperçu Lovette, c'est qu'il y avait eu malgré tout une erreur quelque part.

Que savait-on sur lui, en dehors du fait qu'il n'était plus de ce monde ?

Alors que nous entrions dans le stationnement de chez Bad Daddy's, Galimore m'a invitée à dîner.

Non, mieux valait pas. Pourtant, ce n'était pas l'envie qui me manquait. Ni l'appétit. Mais voilà, impossible de cerner ce type : il était égoïste, exaspérant et d'une moralité douteuse, et, en même temps, il pouvait être un bon atout dans une bataille. Ses actes le prouvaient.

Le fait est que je le trouvais extrêmement *hot*.

Pitié, Brennan !

J'ai prétexté un crâne qui m'attendait au MCME.

— À presque six heures du soir ?

— C'est la nuit que je suis la meilleure.

Idiote !

— Toute seule ! ai-je ajouté avant que Galimore n'ait le temps de plonger dans la brèche.

Il a ouvert sa portière.

— À bientôt, doc. (Clin d'œil appuyé de Galimore.)

Quelques minutes plus tard, j'étais au labo.

Grave erreur.

Car je devais y subir une quadruple décharge.

Chapitre 19

Pas un pathologiste à l'horizon. Pas âme qui vive à l'accueil. D'après le tableau de présence, un seul enquêteur dans les lieux : Joe Hawkins.

Dans mon bureau, la lumière des messages clignotait. Je suis allée me chercher un Coke Diète à la cuisinette avant de brancher le haut-parleur du téléphone et de me munir d'un stylo.

L'agent spécial Williams, quelque peu énervé. Me demandant de le rappeler de toute urgence. J'ai noté son numéro.

Wayne Gamble, plutôt angoissé. Il savait qui était le type qui le suivait et il voulait lui parler entre quatre yeux.

Earl Byrne, le journaliste de l'*Observer* qui ressemblait à un champignon. Très impatient de m'entendre. Il voulait écrire une suite à son article de 1998 et se demandait pourquoi ça prenait si longtemps d'identifier l'inconnu de la décharge.

L'agent spécial Williams. Effacé.

L'agent spécial Williams. Effacé.

Cotton Galimore, sur un ton, comment dire… dragueur ? L'invitation à dîner tenait toujours. En plus, il comptait aller voir Craig Bogan demain matin. Est-ce que je voulais l'accompagner ?

J'étais en train d'inscrire son numéro quand une ombre a obscurci la pièce. J'ai relevé les yeux.

Hawkins se tenait sur le seuil, une demi-douzaine de forceps à la main.

— Salut, Joe.

— Cotton Galimore ? (Sur un ton menaçant. Un ogre s'adressant à des petits enfants.)

— Pardon ?

— Galimore ? Et vous lui parlez ? ! (Les forceps pointés sur l'appareil.)

— M. Galimore a fait partie du groupe chargé de retrouver Cale Lovette et Cindi Gamble en 98.

— Tenez-vous à distance de lui.

— Pardon ?

— On ne peut pas lui faire confiance. Vous n'avez aucune raison de vous rapprocher de lui.

— C'est à moi seule de décider comment mener mes enquêtes…

— C'est un corrompu.

— Les gens évoluent.

— Pas lui.

— Vous ne seriez pas un peu rigide ?

— Galimore a travaillé sur cette affaire, d'accord. Une affaire qu'on a voulu étouffer. Je ne serais pas étonné qu'il y ait été pour quelque chose. Alors maintenant, toute occasion de protéger son cul lui est bonne.

— Ou alors il a un vrai intérêt pour cette enquête, car il y a participé.

Mais Hawkins était branché sur le mode tempête. Pas du tout d'humeur à m'écouter.

— De l'intérêt pour l'enquête ? Après tant d'années ? ! Et aujourd'hui comme par hasard ? Ça ne serait pas plutôt qu'il veut vous tenir à l'œil parce que vous approchez de la vérité ? Quel que soit son motif, sachez qu'il n'agit que dans un seul intérêt : le sien.

À ce moment-là, mon téléphone a sonné.

Hawkins a tourné les talons, vibrant de dégoût.

J'ai décroché machinalement.

— Docteur Brennan, content de vous attraper.

— J'allais justement partir. (Pieux mensonge, mais je n'avais pas envie de subir encore un sermon. Surtout pas de la part de l'agent spécial Williams.)

— Je ne vous retiendrai pas longtemps.

J'ai attaqué, bien décidée à ne pas m'en laisser conter :

— On peut savoir pourquoi vous avez placé le corps de l'inconnu de la décharge sous séquestre ?

— J'ai expliqué au Dr Larabee la position du Bureau.

— Je sais : contamination à la ricine.

— Oui.

— La ricine n'est pas une toxine contagieuse.

— Ce n'est pas moi qui ai pris cette décision.

— Est-ce vous qui avez décidé d'incinérer le corps ?

— Une erreur malheureuse.

— Et mes échantillons d'os ?

— Quoi, vos échantillons ?

— Est-ce qu'ils ont également été détruits ?

— Pour autant que je sache, ils ont été placés dans le sac qui contenait le corps.

— Serait-ce que le Bureau ne tient pas à ce que cet individu soit identifié ?

— C'est ridicule.

— Vous avez retrouvé Ted Raines ?

Cette question pour savoir si le FBI soupçonnait l'inconnu de la décharge d'être l'homme d'Atlanta qui avait disparu.

— Pas que je sache.

— Raines travaille à l'Institut de veille sanitaire, et l'inconnu de la décharge montre des signes d'empoisonnement à la ricine. Curieuse coïncidence, non ?

— En effet. (En arrière-fond, les cliquetis d'une pointe de stylo-bille qu'on fait entrer et sortir.) Je crois savoir que vous vous êtes entretenue avec J.D. Danner.

— Des cheveux admirables, ce type.

— Qu'est-ce que vous lui avez dit ?

— Que j'étais assez grande pour porter mes sacs de provisions.

Silence du côté de l'agent spécial. Puis il a déclaré :

— J'ai été autorisé à révéler certains renseignements sensibles. Le Dr Larabee les connaît déjà. Il m'a demandé de vous en faire part.

J'ai attendu la suite.

— Le Détachement patriote a attiré l'attention du FBI dès 1996. C'était un groupuscule peu nombreux, composé uniquement de gens du pays. Notre informateur savait de source sûre que certains membres, plus radicaux, projetaient des actes de violence.

— Qui parmi ces membres ?

— Peu importe.

— Danner ?

Le stylo… Clic. Clic.

— Lovette ?

— Non.

— Qu'est-ce qu'ils visaient comme cible ?

— C'est strictement confidentiel.

— Une minute, alors. Que je me débranche de Twitter.

— D'après notre informateur, le Détachement projetait d'empoisonner le réservoir alimentant la ville voisine.

— Pourquoi ?

— Deux raisons : la présence d'une clinique où l'on pratiquait des avortements et l'élection d'une femme noire au poste de maire.

Ma réaction à ces mots ? Colère et dégoût. Au point d'en avoir une brûlure à l'estomac. Vite, une gorgée de Coke.

— À l'époque où Cindi Gamble et Cale Lovette ont disparu, la bande faisait l'objet de surveillance, continuait Williams.

— Vous aviez quelqu'un à l'intérieur ?

— Je ne peux pas vous le dire.

— Lovette ? Gamble ?

— Cet indic évoquait des liens possibles avec Eric Rudolph.

— Et c'était vrai ?

— Nous n'avons pas pu l'établir formellement.

Clic… Clic.

— Le Détachement s'est dissous en 2002, mais le Bureau a continué de surveiller plusieurs de ses membres.

— J.D. Danner ?

— Il dirige aujourd'hui une organisation bien plus vaste, le Mouvement loyaliste. Il compte plusieurs milliers d'adeptes dans tout le sud-est du pays.

— Et qui sont ces gens ?

— Des extrémistes persuadés que le gouvernement fédéral a délibérément perpétré des assassinats à Ruby Ridge et à Waco, et qu'il s'apprête d'un jour à l'autre à lancer une fouille générale de la population en vue de confisquer les armes à feu. Ils se sont un peu écartés de l'idéologie de la Suprématie blanche, très en vogue dans les années 1990. De nos jours, nombre d'entre eux dirigent leur venin sur les musulmans, mais c'est toujours la haine du gouvernement qui sert de facteur de cohésion.

Brève vision du pantalon Tommy Bahama, du saphir, de la RX-8.

— Danner a l'air d'avoir bien réussi.

— Le Mouvement loyaliste dispose de fonds conséquents. Danner se sucre au passage, mais ne vous y trompez pas : c'est un type véritablement convaincu. Rusé comme un renard, et plus dangereux que la fièvre typhoïde.

— Pourquoi est-ce que vous me dites tout ça maintenant ?

— Pour que vous le sachiez.

— Vous ne voulez rien en échange ?

— Juste la considération normale due à un professionnel.

La conversation s'est achevée sur ces mots.

Bon ! Dans cette affaire, qui était le renard ?

Après avoir éclusé mon Coke, je suis allée prendre le MCME 239-11 dans la chambre froide — le crâne retrouvé sur la berge de la rivière près de la I-485. Il était couvert de mousse. Lui manquaient la totalité de la face et la plus grande partie de la base du cou. Les taches de cuivre, les résidus d'adipocire, des lambeaux de tissus friables et collants à la suite de l'hydrolyse des graisses, le cerveau qui n'était plus qu'une masse pétrifiée, tout cela indiquait que j'avais très probablement sous les yeux un fragment d'individu exhumé d'un cercueil. Impossible d'en dire plus pour le moment, en l'absence d'informations circonstancielles.

J'étais en train de remplir une demande de renseignements supplémentaires sur les cimetières du coin à remettre à Hawkins quand mon iPhone a sonné.

Katy, ma fille.

J'ai accepté la communication.

— Salut, chérie. Qu'est-ce que tu deviens ?

— Rien. Je suis encore au boulot à l'heure qu'il est. Comme d'habitude. (Manifestement, elle avait besoin de râler.)

— Moi de même. Tu es sur quelque chose d'intéressant ?

— De passionnant, je tiens à peine en place. (Ton sarcastique, auquel j'ai fait la sourde oreille.)

— Ah bon ?

— La plus grande fraude fiscale de l'année ! Un artiste, le bonhomme. Il a pris la tangente en me laissant des montagnes de boîtes d'archives que je dois me taper.

— Et tu en tires des idées intéressantes ?

— Vu ce que je suis payée, ça me rapporterait quoi de me lancer dans l'évasion fiscale ?

— Tu auras fini ce soir ?

— Sûrement pas. Plutôt quand j'aurai l'âge de toucher ma retraite. La caisse de retraite, l'un des rares organismes que ce voyou n'a pas escroqués. Écoute-moi ça : il achetait des billets d'avion en première classe, les rendait et s'achetait des billets en classe touriste. Mais c'était la facture pour les billets de première classe qu'il joignait à sa déclaration d'impôts.

— Vieux truc.

— OK. Et celle-là ? Il ouvrait un compte bancaire exonéré d'impôts destiné à payer les études supérieures de ses enfants, et il le vidait entièrement avant qu'ils entrent au collège. Sans le dire à oncle Sam.

— Le fisc n'a pas les moyens de débusquer ce genre de fraudes ?

— J'ai dû oublier un détail, c'était assez compliqué, comme montage. C'est juste un exemple de tout ce que ce salaud a inventé au fil des ans sans jamais se faire pincer.

Bruit d'une longue inspiration. Visiblement, Katy avait autre chose à me dire. J'ai attendu patiemment.

— Tu as eu Ryan au téléphone, ces derniers temps ?

— Il est assez pris avec Lily.

— Elle va bien ?

— Bof.

— Des nouvelles de Charlie Hunt ?

— Il rédige la plaidoirie la plus géniale au monde.

Nouvelle hésitation chez Katy, et elle a déballé d'un trait :

— Je crois qu'il voit une avocate du bureau. Ils travaillent souvent tard le soir. Ensemble. Ils viennent juste de partir. Ensemble aussi. Tout sourires et frétillants.

J'ai senti comme un petit froid au creux de la poitrine.

— Tant mieux pour lui ! Nous n'avons pas d'engagement l'un envers l'autre.

— Vous vous êtes parlé, ces temps-ci ?

— Non.

Un bip. J'avais un autre appel en ligne.

— Faut que je te quitte, chérie.

— Passe me voir dans mon réduit, un de ces quatre. Histoire de prendre le pouls de la situation. Et le mien aussi, par la même occasion.

J'en riais encore en prenant la communication.

Des sanglots.

La gaieté m'est restée coincée dans la gorge.

— Tempe, je ne vous dérange pas, j'espère ? (Summer, d'une petite voix chevrotante.) Je n'avais personne d'autre vers qui me tourner.

— Je suis encore au bureau.

— Je suis super désolée de vous déranger, vraiment, mais vous êtes si gentille… J'ai peur d'abuser.

J'ai commencé à rassembler mes affaires tout en ruminant des pensées qui n'avaient rien de gentil.

— Ce mariage est maintenant un ratage total.

J'ai laissé choir mon sac sur le bureau. Mon portefeuille s'en est échappé, livrant à ma vue le papier avec le code de Rinaldi.

— Pete ne fait que des propositions archinulles. Il veut des serviettes vertes. Vertes ! Vous vous rendez compte ?

— Mmm.

Vite, une source de distraction. J'ai tiré la feuille et l'ai lissée du plat de la main.

ME/SC 2X13G-529 OTP FU

Wi-Fr 6-8

— Une des demoiselles d'honneur est enceinte et n'entre plus dans sa robe. Mary Gray. Comment ose-t-elle me faire un coup pareil ?

La deuxième ligne. L'interprétation de Galimore prenait tout son sens maintenant : manifestement, Rinaldi s'intéressait à la contradiction entre les témoignages d'Eugene Fries et de Grady Winge sur l'heure de la disparition. Je suis passée à la première ligne.

— Sarah Elizabeth ne peut pas venir à Charlotte pour la répétition. Comment peut-on avoir un mariage qui tienne la route, sans répétition ? (Petite voix chancelante, et utilisation bruyante du mouchoir.) De quoi je m'étonne, aussi ? Comme si Sarah Elizabeth avait de la considération pour qui que ce soit !

Brusquement, les centres inférieurs de mon cerveau ont dressé l'oreille.

À propos de quoi ? Des serviettes ? De la grossesse ? De la répétition ?

N'écoutant qu'à moitié les pleurnicheries de Summer, je me suis concentrée sur la séquence alphanumérique.

Mary Gray ?

Sarah Elizabeth ?

Mon esprit s'épuisait, à deux doigts de réussir une percée.

— Je vous jure. (Reniflement mouillé.) J'ai juste envie de me coucher pour ne plus jamais me réveiller.

De quoi j'avais parlé avec Katy ?

Du fisc ? De billets d'avion ? De compte bancaire ?

Allez, un petit effort !

À force de me creuser la cervelle, les trous ont fini par se combler.

Maintenant, j'avais la clef pour décoder le texte de Rinaldi.

Chapitre 20

Après m'être débarrassée de Summer sur la vague promesse de lui apporter mon soutien, j'ai appelé Slidell.

Répondeur. J'ai laissé un message. Rappelez-moi de toute urgence.

Au tour de Galimore : même scénario, même message.

Énervée, j'ai balancé ma canette dans la corbeille. Lestée de mon sac et de mon ordinateur, j'ai mis le cap sur la sortie.

Traversée du haut de la ville pare-chocs contre pare-chocs à la vitesse moyenne de six kilomètres tous les dix ans. Il devait y avoir une bamboula au Temple de la renommée de la NASCAR.

Du coup, changement de plans. Plus question de faire un crochet par chez Price's pour acheter un poulet grillé. Je me contenterais d'une salade à base de ce que j'avais au réfrigérateur.

Dans Providence Road, alors que je commençais enfin à rouler, mon iPhone a sonné.

Galimore.

— Je crois savoir ce qui tracassait Rinaldi.

— Et moi qui espérais que vous aviez changé d'avis pour le dîner. Vous me crevez le cœur ! (D'une voix… comment dire ? Faussement timide ?)

— Quel était le deuxième prénom d'Owen Poteat ?

— Je peux le savoir.

— Il avait deux filles, n'est-ce pas ?

183

— Je crois bien.

— Trouvez-moi aussi leurs noms.

— À vos ordres, madame !

Au croisement, le feu est passé au rouge juste devant moi. Je me suis arrêtée. Providence Road se poursuivait à gauche, en direction du sud. À droite, elle devenait Morehead Street.

— Les relevés de banque, aussi. Et les déclarations d'impôts.

— Au nom de qui ?

— Tous les comptes au nom de Poteat.

— Ce serait plus facile si j'avais le nom de la banque.

Le feu est passé au vert. Tout droit, c'était Queens Road. Vous voyez, je ne racontais pas d'histoires en parlant de l'imbroglio des rues à Charlotte.

— Commencez par la Wells Fargo, ai-je répondu. En remontant jusqu'à 1998.

— J'ai quelqu'un qui peut s'en charger. C'est quoi, votre idée ?

— Ça prendra combien de temps ?

— Le nom, pas plus de quelques minutes. Pour les relevés de comptes et les impôts, ce sera plus difficile. Pourquoi vous ne demandez pas à Slidell ?

— Ou bien il est débordé, ou bien il fait exprès de ne pas me rappeler.

— Ne comptez pas le voir réapparaître de sitôt un grand sourire aux lèvres. Il est plutôt rancunier.

J'ai tourné dans Sharon Hall.

— Il faut que je vous quitte, je suis arrivée chez moi.

— Un dîner tranquille, toute seule chez soi ?

— Avec mon chat.

Mais Birdie avait une autre idée en tête. En m'entendant pénétrer dans la cuisine, il a battu en retraite dans la salle à manger.

La raison de cette féline froideur ? L'heure tardive. Birdie a l'habitude de manger à six heures.

Coup d'œil au répondeur dans l'espoir d'y trouver un message de Ryan ou de Charlie.

Rien du tout.

Déçue, j'ai allumé la télé. Deux analystes sportifs débordant d'enthousiasme discutaient de la probable grille de départ de la Coca-Cola 600 qui devait se tenir bientôt. Sandy Stupak au volant de sa Chevrolet n° 59 avait de grandes chances d'être en position de tête, prédisait l'un d'eux.

Miaou plaintif. Je suis allée à la salle à manger. Birdie était réfugié sous la table. Je me suis allongée à plat ventre pour le caresser.

— Pardon, mon oiseau. J'ai été hyper débordée.

Le chat est resté ancré sur ses positions.

— Un peu de compréhension, s'il te plaît. Je me suis tapé deux virées dans la même journée, à Concord et à Locust. J'ai eu droit à un sermon de la part de Slidell et ensuite d'Hawkins ; Ryan et Charlie m'ont apparemment laissé tomber tous les deux ; Katy et Summer sont venues pleurer sur mon épaule, et enfin un vieux con n'a rien trouvé de mieux que de me tenir en joue avec sa Winchester. J'allais l'oublier, celui-là !

Le chat n'a rien voulu savoir.

J'ai rempli son plat et suis montée prendre une douche. Après quoi, j'ai passé un bas de pyjama et un vieux t-shirt à même la peau. Sans soutien-gorge et sans culotte.

Sentiment de liberté réjouissant.

Retour à la cuisine.

Au frigo, une tomate toute ramollie, un concombre maigrelet et une laitue flasque au bout des feuilles tout noir. On oublie la salade.

Plan B : ouvrir une conserve.

Je farfouillais dans le garde-manger quand la sonnette de la porte de service a tinté.

Méfiante, j'ai glissé un œil à l'extérieur.

Galimore, le visage éclairé par la lumière dorée qui tombait de la lampe au-dessus de sa tête.

J'ai fermé les yeux. Essayé d'imaginer que je n'étais pas là et de m'en réjouir.

Impossible. Il y avait les infos à la télé et le chat qui grignotait ses croquettes.

Et je serais partie pour où, d'ailleurs ?

Mais qu'est-ce que je voulais, à la fin ?

Ouvrir à Galimore ? Ne pas le laisser entrer ?

Sous prétexte qu'Hawkins, tout comme Slidell, ne supportait pas ce type ? Est-ce qu'ils lui en voulaient parce qu'il avait trahi la police ?

Mais l'avait-il vraiment fait ? Les deux autres avaient-ils raison de s'inquiéter ?

Galimore avait-il vraiment touché des pots-de-vin en 1998, ou était-il tombé dans un piège ? Un piège auquel d'autres policiers auraient prêté la main ?

S'était-il vraiment mis en travers de l'enquête sur la disparition de Gamble et Lovette, et cherchait-il à recommencer maintenant ? Au contraire, souhaitait-il réparer le tort causé aux Gamble, tort dont il se considérait en partie comme responsable ?

Et Ryan, dans tout ça ? On ne pouvait pas dire qu'il était pendu à mon téléphone. Charlie Hunt non plus.

Curieux, quand même, cette attirance que j'éprouvais pour Galimore. Qu'en était-il au juste ? Simple besoin de me sentir requinquée ou plus que ça ?

Second coup d'œil à l'extérieur.

Galimore tenait dans les mains une boîte plate et carrée avec « Donatos » écrit en grosses lettres rouges.

Mes yeux ont dévié vers la tomate et le concombre, qui perdaient déjà leurs entrailles sur le bord de l'évier.

Au diable.

Je suis allée ouvrir.

Galimore souriait. Puis son regard s'est baissé.

Je me suis rappelé trop tard que je ne portais pas de sous-vêtements. Une de mes mains s'est levée à hauteur de ma poitrine, bien inutilement.

Galimore a fait remonter ses yeux d'un coup. Et il a soulevé sa pizza.

— Toute garnie ! J'espère que vous n'avez rien contre les anchois.

J'ai désigné la table.

— Le temps de passer des vêtements.

— Si c'est pour moi, inutile de vous en faire. (Avec un clin d'œil appuyé.)

J'ai senti mon cou s'empourprer.

Oh yes, cowboy, je m'en faisais !

Retour à la cuisine, vêtue d'un jean et d'un sweatshirt me couvrant chastement la poitrine, pour découvrir la table mise et une petite bouteille de San Pellegrino à côté de chaque verre.

Par courtoisie à mon égard ? N'était-ce pas plutôt que Galimore avait mis une croix sur la boisson, lui aussi ? Compte tenu de son passé, c'était plus que probable.

J'ai coupé le son de la télé avant de m'asseoir à table.

— Qu'est-ce que vous avez découvert ?

J'avais posé la question sans attendre, pour éviter tout risque de malentendu.

— Pas tout de suite, a répliqué Galimore. On mange d'abord en s'adonnant à l'art perdu de la conversation.

Et de faire glisser dans mon assiette une pointe de pizza.

Au cours de ce repas où je me suis resservie deux fois, j'ai appris de mon convive qu'il vivait seul dans le haut de la ville, avait quatre frères, détestait la nourriture industrielle et aimait le foot et l'opéra en plus des courses automobiles.

De moi-même, il a su que j'avais une fille et un chat, lequel avait une passion inhabituelle pour la pizza.

Enfin Galimore a fait une boule de sa serviette en papier et s'est laissé retomber contre son dossier.

— Je sais vers quoi vous tendez et je crois que vous avez tapé dans le mille.

— C'est quoi, le deuxième prénom d'Owen Poteat ?

— Timothy.

— Et ses filles ?

— Mary Ellen et Sarah Caroline.

— *Yes !*

Des deux bras, j'ai fait le V de la victoire.

Il a repris :

— Qu'est-ce qui a bien pu vous mettre sur la voie, je me demande ?

— Deux personnes. Pour commencer, ma fille. Au téléphone, ce soir, elle m'a parlé d'un homme qui avait ouvert un compte-épargne exonéré d'impôts destiné à financer les études supérieures de ses enfants. Ensuite, une amie qui se marie bientôt. Elle m'a appelée juste après Katy pour se plaindre de ses demoiselles d'honneur.

— Mes condoléances.

— Merci. Des demoiselles d'honneur qui avaient toutes les deux des doubles prénoms.

— En vraies jeunes filles de Dixie.

— J'avais le code Rinaldi sous les yeux pendant que Summer me racontait ses drames.

— Summer, c'est la future épousée ?

— Oui. Vous voulez entendre la suite ou pas ?

Galimore a levé les deux mains en l'air. Pour demander pardon.

— Ce plan d'épargne, dont me parlait Katy, porte le nom de la section du code des impôts dont il relève. Le 529, en l'occurrence. Ces plans 529 sont des plans d'investissement dans lesquels le montant de l'épargne sert à financer les études d'un bénéficiaire désigné.

— Compris. Ça marche comment ?

— L'argent déposé sur ce plan d'épargne peut être retiré à tout moment. Le grand avantage, c'est que les impôts sur les revenus du capital sont différés dans le temps et que les sommes affectées à l'éducation supérieure sont exonérées d'impôts fédéraux.

Je le savais parce que, avec mon ex-mari, nous avions envisagé de souscrire à l'un de ces plans, quand Katy était petite. Finalement, nous y avions renoncé.

— Autre avantage, ai-je ajouté, c'est qu'au cas où le souscripteur décède avant que les enfants entrent à l'université, les fonds placés dans un 529 sont exemptés de l'impôt sur les successions.

— Autrement dit, a conclu Galimore, un 529 peut être utilisé comme outil de prévoyance. Une bonne façon de sortir des fonds de l'ensemble de ses biens, tout en conservant le contrôle au cas où l'on voudrait les utiliser.

Il pigeait vite.

— Exactement.

— À combien se monte le dépôt autorisé?

— Treize mille dollars par an.

Nous avons échangé un regard. Galimore avait l'air aussi épaté que moi.

— Montrez-moi le code.

J'ai sorti la feuille de mon sac et l'ai étalée sur la table.

ME/SC 2X13G-529 OTP FU

Wi-Fr 6-8

En silence, nous avons traduit la première ligne.

Mary Ellen. Sarah Caroline. Deux fois treize mille dans un plan 529. Owen Timothy Poteat. First Union.

— Par la suite, la First Union National Bank s'est appelée la Wachovia avant de prendre le nom de Wells Fargo.

Galimore a levé un sourcil.

— Exact. Vous le saviez. Combien de temps vous faut-il pour mettre la main sur les relevés de comptes de Poteat?

— Ce sera plus facile, maintenant que je sais ce que je recherche.

— Demain?

Il a bougé la main: peut-être que oui, peut-être que non!

— Et voilà!

Galimore m'a décoché un sourire radieux. Que je lui ai rendu.

— Et voilà!

— À votre avis, pourquoi Rinaldi a-t-il jugé bon de mettre tout cela par écrit?

— Poteat était la seule personne à dire qu'il avait vu Cale Lovette après le 14 octobre au soir. Et brusquement, voilà que ce type qui n'avait plus de boulot et pas d'argent dépose vingt-six mille dollars sur des comptes ouverts pour ses enfants.

— Oui, quelqu'un l'a payé pour mentir, a renchéri Galimore avec la même rapidité de raisonnement que moi.

— En tout cas, c'est bien ce que Rinaldi semblait croire.

— Mais qui ?

— Le FBI ? Le Détachement patriote ? Un parti qui voulait faire croire que Lovette et Gamble étaient toujours en vie ?

J'avais répondu instantanément, ayant déjà pas mal réfléchi à la question. Galimore s'est laissé retomber contre son dossier et a avalé une gorgée de San Pellegrino. Du temps a passé. Dans la salle à manger, la pendule de grand-mère a égrené neuf coups.

— Le week-end fatidique approche, a dit Galimore, les yeux fixés sur la télé dans mon dos.

— Vous voulez que je remette le son ?

Il a haussé les épaules.

Je me suis levée pour aller monter le volume.

Une pub. *We are the champions, my friends…*

— Nous le sommes, s'est esclaffé Galimore. Le Département de la défense va recruter nos petits culs et les intégrer dans une unité de décryptage ultrasecrète.

— Ouais. Nous sommes brillants.

— *No time for losers !*

Tout en chantant le couplet de Queen, Galimore a bondi sur ses pieds.

— *Cause we are the champions*, ai-je enchaîné.

Et il m'a entraînée dans une valse effrénée jusqu'à la dernière phrase, braillée à l'unisson.

— *Of the world !*

Les tourbillons se sont poursuivis.

Je riais comme un enfant au carnaval.

Enfin nous nous sommes arrêtés. Les yeux émeraude se sont plantés dans les miens. Nos regards se sont vrillés l'un à l'autre.

L'odeur de Galimore, mêlée à celle de son eau de Cologne; son haleine à peine parfumée à la tomate et à l'ail; la chaleur de son corps; la dureté de ses muscles sous sa chemise… Subitement, j'ai ressenti une pulsion de désir quasi irrépressible.

Un souvenir s'est interposé: Andrew Ryan et moi dansant dans cette même cuisine; une petite robe noire tombant au sol.

Désir pour qui? me suis-je demandé. Pour Galimore, qui était là devant moi? Pour Ryan, qui était si loin?

Mon visage s'est empourpré.

Repoussant Galimore des deux mains à plat sur sa poitrine, je me suis retournée vers la télé, dos à lui.

À l'écran, un jeune de Yonkers pleurait ses amours enfuies. S'il espérait devenir la prochaine idole de l'Amérique, il était mal parti.

Un déroulant est apparu en bas de l'image. Je l'ai lu, histoire de me changer les idées.

Et là, ma main a volé jusqu'à mes lèvres.

— Oh mon Dieu!

Chapitre 21

— Ça va ?

Galimore, la main sur mon épaule.

J'ai désigné la télé sans mot dire.

— *Holy shit !* Wayne Gamble est mort ? Et sur mon maudit circuit ?

Il a allumé son cellulaire. Un signal a annoncé plusieurs messages nouveaux. Qu'il a ignorés pour se mettre à marteler son clavier avec ses pouces.

De mon côté, je contactais déjà Larabee, grâce au numéro enregistré en abrégé.

Réponse à la première sonnerie. À en croire le bruit de fond, le patron était en voiture.

— Justement j'allais t'appeler.

— Qu'est-ce qui est arrivé à Gamble ?

— Un accident pas très normal. Je suis en route pour là-bas. Tu ferais bien de m'y rejoindre.

— J'arrive ! (Sans chercher à en savoir plus.)

— Merci. (Une hésitation.) Tu ne saurais pas où est Galimore, par hasard ? Tout le monde le cherche.

Génial ! Hawkins avait dû répéter à Larabee que Galimore m'avait laissé un message. À coup sûr, en embellissant l'histoire !

— Il va donner signe de vie, forcément.

Sur ce, j'ai coupé.

Galimore était sorti dans le jardin. Je le voyais par la fenêtre de la cuisine parlant au téléphone avec de grands gestes furieux.

Retour quelques secondes plus tard, l'air tendu.

— Faut que j'y aille.

— Moi aussi. Larabee requiert ma présence sur les lieux.

— Ce n'est pas bon signe.

— Non.

— On se voit là-bas.

Long trajet jusqu'au circuit pour la deuxième fois de la journée.

Les télés locales étaient là, plus une ou deux chaînes nationales, preuve que la presse de Charlotte écoute les fréquences radio de la police comme nous avions déjà pu nous en convaincre, le jour de la macabre découverte dans la décharge. Et les rumeurs se propagent rapidement.

Toutes les équipes étaient positionnées de manière à fournir un arrière-plan digne de la tragédie.

J'entendais déjà les commentaires des reporters : « En pleine semaine des courses automobiles, décès hautement suspect du chef mécano d'un des pilotes favoris. »

D'autres journalistes allaient rappliquer, c'était sûr et certain. Demain matin, il n'y aurait plus un millimètre de terrain laissé inoccupé.

Présentation de mon badge à l'entrée principale. Courte attente, le temps qu'un employé du circuit s'installe à côté de moi. Et je suis repartie en direction du tunnel sans échanger un mot.

J'ai contourné les tribunes. Tout le long du trajet, des journalistes. Les uns baragouinant dans leur micro, la mine sinistre, mais le maquillage et la coiffure impeccables dans la lumière des projecteurs portatifs ; d'autres poireautant seuls ou en groupe, ou échangeant des blagues avec leur équipe image ou son. Le tout, sous un ballet d'hélicos.

Depuis ce matin, des barricades avaient été érigées pour éviter tout débordement. Y étaient assignés des hommes du shérif et de la police de Concord, ainsi que des gardes du circuit.

À l'intérieur du circuit, les campeurs massés près de leurs tentes ou sur les toits des caravanes discutaient à voix basse, espérant apercevoir une célébrité, un suspect menotté ou un sac mortuaire. Certains munis de lampes de poche. D'autres éclusaient des canettes ou des bouteilles à long col. Plus loin, se dressant au-dessus de la foule, l'hôtel et ses suites de luxe. Vide, apparemment, à en juger d'après les grandes baies vitrées toutes noires.

Mon compagnon m'a indiqué comment rejoindre les stands de la Sprint Cup.

Images de Wayne Gamble dans mon bureau du MCME, le vendredi d'avant, puis aujourd'hui même, à peine douze heures plus tôt, dans la caravane de Sandy Stupak, avec Slidell. Maintenant il était mort. À l'âge de vingt-sept ans.

Il avait cherché à me joindre. Et moi, je ne l'avais pas rappelé, je l'avais ignoré.

Affreux sentiment de culpabilité, telle une main glacée me broyant la poitrine.

Secoue-toi, Brennan! Concentre-toi. Découvre ce qu'il voulait te dire!

Au-delà du centre de presse, la cohorte habituelle des véhicules de police, des voitures particulières et des fourgons. L'un avec les mots « Unité d'investigation criminelle » inscrits sur ses flancs, l'autre appartenant au MCME et servant au transport des corps.

Au volant, une silhouette : Joe Hawkins, forcément.

Je me suis garée sur le côté.

L'air de la nuit, lourd et étouffant, sentait la pluie, l'essence et la friture. Descendue de voiture, j'ai dit à mon compagnon que je devais retrouver le Dr Larabee.

— Je vais vous conduire à lui.

Je lui ai emboîté le pas, munie de ma trousse de travail.

Un peu en retrait du brouhaha, un homme appuyé contre un véhicule du Bureau du shérif de Cabarrus, le visage très pâle dans le clignotement bleu et rouge des gyrophares. À l'évidence, s'efforçant de retrouver son calme. Ce devait être lui qui avait découvert Gamble. Oui, sûrement. Le logo de l'équipe Stupak s'étalait sur sa chemise.

Larabee était juste devant les stands, en train de parler avec un type en chemise et cravate que je ne connaissais pas. *A priori*, l'accident s'était produit juste à côté. C'est le genre de chose qu'on sait par expérience.

En effet, les gens se répartissent toujours de la même façon sur les lieux d'un drame, de sorte qu'on a tout de suite devant soi une carte de la situation : au plus près de la victime, le médecin examinateur ; parfois, juste à côté, un détective ou un enquêteur de la morgue. Plus loin, des gens en uniforme murés dans le silence. Sur la périphérie, les agents techniques relevant de l'unité d'investigation criminelle ou des services de la morgue. Assis dans leurs camions ou debout à côté, ils s'embêtent en attendant d'entrer en action.

Malgré l'humidité accablante, Larabee était déjà en salopette de Tyvek. Derrière lui, à l'intérieur des stands, la Chevrolet 59, l'arrière bizarrement relevé. Sous la lumière crue des plafonniers, les décorations sur les ailes paraissaient stupides et déplacées.

— Ah, Tempe, s'est écrié Larabee en m'apercevant. Merci d'être venue.

— C'est normal.

— Mickey Reno, de la sécurité du circuit.

Il a désigné de la tête son compagnon en chemise et cravate. Un monsieur jadis musclé, qui avait trop tâté des barbecues et pas assez des haltères, à en croire ses bourrelets. J'ai tendu la main. Serre-pince en bonne et due forme.

— Pourquoi tu m'as fait venir ?

— Tu as ta tenue ?

J'ai soulevé ma trousse.

— Mets-la. Et prends avec toi tout ce dont tu peux avoir besoin. C'est petit là-dedans.

Au ton de Larabee, il était clair que l'affaire s'annonçait mal.

J'ai déposé ma trousse par terre, une valisette en métal fermée par des manettes. J'en ai sorti une combinaison à fermeture éclair que j'ai enfilée par-dessus mes vêtements. L'appareil photo autour du cou, j'ai bourré mes poches de gants en caoutchouc, bocaux en plastique et sachets étanches, sans oublier la pince à épiler et le stylo Sharpie. D'un signe de tête, j'ai signifié que j'étais prête.

— Je prendrai à gauche. Tu resteras à droite, a ordonné Larabee.

Petit n'était pas le mot. Les garages en bordure de piste sont microscopiques. La voiture occupe la plus grande partie de l'espace. Les mécaniciens travaillent autour et en dessous.

Entré dans le stand, Larabee s'est dirigé vers le fond, le dos collé au mur. J'ai fait de même de l'autre côté, séparée de lui par la Chevy.

Des odeurs bien connues se mêlaient à la puanteur d'essence et d'huile. Urine, matières fécales, relent douceâtre de cuivre.

À nouveau, ce sentiment de culpabilité.

Surtout, ne pas le laisser m'envahir!

À un mètre cinquante de l'entrée, j'ai dérapé dans une flaque visqueuse.

Coup d'œil à mes pieds : une mare de sang d'un mur à l'autre sur la moitié de la longueur de l'espace.

Impossible qu'une telle quantité provienne d'un seul individu.

Respirant par la bouche, j'ai continué d'avancer.

Arrivée à hauteur du capot de la voiture, j'ai compris la cause de cet abominable carnage. Et la raison de ma présence ici.

Wayne Gamble gisait sur le dos près du pneu avant droit, les jambes tordues vers la gauche, les bras tendus et relevés vers la droite.

En le percutant à pleine vitesse, la Chevrolet lui avait écrabouillé le crâne contre le mur du fond. Sous l'impact, la tête s'était détachée du tronc ; les os et la matière cervicale avaient explosé dans toutes les directions.

Sentant monter un frémissement sous ma langue, je me suis dépêchée d'avaler ma salive et de respirer à fond plusieurs fois.

L'émotion jugulée, je me suis accroupie. De l'autre côté de la voiture, Larabee en faisait autant.

Collés au métal froissé — jadis capot et avant de la voiture —, des bouts de corps ensanglantés, des touffes de cheveux, des os brisés. Dans l'amas, des fragments des deux mâchoires avec leur dentition, des dents séparées et plusieurs gros morceaux de crâne.

— Identification visuelle impossible, a déclaré Larabee. Il avait de la famille ?

— Pas que je sache. Ses parents sont décédés.

Laissant le patron poursuivre l'observation externe, j'ai pris des photos.

— Je tenais à ce que tu jettes un coup d'œil à la scène avant qu'ils ne déplacent la voiture.

— Tu as eu raison. (J'ai enfilé mes gants en caoutchouc.) Sans personne sur qui prélever un échantillon d'ADN, ça va être difficile d'obtenir une identification positive sur la seule base des dents. Même si nous savons qui c'est. Ce n'est pas une preuve scientifique. Qu'est-ce qui s'est passé, exactement ?

— Il faisait des essais avec un autre mécanicien. Un test où la voiture a les roues arrière soulevées pendant qu'on accélère à fond et qu'on décélère brutalement. Une vraie contrainte pour le moteur. J'ai oublié comment ça s'appelle.

Larabee s'est interrompu pour me regarder extirper une molaire à l'aide de ma pince à épiler et la ranger dans un sachet étanche.

— Son équipier s'est absenté pour aller faire pipi et boire un café. Absence de vingt minutes pas plus, à ce qu'il dit. À son retour, la voiture était emboutie dans le mur, Gamble affalé à côté et son cerveau transformé en hamburger. Sa formule, pas la mienne.

— Pour que la voiture bondisse en avant, il y a forcément eu contact des roues arrière avec le sol ou autre chose.

— Ouais. La position du corps donne à penser que Gamble était penché en avant, la tête entre le mur et la grille du moteur. D'après l'autre gars, un tel accident ne peut pas se produire, c'est impossible. Avec Gamble, ils effectuent ce test avant chaque course. Il jure que c'est absolument sans danger.

— C'est comme de nager. Il y a toujours des gens qui se noient.

— Amen.

Toutes les deux minutes, Reno criait par la porte que le camion de remorquage attendait. Baissant la voix, j'ai demandé à Larabee :

— Qu'est-ce qu'il a, ce Reno ?

— L'équipe de Stupak veut récupérer la voiture au plus vite pour voir si elle peut être réparée pour la course ou s'ils devront en prendre une autre.

— Pas très chaleureux. À quelle heure on l'a trouvé ?

— Juste après neuf heures.

— *Jesus!* Les nouvelles vont vite !

— Ça, c'est sûr ! Quand je suis arrivé, les journalistes s'arrachaient déjà les bouts de terrain. Il y en a même un qui a déboulé à la caravane de Stupak et a interrogé un de ses enfants qui se trouvait là.

— Plutôt macabre.

— Tu as besoin de moi pour quelque chose ?

— Juste une question : tu as du nouveau sur Ted Raines ?

— Pas encore. Légalement, impossible d'obtenir de la police militaire les dossiers dentaires de quelqu'un, tant qu'il n'a pas été déclaré mort officiellement. Mais sa femme a autorisé la police de Géorgie à examiner le disque dur de son ordinateur et les relevés de son cellulaire.

Je n'ai pas commenté. À vrai dire, je n'avais pas vraiment Raines en tête à ce moment-là.

— Bon, tout va bien pour moi.

— Je sors juste dire un mot à Hawkins.

J'ai passé l'heure et demie suivante à recueillir toutes les dents et les fragments d'os que j'arrivais à atteindre sur le bloc moteur, les roues, les essieux, les murs et le plafond du stand, les détachant délicatement pour les ranger chacun dans un sachet soigneusement identifié.

Pendant tout ce temps, des bribes de phrases me revenaient en boucle : Gamble disant qu'il était suivi ; que quelqu'un s'était introduit dans sa caravane ; qu'il allait parler à son poursuivant entre quatre yeux.

Un accident ? N'était-ce pas plutôt un meurtre ?

Quand je suis enfin ressortie du stand, mon travail achevé, il était une heure du matin. À Larabee de poursuivre l'examen du corps et de le rapatrier à la morgue.

Dehors, la foule avait grossi. Galimore était arrivé, accompagné du directeur du circuit et d'un renfort de gardes de sécurité.

Sandy Stupak était là lui aussi. En conversation avec Hawkins et Larabee sur la meilleure façon de remorquer la Chevrolet.

Je les ai écoutés. Divergence de préoccupations évidente : Larabee et Hawkins tenaient à préserver le corps et la scène du drame ; Stupak s'inquiétait pour sa voiture n° 59.

J'étais en train de ranger mes fioles et sachets dans le fourgon de la morgue quand un crissement de pneus suivi d'un claquement de portière m'a fait me retourner.

Vision à ne pas en croire mes yeux !

Chapitre 22

Williams et Randall. Dans les mêmes costumes bleus, cravates et chemises blanches que le samedi d'avant, quand ils m'avaient coincée devant chez moi. Et avec la même mine sévère.

— Bonsoir, messieurs les agents spéciaux, leur ai-je lancé quand ils sont arrivés à trois mètres de moi.

Ils ont eu l'air surpris. Enfin, je crois.

— Docteur Brennan. Ravi de vous voir. Mais pas dans ces circonstances. (Comme l'autre fois, c'est Williams qui parlait.)

— De quelles circonstances parlez-vous ?

— C'est justement ce que nous sommes venus établir.

— « Établir », c'est le bon mot.

— En effet. Pour quelle raison la présence d'une anthropologue judiciaire est requise ici, si je peux me permettre ?

— Pour recueillir le plus possible d'éléments appartenant à ce qui reste de la tête de Gamble. (Désignant du pouce le fourgon dans mon dos.) Vous trouverez les petits morceaux dans les Ziplocs, les gros dans les fioles.

Randall a perdu pied. Cligné des yeux.

Williams a pris soin de rester parfaitement neutre.

— Pourriez-vous développer ?

Ce que j'ai fait.

Williams a repris après une longue pause :

— Vous avez eu des contacts avec M. Gamble récemment, si je ne me trompe ?

— Il est venu me voir au bureau, vendredi dernier. Il se demandait si l'inconnu de la décharge ne serait pas sa sœur. Après, il m'a téléphoné à plusieurs reprises, mais nous ne nous sommes parlé qu'une seule fois. Ici même, ce matin vers neuf heures, lorsque le détective Slidell et moi-même l'avons interrogé.

— Dans le cadre de votre nouvelle enquête sur la disparition de Gamble et Lovette ?

— On peut difficilement appeler cela une nouvelle enquête.

— Évidemment. D'après ses propos, M. Gamble vous a-t-il donné l'impression d'être découragé ?

Ahurissant !

— Au vu de ce que nous avons ici, vous n'imaginez quand même pas qu'il ait pu se tuer ?

— Je n'imagine rien du tout. Pendant vos conversations, M. Gamble a-t-il exprimé des inquiétudes ? À propos d'autre chose que sa sœur, naturellement.

— Il avait l'impression que quelqu'un s'était introduit dans sa caravane. Et aussi qu'on le suivait.

Une fois de plus, la culpabilité m'a tordu les entrailles.

— Continuez, a dit Williams sur un ton insistant.

— Il m'a laissé un message aujourd'hui pour me dire qu'il comptait confronter ce type.

— Avait-il découvert son identité ?

— Forcément. Sinon comment l'aurait-il confronté ?

— Vous vous rappelez autre chose ?

— Pas vraiment.

— Réfléchissez bien, docteur Brennan.

J'ai haussé les épaules.

— Il ne se sentait pas dans son assiette.

— Comment ça ?

— Il pensait couver une grippe.

À ces mots, Williams et Randall se sont raidis tous les deux. Mais peut-être était-ce le fruit de mon imagination ? J'ai repris, empruntant ma phrase au répertoire de Williams :

— Si je peux me permettre à mon tour, pour quelle raison la présence du FBI est-elle requise ici ?

— Comme je vous l'ai déjà dit lors de notre première rencontre, le FBI tient beaucoup à savoir ce qui est arrivé au couple Lovette-Gamble. Cindi a disparu dans des circonstances suspectes et voilà que son frère décède de mort violente… Comme par hasard, juste après que vous avez rouvert l'enquête.

— Je n'ai pas autorité pour rouvrir quelque enquête que ce soit ! (Sur un ton un peu trop défensif.)

— Vous comprenez très bien ce que je veux dire.

En effet. Ne pouvant qu'être d'accord avec lui, je suis restée bouche cousue.

— Le Bureau a toute confiance dans les capacités des autorités locales. Cependant, l'agent spécial Randall et moi-même avons été priés de garder l'œil ouvert. Votre aide dans cette enquête sera grandement appréciée. Sous quelque forme que ce soit.

Une pause. Pour me laisser le temps de mordre à l'hameçon. Je m'en suis bien gardée.

— Merci. Quand vous aurez achevé l'autopsie, nous voudrons vous voir, vous et le Dr Larabee.

— Pour dérober le corps de Gamble ?

Sarcasme inutile, mais il commençait à me faire suer, avec ses airs supérieurs. Et puis j'étais crevée.

— Je suppose qu'elle aura lieu demain ?

— Le Dr Larabee décide de son programme tout seul, comme un grand.

Williams a eu son petit mouvement des lèvres qui se voulait sourire, et il s'est fondu dans la foule avec Randall. À la place de leurs costumes sombres, il n'est plus resté dans la nuit que des rayures rouges et bleues : la lumière des gyrophares.

Avant de rentrer chez moi, j'ai prévenu Larabee de la visite des deux agents le lendemain. Il prévoyait de pratiquer l'autopsie en tout début de matinée. Je lui ai dit qu'il pouvait compter sur moi.

Pendant tout le trajet de retour et ensuite dans mon lit, je n'ai cessé de retourner dans ma tête différents scénarios. Pour la plupart, ils ne tenaient pas la route dès qu'on y regardait d'un peu près.

Un suicide? Comment Gamble aurait-il pu faire entrer en contact les roues de la voiture et le sol depuis l'endroit où il se trouvait? Pour ne rien dire du fait qu'il n'avait manifesté aucun signe suicidaire, au contraire : sur le plan professionnel, il progressait dans sa carrière ; sur le plan personnel, il tenait à en savoir plus sur ce qui était arrivé à sa sœur.

Une chute accidentelle qui aurait déplacé le cric maintenant la voiture soulevée? Peu probable. Les engins autorisés à courir en NASCAR devaient peser au moins une tonne et demie, avais-je lu quelque part. Comment pouvait-on involontairement déloger de son support un poids aussi considérable? Surtout que c'était les roues arrière qui devaient toucher le sol pour que la voiture s'élance, et Gamble se tenait à l'avant.

Une erreur de Gamble? Ça arrive. D'autant qu'il ne se sentait pas bien. Mais une erreur de quel type?

Un mensonge du collègue de Gamble? Responsable de sa mort, le mécanicien aurait prétendu se trouver ailleurs au moment du drame. Pourquoi? Par peur de perdre ce poste très convoité au sein de l'équipe Stupak?

Un meurtre? Gamble était persuadé qu'on le suivait. Ses soupçons n'auraient donc pas été de la paranoïa?

Une question me revenait, encore et encore, m'empêchant de réfléchir, tel un oncle pompette à une réunion de famille, qui empêche tout le monde de se parler.

Et moi, qui n'avais pas rappelé Gamble? Étais-je d'une façon ou d'une autre responsable de sa mort? Ou du moins responsable du fait que l'identité du tueur demeurait inconnue?

Le lendemain, réveil aux aurores, toujours en proie à la ronde des questions. Zapping d'un programme à l'autre tout en me faisant un café. Sur toutes les chaînes, les mêmes interrogations sur la mort de Gamble et les conséquences que le drame risquait d'avoir sur le déroulement de la prochaine course et sur la saison à venir.

Pour me relaxer, je suis sortie dans le jardin boire mon café en regardant le jour se lever sur Sharon Hall. Rien de sublime : un vague disque de bronze derrière de gros nuages. Spectacle anémique dont Kipling lui-même n'aurait pas tiré une poésie.

À sept heures, départ pour le MCME.

Là-bas, nouvelle confrontation avec le cinquième pouvoir : le stationnement était envahi de voitures et de fourgons. Journalistes et techniciens discutaient en petits groupes. J'ai reconnu ceux des chaînes locales : WBTV, WSOC, WCCB. Pour les autres, ma langue au chat.

La voiture de Larabee était garée à sa place habituelle.

Le camion d'Hawkins était là, lui aussi.

Le temps de m'extirper de la Mazda et toutes les caméras étaient calées au creux des épaules et les micros placés devant les bouches. Flot de questions parmi lesquelles j'ai repéré mon nom.

— Docteur Brennan, que pouvez-vous nous dire sur ce qui s'est passé ?

— Quand le Dr Larabee aura-t-il fini l'autopsie ?

— Pourquoi étiez-vous au circuit ?

— Il paraît que le corps de Gamble était mutilé. Un commentaire, s'il vous plaît…

J'ai tracé mon chemin dans la foule, bouche cousue, et grimpé à toute allure les marches du perron. La porte en verre du bâtiment s'est ouverte et immédiatement refermée sur moi, faisant barrage aux voix.

Larabee avait fait installer Gamble dans la grande salle d'autopsie et il en finissait l'examen externe, aidé d'Hawkins.

— Tu t'es levé au chant du coq, ai-je lancé.

— Un crétin qui a eu la bonne idée de m'appeler à cinq heures du matin.

— Comment a-t-il eu ton numéro ?

Question stupide, comme Larabee me l'a signifié des yeux par-dessus son masque.

— Tu sais ce que c'est, quelqu'un de très médiatisé ? De haut niveau ? Celui-ci va dépasser largement la stratosphère.

— Des complications avec l'identification ?

— Pas vraiment. Gamble avait son portefeuille dans sa poche et l'autre mécanicien était là, à côté de lui. Toczek, c'est son nom. Mais je voudrais quand même que tu reconstruises au mieux la dentition, à toutes fins utiles. On fera des radios, histoire de comparer.

— Tu as ses dossiers dentaires ?

— Ils sont en route.

— Une raison de mettre en doute les propos de ce Toczek ?

— Williams et Randall ne croient pas à son récit. Ils l'ont passé au gril si méchamment qu'il en a presque dégueulé sur ses souliers, le pauvre.

— Ces deux-là ne vont pas tarder à débarquer, je suppose. Pour notre plus grand bonheur, à nous aussi.

J'avais raison. À onze heures et quart, Mme Flowers annonçait leur arrivée.

Hawkins était en train de prendre des radios des dents, Larabee de recoudre le Y, et moi de mettre les derniers fragments d'os du crâne à bouillir dans un panier pour en retirer les derniers morceaux de chair.

Pied de grue à l'accueil pour les agents Williams et Randall, le temps, pour Larabee et moi-même, de prendre une douche et de nous changer. Puis, réunion à quatre dans le bureau du patron.

Nos visiteurs arboraient une mine renfrognée. Agacés d'avoir dû attendre ? Mécontents de ces nouveaux rebondissements dans l'enquête ? De la vie en général ?

Vu leur arrogance, ça m'était bien égal.

Larabee avait lui aussi les traits anormalement tendus. Le manque de sommeil ? Un détail dérangeant découvert au cours de l'autopsie ?

À son habitude, Williams est entré immédiatement dans le vif du sujet, façon rayon laser.

— Vos conclusions ?

Devant tant de brusquerie, Larabee s'est raidi.

— Mort due à une exsanguination résultant d'un traumatisme crânien massif et d'une décapitation.

— Y avait-il sur le corps des blessures dues à des gestes de défense ?

Si la question a surpris Larabee, il ne l'a pas montré.

— J'ai relevé des meurtrissures dans la région du poignet droit et une légère abrasion sur le dos de la main droite. Apparemment, ces deux blessures sont survenues peu de temps avant la mort, mais je ne peux pas les relier catégoriquement à une cause particulière.

— Autre chose ?

— Sévère inflammation de l'estomac et des parois intestinales ; saignements internes ; irritation des muqueuses très étendue ; signes précurseurs de déliquescence vasculaire, d'autres indices dans plusieurs organes signalant qu'ils cesseraient bientôt de fonctionner. Enfin, du sang dans les selles.

— Autrement dit, Gamble était plutôt malade.

— Il souffrait probablement d'une soif excessive. Il avait certainement mal à la gorge et peut-être aussi des difficultés à avaler. Il avait peut-être aussi des nausées, des crampes abdominales, des vomissements, la diarrhée ou plusieurs de ces symptômes à la fois. Il est possible qu'il ait ressenti une faiblesse générale, peut-être une somnolence et une perte d'orientation.

— Quel est votre diagnostic ? a demandé Williams.

— Cet état peut correspondre à différentes choses. J'ai prélevé des échantillons. En l'absence de résultats toxicologiques, je ne peux encore rien affirmer.

Une pause et Larabee a repris :

— Ce qui est remarquable dans ce cas, c'est que l'empreinte pathologique de Wayne Gamble est identique à celle de l'inconnu de la décharge.

Quoi ? Gamble aurait pu être empoisonné à la ricine, comme notre inconnu ?

Les deux agents spéciaux sont restés le regard vrillé l'un à l'autre pendant un temps qui m'a paru très long. Et Williams a hoché la tête.

Randall a tiré un papier de la poche de son costume vraiment sombre. Se levant à demi, il l'a jeté sur le bureau.

Larabee s'en est emparé pour le lire. Pendant ce temps-là me sont repassés devant les yeux les bouteilles d'eau vides dans la voiture de Gamble, les mouchoirs en papier, les cachets de Pepto-Bismol. Mon esprit jonglait avec un million de solutions. Souvenir brûlant des coups de téléphone auxquels je n'avais pas répondu. Sentiment de culpabilité éprouvant. Une fois de plus, j'ai eu du mal à le refouler.

Larabee a relevé les yeux et haussé lentement les épaules.

— Et maintenant, qu'est-ce qu'on fait ?

Chapitre 23

— Ces symptômes correspondent à un empoisonnement à l'abrine, n'est-ce pas ?

De l'abrine ? Je m'attendais à de la ricine.

— Oui, a répondu Larabee.

— Que pouvez-vous me dire à ce sujet ? a demandé
Williams, et il a croisé les doigts et laissé retomber ses
mains sur ses parties génitales.

— L'abrine est elle aussi une agglutinine ou toxal-
bumine. C'est-à-dire une lectine de haute toxicité que
l'on trouve dans les graines d'*Abrus precatorius*, appelé
aussi liane à réglisse.

— Comment agit-elle ?

— De la même façon que la ricine : en attaquant les
cellules depuis l'intérieur. Elle empêche la synthèse des
protéines, et les cellules dépérissent. À mesure qu'elle
pénètre plus avant dans le corps, cette toxine détruit de
plus en plus de tissus. Résultat, les organes cessent de
fonctionner et finalement, c'est la mort.

— À quelle vitesse ?

Larabee a haussé une épaule.

— En quelques heures ou quelques jours. Tout dépend
de la dose absorbée et de la trajectoire d'exposition.

— La trajectoire d'exposition ?

— Le trajet effectué par la toxine, une fois l'individu entré en contact avec elle. Contact qui peut se faire
par voie cutanée, si des particules ou des gouttelettes

d'abrine ont contaminé une surface ou tombent sur la peau ; par voie nasale quand la toxine est inhalée sous forme de brume ou de poudre ; par ingestion, quand elle est mélangée à de l'eau ou de la nourriture.

— C'est tout ?

— Je suppose qu'on doit pouvoir aussi en introduire dans le corps de quelqu'un par injection, si l'abrine se présente sous forme de solution ou de granulés à dissoudre dans de l'eau.

— Les expositions accidentelles sont fréquentes ?

— Pas très, mais ça arrive.

— Donnez-moi un exemple.

— Les graines de liane à réglisse. On les emploie dans la fabrication de bijoux ou d'instruments de percussion. En Inde ou en Indonésie, car je pense que chez nous c'est illégal. Quoi qu'il en soit, on compte plusieurs cas de gens empoisonnés par des graines brisées alors qu'ils portaient de ces bijoux.

— Donc, selon toute probabilité, pour obtenir de l'abrine à partir de graines de liane à réglisse ou d'une autre source, il faut le vouloir expressément ?

— Oui, selon toute probabilité. Maintenant, je voudrais savoir…

— En cas d'ingestion, quelle quantité est nécessaire pour tuer quelqu'un ?

— Un rien suffit.

Williams a agité la main en un geste signifiant à Larabee d'être un peu plus explicite.

— Une seule graine devrait suffire, a répondu le ME et il a tapoté le papier devant lui. Mais comment avez-vous obtenu cet échantillon ?

— Ce matin de très bonne heure, l'agent spécial Randall et moi-même sommes entrés dans un véhicule enregistré au nom de Wayne Gamble, a répondu Williams (il était clair qu'il avait bien réfléchi à la façon de formuler les choses). Les portières n'étant pas fermées à clef, nous avons pu y récupérer une tasse de café parfaitement visible par une fenêtre ouverte.

Incapable de me retenir plus longtemps, je l'ai interrompu :

— J'admire la célérité de votre labo.

— Cette affaire a la priorité des priorités.

— Et pourquoi ça ?

Cette fois encore, Williams a pris le temps de bien choisir ses mots.

— Sur la base de certains renseignements, il a été décidé que notre demande d'analyse passerait du bout de la file au premier rang.

— C'est comme ça que vous comprenez la notion d'échange entre professionnels ?

Le mépris faisait trembler ma voix. Larabee aussi en avait par-dessus la tête, car il s'est écrié, sans laisser à Williams le temps de répondre :

— Allez vous faire foutre, vous et votre Bureau ! Vous regretterez bientôt de ne pas travailler dans une mine de charbon de la province de Gui Zhou.

Williams et Randall ont échangé un de leurs fameux regards tout droit copié du film *Men in Black*. Et Williams nous a fait la grâce d'une miette d'explication.

— Ted Raines est employé à l'Institut de veille sanitaire. Il arrondit ses fins de mois en travaillant à mi-temps au laboratoire de l'université Emory d'Atlanta en tant qu'agent technique. Le projet auquel il participe est financé par l'armée dans le cadre du programme Zumwalt de contre-mesures à la guerre biologique et chimique. Les recherches menées dans ce labo concernent le devenir et la mobilité des phytotoxines après dispersion dans l'environnement.

— Des phytotoxines telles que la ricine et l'abrine ? ai-je demandé.

— Oui.

— Raines a donc accès à ces substances.

— Théoriquement.

Nous avons laissé l'information mijoter pendant une bonne minute. Le téléphone a sonné dans mon bureau au bout du couloir. Finalement c'est moi qui ai rompu le silence.

— L'inconnu de la décharge présentait des signes d'empoisonnement à la ricine. Wayne Gamble montre des signes d'empoisonnement à l'abrine. Cindi Gamble et Cale Lovette ont disparu en 1998 et maintenant c'est Ted Raines qui a disparu. Vous pensez que tous ces faits sont reliés ?

— Absolument.

— De quelle façon ?

— C'est ce que le FBI aimerait bien savoir.

— Pour quelle raison le FBI a-t-il ordonné de brûler mon inconnu ? a rugi Larabee en détachant les trois lettres du sigle comme s'il les crachait.

— C'est pas la bonne manière de voir les choses.

— En tout cas, le dossier de Gamble-Lovette a bel et bien été confisqué, ai-je déclaré à mon tour. On peut savoir pourquoi ?

— Je ne saurais confirmer que le Bureau est pour quelque chose dans cette décision.

— Mon œil ! Tout était bien manigancé ! a répliqué Larabee, de plus en plus furieux de voir Williams éluder les questions. Alors dites-moi maintenant : que compte faire le FBI pour régler tout ce bordel ?

— Le Bureau collabore avec les forces de l'ordre locales afin d'établir les déplacements de M. Raines.

— Cherchez-le six pieds sous terre ! Et faites pareil pour Gamble et Lovette !

Williams a ignoré la colère du patron.

— Avec le consentement de son épouse, des experts étudient le disque dur de l'ordinateur que M. Raines. Celui qu'il a chez lui, car malheureusement il emporte toujours son ordinateur portable dans ses déplacements. Les relevés de son cellulaire font également l'objet d'un examen minutieux.

— Malheureusement, il emporte toujours son cellulaire dans ses déplacements !

Dans la bouche de Larabee, le sarcasme pesait aussi lourd que du plomb.

— Nous avons pu déterminer que le cellulaire de Raines n'avait pas été utilisé depuis lundi dernier. En revanche, un appel a été passé depuis Charlotte sur la ligne de son domicile. Nous étudions aussi le GPS de son second véhicule.

— Malheureusement, ce second véhicule était garé devant chez lui, à l'heure où cette pauvre andouille a été éjectée de la planète !

Larabee s'est levé, mû par une colère qu'il ne cherchait même plus à cacher.

— *Bullshit!* a-t-il ajouté. Revenez me voir quand vous serez décidés à me dire ce que vous avez appris grâce au mort que vous m'avez volé !

Williams et Randall se sont levés à leur tour. Sur un sourire forcé, ils ont débarrassé le plancher.

Dans mon bureau, ce n'était pas un mais deux messages qui m'attendaient sur le répondeur.

Tous les deux inattendus.

J'ai rappelé leurs auteurs dans l'ordre chronologique. J'ai eu droit à une nouvelle dose de fureur.

— Galimore ! (Réponse qui avait tout d'un aboiement.)

— C'est le docteur Brennan.

— Oh, pardon. Je n'avais pas regardé le nom à l'écran.

— Je m'étonne que vous répondiez. Je pensais que vous deviez être débordé. Avec tout ce qui se passe sur le circuit.

— On m'a relégué à la circulation ! Ces salauds ne me laissent pas approcher de la zone des stands. (Il fulminait.) Vous savez ce qu'on dit, maintenant ? Que Gamble serait mort accidentellement !

— Je sais.

— Alléluia ! Tout le monde est au courant de ce qui se passe sur la boucle, sauf le chef de la sécurité !

— Williams et Randall sortent d'ici.

— Maudit FBI ! Ça s'est passé sur mon terrain d'action, et tout ce qu'on m'autorise à faire, c'est de vérifier les billets d'entrée !

— Êtes-vous sur le point de craquer ?

— Quoi ?

— C'est humain, bien sûr. Mais je suis nulle pour consoler les gens.

— De quoi diable vous parlez ?

— De votre part de féminité.

Silence pendant un moment. Je n'entendais plus que le bruit du circuit en arrière-fond. Puis Galimore a lâché un petit rire.

— Vous êtes une vraie emmerdeuse, vous savez ?

— Oui, je sais. Qu'est-ce que vous vouliez me dire quand vous m'avez appelée ?

— Pendant que mes gars jouent les flics de centre commercial, je vais effectuer un vrai travail de policier. Vous voulez rencontrer Craig Bogan ?

Et comment ! Surtout que je n'avais rien en cours en dehors de l'affaire Gamble. Et il faudrait bien vingt-quatre heures pour que les fragments de son crâne soient prêts à être analysés.

Hawkins serait fâché. Slidell aussi.

Qu'ils aillent se faire foutre.

— Je suis au MCME. Où est-ce que je vous retrouve ?

— Devant. Je serai là dans une demi-heure.

J'ai coupé et composé l'autre numéro.

Cette fois, c'était bien contre moi que Slidell dirigeait sa colère.

— Vous pensez à quoi, bordel ?

— Bonjour, détective. On est bien parti pour subir une autre journée étouffante.

— Cotton Galimore est un bâtard de déchet sans aucune morale, une ordure qui vomit de la bave !

Quelle créativité dans le choix des mots, il fallait bien le reconnaître !

— Pourquoi vous arrêter en si bon chemin ?

— Respirer le même air que ce monstre, c'est pas des choses à faire ! Une fois qu'il se sera bien servi de vous, il vous balancera comme un mouchoir rempli de morve.

— Et si c'était moi qui me servais de lui ?

— Galimore, c'est pas une miette qu'on balaie d'un revers de main.

— Pas mal, votre façon d'élargir la métaphore.

— Pardon ?

— Vous appeliez pour me dire quoi ?

— Que cette guerre de gangs prétendument imminente n'était que la vengeance d'un ex sur la femme de sa vie, qu'il avait lui-même allègrement trompée des années durant. Il l'a tuée ainsi que son petit ami, et il a expédié le frère de sa dulcinée en réanimation.

Scénario des plus courants : l'homme menace la femme. Elle demande à être protégée. Au mieux, le juge délivre une injonction au monsieur. Vous parlez d'un secours ! Les flics n'acceptent de s'en mêler que lorsqu'elle gît sur le carreau, tabassée par M. Gros Bras, voire tuée pour de bon. Chaque fois que j'entends parler d'un cas semblable, j'éprouve la même fureur et la même frustration.

— Air connu. Si je ne peux pas t'avoir, personne ne t'aura.

— Ouais. D'une noblesse insigne. Ce qui fait que je me retrouve maintenant avec un peu de temps libre. Je l'utiliserais bien à vérifier la voiture dans laquelle Gamble et Lovette ont pris la poudre d'escampette.

— La Mustang 1965 décrite par Grady Winge ?

— Ouais. Doit plus y en avoir beaucoup en circulation, de nos jours. Mais probable que je suis en train de réinventer la roue. Si seulement j'avais entre les mains le dossier de l'époque !

— Vous croyez qu'au Département des véhicules moteurs, ils conservent les dossiers aussi longtemps ?

— Je vous le dirai quand je le saurai.

— Est-ce qu'Eddie parle de cette voiture dans ses carnets ?

— C'est par là que je comptais commencer.

J'ai rapporté à Slidell les conclusions de l'autopsie pratiquée par Larabee. Et je lui ai parlé de l'abrine découverte dans le café de Wayne Gamble.

— C'est quoi, ce machin-là ?

Je lui ai expliqué la chose dans les grandes lignes. Il a tout de suite vu le lien.

— Comme la cochonnerie qui a tué notre inconnu de la décharge.

— Lui, on ne peut pas affirmer qu'il soit mort d'un empoisonnement à la ricine, il avait quand même un traumatisme crânien.

— On peut dire la même chose de Gamble, j'imagine.

— Dans son cas, il n'y a pas que l'abrine en jeu.

J'ai informé Slidell des messages que m'avait laissés Gamble : son inquiétude à l'idée d'être suivi, sa décision de confronter cette personne.

— Autrement dit, le FBI croit que Wayne Gamble s'est fait refroidir. Pour quelle raison ?

— Mystère. Mais il n'y a pas que ça.

J'ai rapporté à Slidell ce que Williams nous avait appris sur Ted Raines. Il s'est étonné :

— Les Fédéraux pointent le doigt sur Raines ?

— Ils ne vont pas jusqu'à dire qu'il aurait tué Gamble.

— Quel serait le lien, alors ?

— Mystère.

— Vous dites ça souvent, ces temps-ci.

Lui raconter ma rencontre avec Eugene Fries ? J'ai hésité et finalement je me suis décidée : autant que tout le monde en soit à la même page du livre. Toutefois, j'ai passé sous silence la partie fusil.

— Quand je vous dis que Galimore est un serpent !

— Oh, laissez tomber.

Pas un mot pendant plusieurs secondes : uniquement le bruit de l'air dans les narines de Slidell, un sifflement fâché.

— Qui pourrait bien avoir menacé ce Fries ?

— Pas la moindre idée. En tout cas, ça l'a marqué.

— Qui dit faux ? Fries ou Winge ?

— L'un des deux.

Slidell a laissé passer une pause. Puis :

— Vous croyez qu'il y en a un des deux qui ment ?

— Je ne sais pas. Mais concernant Owen Poteat, je pense que certaines choses sont maintenant clarifiées.

Et j'ai refait pour Slidell le parcours de mon décryptage du texte de Rinaldi. Sa réaction ?

— Bordel d'enfant de chienne !

— Bordel d'enfant de chienne, ai-je acquiescé.

Chapitre 24

Galimore est arrivé chargé d'un sac de burgers au poulet, pas rasé, les yeux gonflés, la chemise froissée et des auréoles sous les bras. Rien à voir avec l'allure débraillée et sexy que peut prendre parfois Bruce Willis. Plutôt la version du gars-resté-debout-toute-la-nuit-et-pas-à-prendre-avec-des-pincettes.

Bonne bouffe, humeur de cochon.

Repas dans un silence tendu.

Quand j'ai voulu savoir où on allait, je n'ai eu droit qu'à un mot : Weddington.

J'ai rangé dans le sac l'emballage du burger et le carton des frites.

Lui parler des conclusions de l'autopsie, de l'abrine et des derniers renseignements fournis par Williams et Randall ?

Non, trop tôt. À la place, j'ai demandé :

— Il fait quoi, Bogan ?

— Je vous l'ai déjà dit.

— Faites-moi la grâce de répéter.

— Fait pousser des légumes.

— On manque de sommeil ?

— Je vais très bien.

— J'ai eu Slidell au téléphone ce matin.

— Alléluia, réjouissons-nous.

— Il se pose des questions sur votre intérêt pour l'affaire Gamble-Lovette après toutes ces années.

Pour toute réponse, un grognement méprisant.

— Ça serait bien que vous vous parliez.

— J'aimerais mieux recevoir un coup dans les couilles !

D'accord.

De Providence Road, virage dans Weddington Road en direction du sud-est. Succession de centres commerciaux et de lotissements. Au-delà des panneaux faussement surannés, on imaginait sans peine les demeures prétentieuses de style Tudor, toscan ou provençal qui en quelques années avaient remplacé les champs. Où avait donc disparu la campagne ?

Enfin, un bout de terre boisée. Virage à droite, puis un autre et encore un troisième, pour tomber sur un panneau avec les mots CB Botanicals gravés dans le bois. On s'est engagés dans l'allée.

À travers une rangée de pins, on distinguait un bungalow et, au-delà, une serre à côté d'un petit étang.

Vieux mais bien entretenu, le bungalow. Avec un revêtement bleu fait dans le genre de matériau qu'on n'a jamais besoin de repeindre, une porte rouge, des gouttières et des encadrements de fenêtre d'un blanc étincelant.

De part et d'autre de la maison, des parterres de fleurs aux couleurs somptueuses. Phlox, marguerites, lys, bégonias, mais aussi quantité d'autres dont je n'aurais pas su dire le nom.

Un enfant, juché sur une échelle, nettoyait la gouttière du côté droit de la maison. Aucune réaction au bruit du moteur. Pas étonnant, il avait des fils qui lui sortaient des oreilles.

Descendus de voiture, nous avons suivi le trottoir de bois qui partageait en deux la pelouse d'un vert luxuriant. L'air sentait le jasmin et l'herbe fauchée.

Cliquètement d'une arroseuse quelque part.

Galimore a tiré sur l'anneau de la sonnette, déclenchant un carillon à l'intérieur de la maison.

Plusieurs secondes ont passé. Galimore s'apprêtait à sonner une nouvelle fois quand la porte s'est ouverte d'un coup sur une femme de haute taille en short d'élasthane noir. Sous son immense t-shirt un soutien-gorge de sport noir parfaitement superflu. Avec la bouteille d'eau qu'elle tenait à la main, elle ne devait pas peser plus lourd que mon sac.

— Oui ?

Galimore a présenté une sorte de badge qu'il s'est empressé de rempocher.

— Désolé de vous déranger dans votre séance d'exercices, m'dame. Nous sommes à la recherche de Craig Bogan. (Sur le ton le plus enjoué.)

— Pour quelle raison ?

— Je crains que ce ne soit confidentiel.

— Comme le sont ses déplacements.

Galimore, avec un sourire de mille mégawatts :

— Mauvais départ, de ma faute. On recommence.

Elle a aspiré une longue goulée à sa bouteille en plastique.

— Vous trouvez que j'ai les seins qui tombent ?

— Pas le moins du monde !

— Craig le dit, pourtant.

— C'est qu'il a besoin de lunettes.

— Et pas que de ça ! a-t-elle dit en tendant la main. Reta Yountz.

Ils se sont serré la pince avec un tel enthousiasme que le bracelet de la dame a valsé sur son bras comme une rangée de coccinelles dansant la conga.

— Craig, ce ne serait pas Craig Bogan, par hasard ?

Acquiescement de Reta.

— C'est votre mari ?

— Seigneur Dieu, non ! On vit ensemble, c'est tout.

Elle a penché la tête, les lèvres à peine entrouvertes, et ses joues ont brillé sous le voile de transpiration qui recouvrait son visage. Puis, le regard planté dans celui de Galimore :

— Et me faire resculpter les fesses ?

— Ce serait jeter l'argent par les fenêtres ! (Galimore, imperturbable.)

Je me suis retenue de rouler des yeux. Le laissant faire étalage de charme, j'ai étudié Reta : la quarantaine ; une vague queue-de-cheval retenue par un élastique au sommet du crâne.

— Nous souhaiterions poser quelques questions à votre petit ami. Rien de bien grave.

Le charisme suintait de Galimore par tous les pores de sa peau.

— Vous reviendrez me voir, après ?

Reta s'est essuyé la gorge avec le bas de son t-shirt, livrant à notre vue un ventre dur comme le roc.

— Et comment !

— Il est dans la serre.

La serre en question était un de ces machins en verre et métal qui ressemblent de loin au squelette d'un vrai bâtiment. De près, elle était beaucoup plus grande qu'il n'y paraissait. On aurait pu y ranger facilement deux petits avions de tourisme.

Sentiment de vie foisonnante dès l'entrée, grâce à la chaleur et à l'humidité ambiantes. Puissante odeur d'engrais, de terreau et de compost réunis.

Des murs en verre qui s'élevaient en arche jusqu'à former un dôme. Sous nos pieds, un sol recouvert de gravier.

Sur toute la longueur du bâtiment, des rangées de jardinières en bois équipées de tuyaux qui remontaient jusqu'à d'autres tuyaux, l'ensemble de cette tuyauterie constituant probablement un système d'irrigation central. Des paniers pendus à des crochets et des pots à même le sol.

De la flore en telle quantité qu'on entendait presque murmurer la photosynthèse. Quelques plantes faciles à reconnaître : basilic, impatientes, fougères, géraniums. D'autres qui demeuraient un mystère vert et feuillu.

Pas l'ombre d'un Bogan en vue.

Galimore a appelé. Pas de réponse. A recommencé.

Ce coup-ci, un braillement nous est parvenu d'une porte ouverte à l'autre bout de la serre. Nous avons marché vers la voix entre des présentoirs de bébés azalées. J'avais déjà les cheveux tout aplatis et la chemise qui me collait au dos.

Le propriétaire de la voix se trouvait dans une petite salle qui faisait vraisemblablement office de secteur de préparation. Agenouillé à côté d'un baril. En nous entendant approcher, il a pivoté, une truelle à la main.

Des cheveux, jadis roux, maintenant gris saumoné. Une rosacée très étendue. Difficile de dire où finissait le visage et où commençait le cuir chevelu.

— Qui vous êtes, d'abord ?

À l'évidence, les clients de passage n'entraient pas souvent ici.

Galimore a réitéré son geste avec le badge.

— Nous avons des questions à vous poser, monsieur Bogan.

— Sur quoi ?

— Votre fils.

— Vous avez de ses nouvelles ?

— Non, monsieur. Nous espérions que vous en auriez.

Bogan a déposé sa truelle d'une main qui tremblait légèrement, je l'ai parfaitement vu.

S'agrippant au baril, il s'est hissé sur ses pieds avec lenteur.

Flamant rose, voilà le mot qui m'est venu à l'esprit à la vue de son teint et de son torse bien trop massif pour ses jambes grêles.

— Qui êtes-vous ?

— Je m'appelle Cotton Galimore. Le Dr Temperance Brennan est ma partenaire.

Bogan m'a jeté un bref regard. Aucun commentaire n'a suivi.

— Nous étudions la disparition de Cindi Gamble et de votre fils, Cale.

— C'était il y a longtemps.

— Oui, monsieur.

Bogan a plissé les yeux.

— Je vous connais ?

— Je faisais partie du groupe de recherches constitué en 1998, a expliqué Galimore sans entrer dans les détails.

Le jardinier a paru hésiter.

— La police a rouvert l'enquête ?

Visiblement, Bogan le croyait toujours sur l'affaire. Galimore n'a pas cherché à le détromper.

— La semaine dernière, un corps a été découvert dans une décharge en bordure du circuit de Charlotte. Vous en avez peut-être entendu parler.

— Je ne lis pas les journaux. (Mouvement de la tête dans ma direction.) Et elle, son lien avec l'affaire ?

— Le Dr Brennan est la personne qui a examiné le corps en question.

— C'était Cale ? a lancé Bogan, s'adressant à moi.

— À mon avis, c'est peu probable.

— Mais vous ne pouvez pas le dire vraiment.

— Pas en toute certitude.

Bogan a ouvert la bouche pour dire autre chose. Au même moment, une musique a retenti dans mon sac.

Je me suis écartée de quelques pas pour prendre la communication.

Hélas, sans penser à regarder le nom affiché à l'écran.

— Doux Jésus, Tempe. Ma vie est en train de devenir un enfer.

— Je ne peux pas parler maintenant, Summer. (Parlant entre mes doigts, la main sur la bouche.)

— Je vais mourir. Pour de vrai. Personne sur terre…

— Je vous aiderai plus tard.

— Quand ?

— Quand vous voudrez.

— Vraiment ?

— Oui.

— Ce soir ?

— Oui.

— Une vraie promesse, la main sur le cœur ?

— Oui ! (D'une voix sifflante.)

Derrière moi, Bogan demandait :

— Pour vous, c'est une sorte de croisade personnelle ?

— Pas du tout, répliquait Galimore. À l'époque, déjà, je pensais qu'il fallait persévérer.

De l'autre côté des vitres, tel un disque d'étain, l'étang plat et gris dans la chaleur et l'humidité accablantes de l'après-midi.

— Dites-le ! pleurnichait Summer.

— Oui.

— Dites : « Je le promets. »

— Je le promets.

— Je n'ai plus aucun espoir en Petey. Je n'aime pas porter de jugements sur autrui, mais son goût, si vous voyez ce que je veux dire…

— Faut que j'y aille.

Je tournais toujours le dos aux autres quand j'ai senti comme un frôlement velouté à hauteur du coude.

Une image de tarentule a remplacé le flamant rose.

Mon instinct est entré en action, coupant l'herbe sous le pied à mes centres supérieurs.

Ma main s'est levée d'un coup.

Mon appareil, projeté en l'air, a atterri aux pieds de Galimore et s'est enfoui dans le gravier.

— Je vais le prendre, je suis déjà couvert de fumier.

Sans attendre ma réponse, Bogan a ramassé mon iPhone et l'a porté jusque sur une étagère où il l'a essuyé des deux côtés avec un chiffon avant de me le rendre.

— Comme neuf !

— Merci.

— Les manières de Daytona laissent un peu à désirer.

Devant mon incompréhension, Bogan a désigné la porte. Juste à côté, sur une chaise en bois à dossier droit, un chat noir était occupé à sa toilette, une patte levée en l'air comme une fille du Moulin Rouge.

— L'air est trop poisseux ici, a dit Bogan. Passons donc dans mon bureau.

Départ en file indienne, Bogan devant, Galimore ensuite, moi derrière et Daytona fermant la marche.

Dans la maison, pénombre et fraîcheur. Une température d'au moins un million de degrés plus basse que dans la serre.

Une petite entrée avec un escalier au fond, à droite, qui menait à l'étage. Genre échelle de meunier. Sans balustre ni rampe sculptés. Juste une corde dans des anneaux vissés au mur.

Un bruit sourd venant de l'étage supérieur. Comme celui d'un tapis roulant. Probablement Reta. Il faut lui rendre justice, elle ne ménageait pas sa peine.

Au centre, départ d'un petit couloir. Que nous avons emprunté à la suite de Bogan. Aux murs, des aquarelles dans des cadres en plastique bon marché : un paysage ; une coupe avec des fruits ; un bouquet tape-à-l'œil.

En quelques enjambées, on était devant la cuisine. Juste après, le couloir tournait à angle droit.

— Je prends des sodas, a dit le maître des lieux en désignant d'un doigt maigre la porte ouverte. Vous, entrez là-bas.

On a continué à gauche, conformément aux indications de Bogan, jusqu'à une pièce qui devait être son bureau.

Et là, ébahissement total.

Chapitre 25

Pour tout mobilier, un canapé en cuir délabré avec son fauteuil assorti, une table basse en chêne en piteux état et une télé à écran plat aussi large que les panneaux publicitaires sur les autoroutes. Quant à la déco, un pur hommage à la NASCAR.

Le long des murs, des vitrines et des étagères croulant sous les bibelots. Au-dessus, des affiches, des photos, des objets souvenirs. Par terre, des babioles montées sur socle. Pas un centimètre de libre.

À se demander si le Temple de la renommée de la NASCAR possédait une collection aussi riche.

Mon regard a erré sur l'ensemble.

Un gros morceau d'asphalte en forme de 3, étiqueté comme provenant du virage n° 1 à Daytona. Un Denny Hamlin grandeur nature découpé dans du bois. Une plaque de métal rouge dans un cadre en plastique, avec le nom d'un pilote gravé sur le bord. Des cartes de visite dédicacées. Des médailles commémoratives dans des boîtes en velours. Des drapeaux. Des sweatshirts. Des casquettes. Des voitures miniatures en résine par centaines.

Des pièces dont certaines avaient probablement de la valeur, comme une photo en noir et blanc, prise voilà plus de cinquante ans. Des combinaisons complètement démodées avec les noms de différentes équipes. Une portière de voiture avec le numéro 24 peint sur le flanc.

— *Shit !* C'est pas croyable ! s'est exclamé Galimore, aussi ébahi que moi.

— Pas de doute, on est en présence d'un fan.

— Pas un fan, un fanatique !

Je me suis avancée vers des photos de la taille d'une affiche. Jimmie Johnson baisant le sol après avoir remporté la Brickyard 2007. Jeff Gordon à l'arrêt pour un ravitaillement. Tony Stewart agitant le doigt à l'intention de Watkin Glen.

Sur une vieille photo, un homme chaussé de bottes très hautes chevauchant une antique moto. Le visage caché par de grosses lunettes protectrices.

— Vous savez qui c'est ? m'a lancé Bogan depuis le seuil.

J'ai essayé de déchiffrer la signature.

— Erwin Baker ?

— Erwin « Cannonball » Baker. Il a remporté la toute première course sur le circuit d'Indianapolis. C'était en 1909, la piste n'avait encore jamais été utilisée. Une légende, ce boulet de canon ! Il a traversé le pays à moto plus de cent fois. Plus tard, il a été commissaire à la NASCAR.

Il m'a tendu un des trois Pepsi qu'il avait dans les mains.

— C'était bien avant que les courses en stock-cars se raffinent. Avant la diversification.

Il a traîné la voix sur la deuxième syllabe avec un dédain manifeste.

— Vous dites ?

— À l'époque, on n'en était pas à se demander qui pratiquait ce sport. Les pilotes, c'était des durs.

— Parce qu'ils ne le sont plus, maintenant ?

— Dans ce temps-là, les hommes étaient des hommes.

— Ah, monsieur, les gens comme Herbert Hoover, ça nous manque aujourd'hui !

J'avais dit ces mots sans aucune gaieté, n'appréciant pas vraiment ses sous-entendus.

— Quoi ?

— Sans importance.

Bogan a remis un Pepsi à Galimore, puis il s'est laissé choir dans le fauteuil et a passé les deux jambes par-dessus l'accoudoir.

J'ai pris un bout du canapé, Galimore l'autre, pour se relever presque immédiatement et extirper son cellulaire de sa poche.

— Un instant, s'il vous plaît... Excusez-moi, faut que je réponde à cet appel.

Il a reposé sa canette avant de sortir dans le couloir.

— Vous êtes ici parce que Wayne Gamble s'est fait tuer, n'est-ce pas ?

— Je croyais que vous ne regardiez pas les infos ?

— Non, mais je suis les courses, et on ne parle plus que de ça à cause de la Coca-Cola 600. Stupak est un des favoris. Enfin, l'était.

— Vous connaissiez Wayne Gamble ?

— Pas lui, sa sœur. (Bogan s'est mis à jouer avec la languette de sa canette.) Qu'est-ce que vous attendez de moi ?

— Que vous nous disiez ce qui est arrivé à votre fils, à votre avis.

— Aucune idée.

— Racontez-moi ce dont vous vous souvenez.

— Je me rappelle rien du tout. Du jour où Cale a commencé à fréquenter Cindi Gamble, je l'ai quasiment plus vu. Pourquoi vous m'interrogez maintenant ? Vous avez ma déposition.

— On essaie de voir si un détail n'aurait pas été oublié. Est-ce que vous avez tenté de retrouver Cale par vous-même ?

J'ai ouvert ma canette et j'en ai bu une gorgée. Le Pepsi était tiède, mais je voulais que Bogan se sente à l'aise.

— J'ai contacté tous les gens à qui j'ai pu penser. L'ennui, c'est que je savais pas grand-chose de la vie de Cale. Le seul truc qu'on avait en commun, c'était la NASCAR.

— Vous n'étiez pas proche de lui ?

— Il m'en voulait pour la mort de sa mère. Comme si j'aurais pu l'empêcher ? Elle était alcoolo au dernier degré et se droguait par-dessus le marché.

— Vous croyez que votre fils ait pu quitter la région volontairement ?

— Ouais. Je peux le croire.

— Pourquoi ?

— Avec sa copine, ils ne juraient plus que par ce mouvement politique.

— Le Détachement patriote ?

— Vous savez, ça faisait six ans que Cale vivait de son côté. (Sur la défensive.) Il avait vingt-quatre ans. Je contrôlais pas ses fréquentations. Ce qui veut pas dire que j'étais contre toutes leurs idées.

— Vous connaissez Grady Winge ?

— C'est pas le type qui a vu Cale et sa copine quitter le circuit à bord d'une Mustang Petty Blue 1965 ?

— Oui.

De nouveau, l'air de jazz dans mon sac.

— Oh, excusez-moi. Je croyais que je l'avais branché sur vibreur uniquement.

— La faute à Daytona.

J'ai vite éteint l'appareil. Quand je me suis redressée, Bogan me regardait d'un air bizarre. J'ai répété :

— Grady Winge, disions-nous ?

— Pour ce que j'en sais, il est un peu à côté de la plaque. On a dû parler jardinage une ou deux fois. Mais maintenant, je vais plus sur les circuits. Je reste à la maison. (Désignant la télé.) Avec ça, je suis aux premières loges tout au long de la course.

— Et Eugene Fries, vous le connaissez ?

— Jamais entendu parler de lui.

— En 1998, il tenait un stand de sandwiches sur le circuit.

— Comme une bonne centaine d'autres gars.

Retour de Galimore, qui s'est encore excusé de nous avoir laissés. Il a pris d'office les rênes de l'interrogatoire. Je ne m'y suis pas opposée.

— Parlez-nous de Cindi Gamble.

Bogan a secoué la tête, la bouche pincée sur un côté.

— Vous ne l'aimiez pas ?

— Y avait pas grand-chose à aimer ou à détester. Si je devais la qualifier d'un mot, je dirais : « ordinaire ». Mais avec des idées farfelues.

— Comme quoi ?

— De courir en NASCAR.

— En quoi est-ce que c'était farfelu ?

— Cindi Gamble était autant faite pour être pilote de course que moi pour nager nu avec Julia Roberts.

— Elle s'était pas mal débrouillée aux Bandoleros.

Bogan a eu un reniflement de mépris.

— Ces courses, j'en ai assisté à plus d'une, vous pouvez me croire. Cette fille-là aurait pas fait le tour d'une cuvette de chiottes. Cale l'aurait laissée derrière n'importe où.

Daytona a choisi ce moment pour entrer dans la pièce et sauter sur les genoux de Bogan.

— C'est pas que je sois mal élevé, mais j'ai des bougainvilliers qui ont besoin d'engrais.

Coup d'œil à Galimore, qui a hoché la tête. J'ai donc servi à Bogan ma dernière question habituelle :

— À votre avis, qu'est-ce qui s'est passé en 98 ?

Il a levé les épaules.

— À cette époque, est-ce que les conclusions du groupe de recherches vous ont paru concluantes ?

— Qui j'étais pour les remettre en question ?

— Vous les acceptez toujours, aujourd'hui ?

Bogan est resté un moment à caresser Daytona avant de répondre.

— J'ai passé toutes ces années à attendre un coup de fil, une lettre, un télégramme, un signe qui me fasse savoir que mon fils était vivant. La première chose que je faisais en rentrant chez moi, c'était de vérifier le répondeur ; de voir si y avait pas une enveloppe avec son écriture quand je prenais mon courrier. C'était devenu une obsession. Ça servait à rien, mais je pouvais pas m'en empêcher. Et un beau jour, j'ai arrêté.

Longue inspiration par le nez, suivie d'une lente expulsion de l'air avant de déclarer en me regardant droit dans les yeux :

— J'ai pas la moindre idée de ce qui a pu se passer à l'époque. Si Cale a fugué pour épouser sa copine ? S'il est entré dans la clandestinité ? S'il s'est fait tuer ? À vous de me le dire. Moi, j'ai arrêté d'imaginer des choses.

— Herbert Hoover ? ! m'a lancé Galimore, alors que nous étions remontés en voiture.

— Bogan me faisait penser à Archie Bunker.

— Vous êtes bien trop jeune pour vous rappeler *All in the Family*.

— Gardez le compliment pour Reta.

— Vous croyez que Bogan est raciste ?

— Vous avez entendu comment il a prononcé « diversification », comme si c'était un mot vulgaire ? (J'ai mimé des guillemets dans les airs.) Et en précisant bien : « À l'époque, on n'en était pas à se demander qui pratiquait ce sport ! »

— En tout cas, il aime les chats.

— Un bon point pour lui. Ce qui ne l'empêche pas d'être homophobe. (Re-guillemets.) « Les hommes étaient des hommes. » Est-ce que cet empaillé a vraiment dit ça ?

— Ouais, des clichés dignes d'Archie et Edith.

— Il y a des rumeurs, mais est-ce que, parmi ceux qui courent en NASCAR, il y a des pilotes qui ont fait leur *coming out* ?

— Oui, Evan Darling, qui court dans la Grand-Am. Mais pour la plupart, ils préfèrent rester dans le placard.

— Je comprends mieux l'attitude de Bogan.

— On trouve de plus en plus de passionnés du sport automobile parmi les gais. Il y a même des sites internet qui leur sont dédiés : gaytona.com ; queers4gears.com ; gaywheels.com.

— Qui l'eût cru ?

— Comment vous le sentez, Bogan ? Vous êtes restée avec lui plus longtemps que moi.

— Concernant Cale, son chagrin semble sincère. Mais ce qu'il dit sur Cindi Gamble ne colle pas du tout avec ce qu'ont dit les autres.

— Quels autres ? a demandé Galimore alors qu'il s'engageait dans Providence Road en direction du nord.

— J.D. Danner, le chef du Détachement patriote. Il pense que Cindi avait ses chances comme pilote de course.

— C'est peut-être seulement du parti pris. Les parents ont toujours tendance à croire que leurs enfants sont bien meilleurs que ceux de leurs voisins, en sport ou en art dramatique. Bogan ne fait pas exception.

— Possible... Il y a aussi Ethel Bradford, une prof de Cindi, ai-je ajouté après un instant de réflexion. D'après elle, Cindi était d'une grande intelligence. Et Lynn Nolan, une amie de classe, dit qu'elle était hyper brillante.

— Bogan n'a pas dit qu'elle était bête, mais qu'elle était sans intérêt.

— L'appel de tout à l'heure, ce n'était pas pour vous apprendre une mauvaise nouvelle, j'espère.

— Rien de bon, en tout cas. Faut que je retourne au circuit. C'est la folie, là-bas.

Trois heures vingt à ma montre. Pas étonnant que mon estomac crie famine. Et mon frigo qui était vide. Il faudrait que je m'arrête pour faire des courses.

Brusquement, un détail oublié jusque-là m'est revenu en mémoire.

— Parmi les amies de Cindi, Lynn Nolan a mentionné une certaine Maddy Padgett. Slidell devait essayer de la retrouver.

— Il a réussi ?

— J'ai oublié de le lui demander. Quand il a appelé, il n'a parlé que de la Mustang.

Nous roulions en ville. Dans ma tête, les idées bourdonnaient comme des guêpes emprisonnées dans un bocal : trop de choses ne collaient pas, trop de questions demeuraient sans réponse.

— Je vous ai dit que Cale maltraitait Cindi, à en croire Nolan ?

Galimore a tourné vers moi un visage ébahi.

— Vraiment ?

— Elle prétend avoir vu des bleus sur ses bras.

— Vraiment ?

— Je crois qu'on devrait interroger cette Maddy Padgett.

— Oui, c'est une idée.

Presque arrivée au MCME, je me suis rappelé que quelqu'un avait cherché à me joindre.

Un point rouge indiquait que j'avais un message.

Je l'ai écouté.

Les petits poils dans mon cou se sont hérissés.

Chapitre 26

Soudain, l'air m'a manqué.

J'ai consulté la liste des appels entrants.

— *Shit.*

Galimore m'a jeté un coup d'œil.

D'un doigt hésitant, j'ai tapé à nouveau sur l'icône de la messagerie.

Et écouté le message pour la seconde fois.

— *Jesus.*

— Quoi ?

J'ai enclenché le haut-parleur et tenu l'appareil dirigé vers Galimore.

Un message bref, prononcé d'une voix assourdie : « T'es la prochaine. »

— Faites-le repasser, a ordonné Galimore.

Je me suis exécutée.

— Encore.

Trois mots en tout, ou seulement deux ? Difficile à dire.

— Est-ce qu'il dit : « C'est toi la prochaine », ou bien : « Ta prochaine » et la suite est coupée ?

— Oui.

— Inutile de faire la petite maline.

Il avait raison, mais c'est ma façon à moi de réagir quand j'ai peur et que je ne veux pas le montrer.

— Si jamais c'est une menace, ils vont voir à qui ils ont affaire !

— Merci, Hulk.

— *Christ*, Brennan ! Regardez plutôt de qui vient l'appel.

— Numéro inconnu.

— Vous reconnaissez cette voix ?

— Non. Est-ce qu'elle ressemble à celle du gars qui vous a menacé ?

— Je ne pourrais pas le dire. Mais voici ce que vous allez faire…

— Je n'aime pas beaucoup qu'on s'adresse à moi en commençant par cette phrase.

— Vous allez rentrer chez vous, brancher l'alarme et ne plus bouger de là. Je vous contacterai quand j'en aurai fini avec tous ces cons du circuit qui méritent mon pied au cul.

— Est-ce que je peux laisser entrer des gens s'ils sont vraiment polis ?

Ma frappe chirurgicale sur l'épicerie m'a coûté deux cent quarante dollars. Mais au moins, j'avais assez de munitions pour tenir jusqu'au prochain millénaire.

D'abord, ranger les courses. Boîtes et conserves dans le garde-manger, fruits dans un compotier, légumes et produits laitiers au réfrigérateur. Tout cela en présence d'un Birdie rendu fou par tous les sacs vides, qu'il pourchassait d'un bout à l'autre de la cuisine pour rouler brusquement sur le dos et se mettre à les lacérer de ses quatre pattes.

Ensuite, collation sur le pouce : un carton entier de yaourts, une pêche et deux biscuits Petit Écolier.

Après, petit tour à l'étage, pour me débarrasser de mes habits collants de sueur et tester ce gel de douche à la pomme et à la grenade que je n'avais pas pu me retenir d'acheter.

Retour à la cuisine. M'y attendaient, éparpillés sur toute la surface du plancher, des noyaux de cerise, des tiges et de petits morceaux de pulpe. Génial ! Ce petit énergumène avait mangé trois cerises et en avait grignoté quatre.

Pour tuer le temps en attendant des nouvelles de Galimore, un surf d'une heure sur Internet. Voici ce que j'ai dégotté sur l'abrine.

L'*Abrus precatorius* possède un grand nombre de synonymes, parmi lesquels jequirity, cascavelle, haricot paternoster, haricot précatoire, liane à réglisse. C'est une plante grimpante vivace, qui s'entortille autour des arbres, des arbustes et des haies. Ses feuilles sont longues et effilées, ses graines noir et rouge. Surtout, elles contiennent un poison violent : l'abrine.

Originaire d'Indonésie, l'*Abrus precatorius* a colonisé maintenant de nombreuses zones tropicales et subtropicales de par le monde, y compris aux États-Unis. Implantée en terre nouvelle, l'espèce a tendance à devenir envahissante.

Connu sous le nom de *ratti* en hindi et de *gunja* en sanskrit et dans plusieurs autres langues indiennes, l'*Abrus precatorius* est employé comme unité de mesure traditionnelle, le plus souvent par des bijoutiers et des médecins de tradition ayurvédique. Les graines sont utilisées en orfèvrerie traditionnelle pour leurs couleurs vives. En Chine, elles sont le symbole de l'amour. Sur les îles de Trinité et Tobago, elles sont censées éloigner les esprits mauvais.

La fabrication de bijoux à partir d'*Abrus precatorius* est considérée comme un travail dangereux. Se piquer le doigt en perçant les graines pour en faire un collier peut entraîner la mort.

L'empoisonnement à l'abrine et celui à la ricine présentent les mêmes symptômes. Mais l'abrine est presque deux fois plus dangereuse.

C'est un complexe macromoléculaire, composé de deux sous-unités de protéine dénommées A et B. La chaîne B facilite la pénétration de l'abrine à l'intérieur d'une cellule en se collant à certaines protéines de transport sur les membranes de la cellule. Une fois à l'intérieur de la cellule, la chaîne A de l'abrine entre en action et bloque la synthèse des protéines.

Je scrutais des images de cette légumineuse assassine quand mon iPhone s'est mis à tressauter sur la table. J'avais oublié de basculer du mode vibreur au mode sonnerie.

— Vous ne devinerez jamais de quoi j'ai écopé !

— De la gale.

— C'est quoi ça, la gale, bordel ?

— Je suis en pleine forme, détective. Et vous-même ? Quand Slidell apprendrait-il à dire bonjour ? !

— Votre copain de la NASCAR. Comme j'étais là à me tourner les pouces, c'est moi qui en ai écopé.

Il m'a fallu un bout de temps pour traduire.

— Vous voulez dire qu'on vous a confié l'enquête Wayne Gamble ?

— Concord a réclamé de l'aide pour faire le tri dans tout ce bordel. Z'avez pas regardé les infos ? C'est une tempête de merde sur tout le circuit.

— Galimore m'a dit que la presse s'était déplacée en masse.

Slidell a laché son fameux bruit de gorge. Réaction à ma mention de la presse ? de Galimore ?

Faisant abstraction de cette censure, je lui ai rapporté ma visite chez Craig Bogan.

— Ce type aurait dans son placard un drap supplémentaire que ça ne m'étonnerait pas !

— Que voulez-vous dire ?

— C'est un fanatique, genre KKK.

— Et c'est qui, les gens qu'il peut pas piffer ?

— Quiconque qui n'est pas blanc et hétéro.

— Uh-huh.

Je lui ai parlé de la menace au téléphone. Si jamais c'en était une.

— Il était où, Galimore, à ce moment-là ? (Ton glacial.)

— À côté de moi.

J'ai compris, en le disant, que j'avais raté une bonne occasion de me taire.

— Qu'est-ce que vous allez faire, maintenant ?

Slidell parlait de la menace, évidemment. J'ai fait celle qui ne comprenait pas.

— Continuer mes recherches sur l'abrine.

— Vous savez ce que vous êtes, doc ?

— Douée pour surfer sur Internet.

Réaction de Slidell ? Un gloussement agacé, avant d'enchaîner :

— Apparemment, Gamble faisait des recherches, lui aussi.

Silence de ma part. J'attendais qu'il s'explique.

— Grady Winge a bien parlé d'une Mustang 1965, pas vrai ?

— Si.

— Eh bien, dans la caravane de Gamble, y avait une chemise bourrée de fiches sur les Mustang 1965 enregistrées en Caroline du Nord et du Sud en 1995. Il les avait toutes localisées !

— Grâce au fichier central de la police ?

— Diable, non ! C'est réservé aux flics. En plus, il faut suivre un cours spécial, posséder un nom d'utilisateur et un mot de passe. C'est contrôlé par le FBI. Si le fichier était ouvert à tous les Pierre, Jean, Jacques…

— Par le Département des véhicules moteurs ?

— Non plus.

— Alors, comment il a fait ?

— Il avait peut-être un contact à l'intérieur. Ou peut-être qu'il a demandé à étudier le dossier original et qu'il y a été autorisé. Avant qu'un épouvantail du FBI ne décide de tout placer sous séquestre, évidemment.

— Est-ce qu'Eddie parle de ces Mustang 1965 dans ses carnets ?

— Ouais. Sur les dix-huit enregistrées en Caroline du Nord et du Sud dont il avait retrouvé la trace, quinze étaient parfaitement en règle. Pour les trois autres, il n'a jamais réussi à contacter les propriétaires.

— Contrairement à Gamble.

— Ça s'explique. L'une d'elles appartenait à une femme qui était plus de ce monde et qui habitait plus à

Raleigh, l'adresse indiquée dans les registres. C'est sa belle-fille qui payait la taxe annuelle sur la plaque. Sans jamais se poser de questions.

— Où se trouvait cette Mustang ?

— Dans un hangar, en train de rouiller. La deuxième, immatriculée à Myrtle Beach, appartenait à un collectionneur qui habitait à Singapour. Même histoire. Son assistant payait la taxe tous les ans sans seulement savoir que la bagnole végétait dans un entrepôt quelque part, sans roues ni moteur.

— La source d'info d'Eddie ne servait à rien, là non plus.

— La troisième bagnole appartenait à un sergent à la retraite qui l'avait emmenée avec lui au Texas sans changer les plaques de Caroline du Sud. Eddie a essayé de l'appeler. Impossible. Probable que la ligne avait été suspendue.

— Autrement dit, en 98, aucun de ces trois propriétaires de Mustang 1965 ne figurait dans le fichier.

— Exactement. Gamble a su les retrouver, mais il est chaque fois tombé dans un cul-de-sac.

— Comme avec les quinze autres ?

— Exactement.

— Comment un véhicule aussi rare peut rester introuvable ?

— Bonne question.

— Est-ce que Winge aurait pu se tromper ?

— Il a été très précis dans sa déposition. (Bruissement de papier.) Au circuit, il nous a dit que c'était une Mustang Petty Blue datant de 1965, avec un autocollant vert fluo sur le pare-brise, côté passager.

Petit grattouillis tout au fond de mon cerveau. Pour me signaler quoi ?

Slidell avait déjà embrayé sur autre chose.

— Pile dans le mille, vos suppositions sur Owen Poteat. En 98, il était dans les dettes jusqu'au cou. Trois ans sans boulot et une tonne de fric dépensé à se battre pour la garde des enfants. Le pauvre vieux s'est endetté, a vendu sa maison, mais a quand même perdu en cour. N'a jamais pu retrouver un emploi bien payé.

— Et tout à coup, il a vingt-six mille dollars à investir dans un plan d'épargne destiné à financer les études de ses enfants.

— Il aurait gagné à la loterie ?

— Quelles sont les chances ?

La conversation achevée, retour sur Internet.

Et découverte de choses bien plus inquiétantes sur l'abrine.

Notamment que c'est une poudre jaunâtre qui peut circuler dans l'air sous forme de particules. Un lâchage en pleine nature peut contaminer une vaste surface de terres agricoles.

L'abrine peut donc être utilisée pour empoisonner la nourriture et l'eau.

Pour qu'une dose soit mortelle, il faut à peu près soixante-quinze fois moins d'abrine que de ricine.

Un autre site donnait des chiffres. Il ne me restait plus qu'à faire un peu de calcul mental.

Une dose d'abrine inférieure à trois microgrammes suffit à tuer quelqu'un.

Merde.

Sept heures du soir. Un filet de flétan grillé partagé avec Birdie. Le chat a boudé la salade de chou, pas la mayonnaise. Peut-être qu'il n'aime pas les salades de chez le traiteur.

Après quoi, revue des courriels.

Plusieurs concernant le boulot : un pathologiste du LSJML qui avait besoin d'explications à propos d'un cas ; un procureur de Charlotte qui souhaitait programmer une réunion. LaManche qui voulait savoir quand je comptais revenir à Montréal.

D'autres messages proposant l'affaire du siècle : une montre Rolex pour cinquante dollars ; l'accès à des fonds non réclamés déposés dans une banque africaine ; un démaquillant qui me ferait une peau plus belle que celle d'une star d'Hollywood.

Un message de Katy qui envisageait de quitter son travail pour passer une année en Irlande. Barmaid dans un pub. Génial.

Un autre de Ryan, d'une longueur inhabituelle. Il décrivait sa dernière séance de thérapie avec Lily et se disait consterné par la quantité de colère que sa fille avait accumulée en elle. Colère contre lui qui n'avait pas été près d'elle pendant son enfance ; colère contre sa mère, Lutetia, qui lui avait caché l'existence de son père et qui maintenant l'avait abandonnée pour retourner en Nouvelle-Écosse.

Un Ryan qui s'avouait découragé, cafardeux, qui disait que je lui manquais. Son ton déchirant m'a laissé comme un trou à l'intérieur du sternum.

Son message, toutefois, n'était pas aussi désespéré que celui de ma sœur, Harry. Récemment, nous avions appris que son fils, Kit, avait procréé l'été de ses seize ans, alors qu'il passait ses vacances dans un camp de voile à Cape Cod. Nouvelle ahurissante, s'il en était. Somme toute, assez semblable à celle qui avait bouleversé la vie de Ryan.

Pour des raisons qui désormais ne seraient jamais élucidées, la jeune mère, Coleen Brennan — Brennan comme Harry et moi-même, bien qu'il n'y ait aucun lien de parenté entre nous —, n'avait pas jugé bon d'apprendre à son amour de l'été qu'il était père d'une petite Victoria. À sa mort, survenue brutalement, la petite fille avait quitté le Massachusetts pour venir vivre à Charleston chez son père. Résultat : ma sœur se retrouvait à présent grand-mère d'une Victoria de quatorze ans surnommée Tory, et moi grand-tante.

Aujourd'hui, Kit avait interdit à Harry de venir les voir, estimant que Tory avait besoin d'un temps d'adaptation. Ma sœur, déjà furieuse d'avoir perdu tant d'années, était maintenant au fond du désespoir.

J'allais l'appeler quand la sonnette de la porte d'entrée a retenti. Galimore, probablement.

Sur le seuil, une vision cauchemardesque.

Pas la pire de ma vie, mais pas loin.

Chapitre 27

Pete et Summer. Debout l'un à côté de l'autre, sans se toucher. Tous les deux l'air tendu, comme les gens qui font la queue. Summer, avec un sac Nieman Marcus à poignée en corde.

Je me suis plaqué un faux sourire sur les lèvres.

— À quoi dois-je ce plaisir ?

Summer a semblé ahurie par ma question. Pete m'a demandé, plutôt mal à l'aise :

— Tu es sûre de vouloir faire ce que tu as dit ?

— Absolument !

Oh, pitié !

— Mais entrez donc !

Pete, en tongs, short kaki et chemise polo du Country Club de Carmel ; Summer, en sandales de serpent, camisole sans manches en soie et pantalon de grand couturier dans un tissu camouflage qui aurait plongé Patton dans la perplexité.

La jeune femme a vogué tel un cygne jusqu'à la salle à manger et a déposé son sac sur la table. Pete et moi avons suivi.

— Je peux vous offrir quelque chose ?

Du cyanure sucré au Kool-Aid ?

— Je prendrais bien un merlot, si…

— Nous ne restons qu'une minute, est intervenu Pete avec un sourire d'excuse. Je me doute bien que tu as des choses beaucoup plus importantes à l'esprit.

— Tu vois, Petey, c'est là qu'il est, ton problème. Parce que notre mariage, *c'est* quelque chose d'important. Qu'est-ce qui pourrait être *plus* important ?

Un vaccin contre le sida, peut-être…

Et Summer d'extraire des objets de son sac et de les disposer en petits tas. Serviettes de table, coupons de tissu, cadres en argent et contenant en verre qui ressemblait à une éprouvette, modèle géant.

— Voilà. Les nappes seront écrues et les centres de table dans ces vases. (Tic-tic de son ongle rouge cerise contre l'éprouvette.) Des roses et des lys. Et voici pour les serviettes. À choisir parmi ces coloris.

Présentation en éventail : rose, noir, marron, argent, vert et un ton plus ou moins proche de l'écru.

— Ça, c'est pour le drapé autour des dossiers de chaise.

Elle a étalé les coupons de tissu l'un à côté de l'autre, juste en dessous des serviettes parvenues au rang de finalistes.

Les yeux de Pete ont croisé les miens par-dessus le dos arrondi de Summer. J'ai levé un sourcil incrédule. Il a formé des lèvres les mots : « Je te revaudrai ça. »

Oh, yeah.

Summer s'est redressée.

— Ça y est ! Qu'est-ce que vous en dites ?

Qu'un muffin au maïs a plus de jugeote que toi.

Tout haut, j'ai déclaré :

— *Wow*, vous n'avez pas chômé !

— En effet !

Summer m'a décoché un sourire à faire exploser les ventes de Crest.

Comment manœuvrer dans un champ de mines ?

User de psychologie. Aucune chance que le muffin qui lui tenait lieu de matière grise ne se rende compte de quoi que ce soit. Je me suis rabattue sur les fleurs.

— Qu'est-ce que vous avez prévu comme couleurs pour les arrangements floraux ?

— Un mélange de rose et de jaune. Mais pas tape-à-l'œil, surtout !

— Vous faites donc le choix de la simplicité ?

— Mais aussi de l'élégance. Ça doit avoir du sens.

— À l'évidence, le vert doit être exclu.

— Oui, à l'évidence.

Coup d'œil à Pete pendant que Summer s'occupait de retirer de la pile le premier objet rejeté.

« Très drôle ! » a-t-il mimé des lèvres.

Moi, à haute voix, m'adressant à Summer :

— Le monochrome, ça vous dirait ?

Elle m'a regardée sans comprendre.

— Tout d'une seule et même couleur.

— Ah. Je vois ce que vous voulez dire. Je préférerais quelque chose d'un peu plus vif.

La serviette écrue a disparu dans le sac.

— De plus contrasté ?

— Oui, mais pas trop.

— Alors le noir ne marche probablement pas.

— Non, pas du tout !

Adieu, le noir.

— Quelque chose qui rappelle la terre ?

— Ça ne fait pas été ! (Petit rire.) Je veux dire : la saison, bien sûr. Pas moi.

— Alors, oubliez le marron.

Et un quatrième coloris de moins ! Restaient le rose et l'argent.

— Entre ces deux couleurs, vous penchez pour laquelle ?

— J'aime assez celle-là.

Des sortes de vrilles rose vif sur fond crème. Assez dans l'esprit de la tenue qu'elle portait l'autre jour.

Victoire !

J'ai joliment posé la serviette rose en travers de l'échantillon de tissu.

— Oui ! s'est écriée Summer en battant des mains d'allégresse. Oui ! Oui ! Mais bien sûr ! Tu vois, Petey ? Il suffit seulement d'avoir du goût.

Petey s'est retenu d'applaudir.

— Maintenant, les cadres ! a-t-elle enchaîné en posant sur une seule ligne quatre petites plaques argentées. Pour marquer les places des convives. Comme ça, ils savent où s'asseoir et, après, ils peuvent l'emporter en souvenir. Ça leur fait un cadeau. Malin, non ?

— Mm.

— Lequel vous préférez ?

— Ils sont tous très jolis.

Et Summer de me montrer les détails qui les différenciaient. Arrêt plus marqué sur celui avec une bordure en forme de petits pois. J'ai aussitôt renchéri :

— Je crois que j'aime bien celui-là.

— Exactement comme moi ! Oh, Tempe ! Nous nous ressemblons tant, nous pourrions être sœurs !

Dans le dos de sa fiancée, Petey a fait la grimace.

Summer ramassait ses échantillons quand mon cellulaire a sonné.

Sur un mot d'excuse, je suis passée à la cuisine.

Numéro inconnu. Indicatif 704 : Charlotte.

Plutôt subir le baratin d'un vendeur d'assurances qu'écouter plus longtemps les bavardages de Miss Fiancée.

— Temperance Brennan ?

En arrière-fond, un klaxon. Mon interlocuteur appelait de l'extérieur.

— Oui.

— Le coroner ?

Sensation bizarre, comme si mon cuir chevelu rétrécissait.

— De la part de qui, s'il vous plaît ?

— À la morgue, vous avez Eli Hand.

Une voix étouffée, comme sortant d'un filtre. Celle qui m'avait menacée plus tôt ? Impossible à dire.

— Qui est à l'appareil ?

Déclic, suivi de trois bips.

— Merde !

— Tout va bien ?

J'ai pivoté d'un coup.

Pete me scrutait d'un air inquiet, les traits tendus. J'étais tellement paniquée que je ne l'avais pas entendu entrer.

— Je… je… (Je quoi, au juste ?) Je viens de recevoir un appel… surprenant.

— Pas une mauvaise nouvelle, j'espère ?

— Non. Juste… (Sensation d'avoir une armée de criquets enfermés dans la poitrine. L'adrénaline, je suppose.)

— Surprenante, a achevé Pete à ma place.

— Oui.

— Tu peux écarter le téléphone de ton oreille, tu sais ?

— Ah oui, bien sûr.

— Je tiens à te remercier pour… (Il a désigné du pouce la salle à manger.)

— Je t'en prie.

— En fait, elle est très intelligente.

— Ça prend un pénis pour avoir ce point de vue.

Pete a haussé les sourcils.

Je lui ai rendu sa mimique.

— Boyd va bien ?

— Il parle de toi à longueur de temps.

— Il me manque.

— Toi aussi, tu lui manques. Le chow-chow a une passion pour toi.

— Ce chien sait juger les caractères.

— Oui, il sait reconnaître des qualités qui demeurent invisibles pour d'autres.

J'ai gardé le silence, ne sachant quoi répondre à cela. Pete continuait à me dévisager intensément. Tant et si bien qu'une sorte de malaise a fini par s'installer.

— Vous devriez peut-être y aller, non ?

— Si, probablement.

— Je doute qu'une charmante soirée t'attende à la maison. (Sur le ton de la légèreté.)

— Ce sera peut-être une bonne chose, a répliqué Pete sans l'ombre d'un sourire.

Oh-oh. Y aurait-il de l'eau dans le gaz entre les tourtereaux ? Je connaissais Pete, il avait l'air malheureux.

Dans la salle à manger, Summer avait eu droit à la visite de Birdie. Ce renégat, juché sur une chaise, frappait la serviette qu'elle balançait au-dessus de lui.

Je l'ai regardé d'un œil sévère. Il m'a retourné la version chat du regard innocent.

— Bonne chance ! ai-je lancé à mes visiteurs tandis qu'ils descendaient les marches du perron.

Et je le pensais sincèrement.

Aussitôt après, coup de fil à Larabee. Il rentrait tout juste d'un jogging de quinze kilomètres.

— Est-ce qu'on a chez nous un individu du nom d'Eli Hand ?

— Pas que je sache. Qui c'est ?

Je lui ai fait part de l'appel que je venais de recevoir.

Silence total pendant trente secondes pleines.

— Tu ne crois pas que ce pourrait être…

— L'inconnu de la décharge ? a achevé Larabee.

— C'est la première chose qui m'est venue à l'esprit.

— Qui pourrait nous renseigner ?

— Williams, peut-être ?… Tu sais comment le joindre ?

— Attends.

Boum du téléphone reposé sur la table, et retour en ligne très vite pour me dicter un numéro :

— Tu crois que Williams pourrait savoir des choses ? a demandé Larabee.

— Des tonnes, si tu veux mon avis.

— Tu me tiens au courant, surtout !

L'agent spécial a décroché à la deuxième sonnerie.

Je me suis présentée. S'il a été étonné que je l'appelle, il ne l'a pas montré. Je n'ai prononcé que deux mots :

— Eli Hand.

Silence. Un silence qui a duré si longtemps que j'ai cru qu'on avait été coupés.

— Quelle est votre question exactement ? a fini par lâcher Williams d'une voix dure.

— Est-ce que notre inconnu de la morgue s'appelait Eli Hand ?

— Sans commentaire.

— Pourquoi ?

— Pourquoi me posez-vous la question ?

— J'ai reçu un coup de fil anonyme.

— Émanant de qui ?

— Je l'ignore. C'est le principe du coup de fil anonyme.

— Arrivé où, ce coup de fil ? (Ton laconique.)

— Sur mon cellulaire.

— Votre téléphone a pu enregistrer le numéro ?

Je le lui ai donné.

— Qui c'est, Eli Hand ?

— Je n'ai pas la liberté…

— Le Dr Larabee et moi-même saurons découvrir qui c'est ! Ou qui c'était, sachez-le bien ! Avec ou sans la coopération du célèbre FBI. Nous saurons découvrir si ce Eli Hand était bien l'individu retrouvé mort à la décharge de Morehead Road, enfermé dans un baril d'asphalte. Et si tel est le cas, le détective Slidell saura découvrir le pourquoi du comment de la chose.

— Baissez d'un cran, vous voulez bien ?

— À condition que vous répondiez à mes questions !

— Je vous rappelle demain.

Ensuite, j'ai téléphoné à Galimore.

Pas de réponse.

Entre la menace anonyme, la bêtise de Summer, l'abattement de Pete, le tuyau sur Eli Hand, l'arrogance de Williams et enfin Galimore qui ne répondait pas, pas étonnant que je n'arrive pas à fermer l'œil, une fois couchée.

Mon esprit ne cessait de jongler avec des pièces du puzzle, de les changer de place, de les tournicoter dans tous les sens pour tenter de les associer. Mais au lieu d'obtenir des réponses, je me retrouvais chaque fois en face des mêmes questions.

À en juger par la réaction de Williams, il était clair que notre inconnu s'appelait bel et bien Eli Hand. Mais qui était-ce ? Et quand était-il mort ?

Pourquoi son corps présentait-il des traces d'empoisonnement à la ricine ?

De l'abrine avait été retrouvée dans le café de Wayne Gamble. Comment était-elle arrivée jusque-là ? Gamble avait été assassiné, aucun doute là-dessus. Mais par qui ? Pourquoi ?

Cale Lovette était-il lié aux extrémistes de droite et ceux-ci l'avaient-ils tué ? Aidé à disparaître ? Si oui, comment avait-il réussi à ne pas se faire repérer tout au long de ces années ?

Les témoignages sur Cindi Gamble ne collaient pas entre eux. Était-ce une fille intelligente ? Avait-elle les capacités nécessaires pour courir en NASCAR, comme Ethel Bradford, Lynn Nolan et J.D. Danner l'affirmaient ? N'avait-elle au contraire aucun talent, comme le soutenait Craig Bogan ? Était-elle amoureuse de Cale Lovette ? Avait-elle peur de lui ?

Les dépositions de Grady Winge et d'Eugene Fries ne collaient pas non plus. Erreur ou mensonge délibéré de la part de l'un d'entre eux ? Mais lequel, et pourquoi ?

Owen Poteat avait-il réellement vu Cale Lovette à l'aéroport de Charlotte dix jours après sa disparition ? Était-ce lui qui avait menti ? Si oui, pourquoi ? Aurait-il été payé pour raconter des histoires ? Payé par qui ?

Ted Raines n'avait toujours pas réapparu. Or il pouvait se procurer de la ricine aussi bien que de l'abrine. Était-il impliqué dans cette affaire d'une manière ou d'une autre ?

Je m'efforçais de dégager un détail qui relie toutes ces pièces ensemble. Un seul, mais qui, de fil en aiguille, permettrait de relier tous ces éléments et d'apporter les réponses si longtemps attendues.

Finalement, j'ai sombré dans le sommeil. Nuit agitée, entrecoupée de réveils, de périodes de somnolence et de rêves parfaitement décousus.

Birdie, marchant sur une table recouverte d'une nappe à volutes roses et zigzaguant entre les verres à pied. Galimore, au volant d'une Mustang bleue avec un autocollant vert sur le pare-brise. Ryan, très loin, me faisant des signes de la main. Slidell, parlant à un homme recroquevillé dans un baril. Summer, déambulant dans la rue sur des talons aiguilles plus hauts que des gratte-ciel.

La dernière fois que j'ai regardé mon réveil, il indiquait quatre heures vingt-trois.

Chapitre 28

Trois heures plus tard exactement, réveil au son du téléphone.

— Ça va bien ?

— Parfaitement.

— Hier soir, ça se présentait plutôt mal.

À en juger d'après sa voix, Galimore avait eu une nuit encore pire que la mienne.

— Je ne suis plus un bébé. Je vais très bien.

— Des nouvelles du cinglé ?

— Non. Mais de quelqu'un d'autre.

Et de lui raconter le coup de fil à propos d'Eli Hand et ma conversation avec Williams.

— Vous allez rester chez vous, n'est-ce pas ? Comme je vous l'ai déjà dit.

— Et comment ! J'attends un appel d'Oprah Winfrey.

— Avec votre humour, vous devriez écrire ! Je suis sûr qu'à Comedy Central, ils s'arracheraient vos œuvres.

— C'est une idée. Je vais y penser.

— Mais pas aujourd'hui.

— Non, c'est pas le moment.

Galimore a laissé échapper un soupir agacé.

— Faites comme vous l'entendez.

— Vous pouvez compter sur moi !

J'en étais à faire griller du pain quand le téléphone a sonné à nouveau.

— Ici Williams.

— Ici Brennan. (Ton désinvolte, comme souvent lorsque je manque de sommeil.)

— Le numéro que vous m'avez donné est celui d'une cabine téléphonique de Concord. À Circle K, dans Old Charlotte Road.

— Le type qui m'a appelée peut donc être n'importe qui.

— Nous examinons les actes de propriété sur un rayon de huit cents mètres.

— Ça risque de prendre du temps.

— Effectivement.

— Qui est Eli Hand ?

— Étant donné que vous êtes partie prenante dans cette affaire, j'ai été autorisé à vous faire part de certains renseignements. À vous et au Dr Larabee. On peut se voir ce matin ?

— Je peux être au MCME dans une demi-heure.

— Eh bien, à tout à l'heure.

Scène 2 de la séquence tournée la veille : bureau de Larabee ; le patron assis à sa table, les agents spéciaux en face de lui dans des fauteuils côte à côte, et moi plus loin à droite.

Williams a commencé sans y avoir été convié.

— Vous vous rappelez du Bhagwan Shree Rajneesh ?

Il voulait parler du gourou indien qui, dans les années 1980, s'était installé avec plusieurs milliers d'adeptes dans un ranch du comté de Wasco, dans l'Oregon, et avait fondé en pleine campagne une ville appelée Rajneeshpuram. Par la suite, le groupe avait pris le contrôle politique du patelin voisin d'Antelope et l'avait rebaptisé Rajneesh. Les relations entre la communauté et la population locale, amicales au début, s'étaient détériorées quand les dirigeants de la communauté avaient voulu étendre leur petite ville de Rajneeshpuram. S'étant vu refuser plusieurs permis de construire, ils avaient décidé, en novembre 1984, de se présenter aux élections du comté pour y décrocher des postes politiques. Je me souvenais bien de cette affaire.

— Le Bhagwan et ses cinglés voulaient obtenir le siège de juge au tribunal itinérant du comté de Wasco et élire le shérif, ai-je précisé. Pour empêcher leurs opposants de participer aux élections et s'assurer la victoire, ils ont empoisonné à la salmonelle les bars à salades du comté.

— Exactement, a dit Williams. Des verres d'une eau contaminée ont d'abord été servis à deux commissaires du comté ; ensuite la *Salmonella enterica* s'est propagée à grande échelle par l'intermédiaire des bars à salades. Sept cent cinquante et une personnes atteintes, quarante-cinq hospitalisées. C'est la première attaque bioterroriste jamais perpétrée sur le territoire des États-Unis, et la plus vaste à ce jour.

— Je me rappelle, a dit Larabee. Ce salaud a finalement été arrêté ici même, à Charlotte. C'était dans tous les journaux du pays.

Larabee disait vrai. Jusque-là, notre paisible ville du Sud n'était connue du monde que pour sa politique d'intégration raciale au sein du système éducatif — politique soutenue par la mise en place de bus scolaires destinés à transporter les élèves noirs dans des établissements fréquentés par des Blancs. L'arrestation de cet individu l'avait subitement propulsée sur le devant de la scène. Un sérieux coup de pouce pour les habitants. Par la suite, la vente de t-shirts portant les mots : «C'est nous qui avons arrêté le Bhagwan» avait connu un vif succès.

— En 1985, poursuivait Williams, un groupe de recherches formé de policiers de l'Oregon et d'agents du FBI a été constitué. Au cours d'une perquisition, un échantillon de bactéries correspondant à celles qui avaient contaminé la population a été découvert dans un laboratoire médical de Rajneeshpuram. Deux des responsables de la communauté ont été inculpés, puis incarcérés dans une prison fédérale de sécurité minimale. Le troisième a disparu, a conclu Williams, les yeux fixés sur moi.

— Et il s'appelait Eli Hand ? ai-je demandé.

L'agent a hoché la tête.

— À vingt ans, Hand étudiait la chimie à l'université d'État de l'Oregon. Au printemps 1984, sous l'influence du Bhagwan, il a laissé tomber ses études pour s'installer à Rajneeshpuram.

— Quelques mois à peine avant ces événements.

— Exactement. On l'a soupçonné d'avoir orchestré la contamination. Très vite après l'arrestation du Bhagwan et son expulsion des États-Unis, il a quitté la communauté.

— Pour s'établir dans l'est du pays ?

— Oui. Persuadé que son maître spirituel avait fait l'objet d'une persécution, il a perdu toute confiance dans le gouvernement. Il a passé quelque temps dans l'ouest de la Caroline où il a adhéré à un groupuscule d'extrême droite appelé Brigade de la liberté. Lorsque ce groupe s'est dissous à son tour, il s'est établi dans la région de Charlotte et s'est lié avec J.D. Danner.

— Et avec le Détachement patriote.

— C'est cela.

— Autrement dit, le FBI tenait Hand sous surveillance ? a demandé Larabee.

— Nous avions pas mal de gens dans le collimateur à l'époque. Un indic nous avait appris que Hand et ses copains avaient caché un temps le terroriste Eric Rudolph.

— Et ce Hand, il est où maintenant ?

Question totalement superflue, car je connaissais déjà la réponse.

— Aucune nouvelle de lui depuis l'an 2000.

— Vous ne l'avez jamais retrouvé ?

— Non.

— Sauf que maintenant vous savez où il est.

Williams a reconnu le fait d'un air contraint.

— Notre odontologiste estime qu'il y a correspondance parfaite, a-t-il précisé.

— Parce que vous avez ses dossiers dentaires *ante mortem* ? ai-je demandé, tout étonnée.

— La mère de Hand, qui habite toujours à Portland, avait conservé des empreintes et des radios de son fils, prises lors d'un examen orthodontique passé à l'âge de douze ans. L'odontologiste n'avait pas besoin de plus.

— Le fichier central n'avait pas ses empreintes ? a demandé Larabee.

— Il n'avait jamais été arrêté. Il n'avait pas fait son service militaire et n'avait pas non plus occupé d'emploi sensible nécessitant de telles vérifications.

Je suis intervenue :

— Si je vous comprends bien, le FBI soupçonnait Hand et le Détachement patriote de projeter une attaque bioterroriste semblable à celle menée en Oregon, mais cette fois avec de la ricine.

— Oui.

— C'est pour ça qu'en 1998 vous marchiez sur des œufs ?

— Nous ne pouvions pas risquer de laisser ces criminels s'échapper.

— Mais ça ne s'est pas produit.

— Non.

— Comment Hand comptait-il s'approvisionner en ricine ? a demandé Larabee.

— Nous pensons qu'il aurait pu en produire lui-même.

— Le *Ricinus communis* pousse en Caroline du Nord ?

— Très facilement.

Cette réponse nous a plongés dans des abîmes de réflexion. Finalement, c'est moi qui ai exprimé tout haut la question qui nous taraudait tous :

— Comment Hand a-t-il pu se retrouver dans un baril d'asphalte ?

— Empoisonnement accidentel ; chute mortelle sur la tête ; élimination par ses copains… Sincèrement, nous ne le savons pas.

— Mais Cale Lovette et Cindi Gamble, qu'est-ce qui a bien pu leur arriver, à eux ? ai-je encore demandé.

— Même réponse.

— Est-ce que l'un ou l'autre travaillait pour le Bureau ?

— Pas que je sache.

— Ah.

J'ai planté les yeux dans ceux de Williams. Il n'a pas cillé.

Un silence tendu a envahi le petit bureau. Williams l'a brisé d'une voix plus forte d'un microdécibel. Et surtout emplie d'une passion que je ne lui connaissais pas.

— Les tâtonnements ont payé, docteur Brennan.

Ce brusque changement de sujet m'a décontenancée.

Williams a levé le menton à l'adresse de son compagnon. Randall n'a eu qu'un mot à dire pour que je comprenne pourquoi il s'était tu jusque-là : sa voix, nasale et haut perchée, aurait mieux convenu à un coiffeur d'Hollywood.

— Alda Pickerly Winge possède une maison à Concord depuis 1964. Très précisément dans Union Cemetery Road, à moins de quatre cents mètre de Circle K. L'endroit d'où a été passé l'appel que vous avez reçu hier soir.

J'ai senti des mille-pattes grimper le long de mes bras.

— Alda est apparentée à Grady ? (Question idiote !)

— C'est sa mère.

— Vous croyez que c'est Grady Winge qui m'a refilé le tuyau sur Eli Hand ?

— Son camion est actuellement garé devant chez sa mère. Nous pensons qu'il y est resté toute la nuit.

— C'est qui, Grady Winge ? est intervenu Larabee.

— Un employé du circuit qui a vu Cindi Gamble et Cale Lovette discuter avec un homme, puis monter dans une voiture juste avant leur disparition.

— Ah oui, c'est vrai. Slidell m'en a parlé.

De nouveau, cet agaçant chatouillis dans mon cerveau. De quoi s'agissait-il ?

— Une Mustang 1965, a ajouté Williams.

Le chatouillis a brusquement pris corps jusqu'à devenir une véritable pensée.

Je me suis redressée dans mon siège.

— Une Mustang Petty Blue 1965 avec un autocollant vert fluo sur le pare-brise, côté passager. C'est ce que Winge nous a dit, à Slidell et moi, au circuit lundi dernier. Pouvez-vous voir ce qu'il a dit en 1998 dans sa déposition ?

Les deux agents spéciaux ont échangé un de leurs fameux regards lourds de sens. Williams a baissé le menton presque imperceptiblement. Randall est sorti dans le couloir.

Pour revenir quelques instants plus tard, muni de la réponse :

— Une Mustang Petty Blue 1965, avec un autocollant vert fluo sur le pare-brise, côté passager.

— Vous êtes sûr que c'est bien ce qu'il a dit ?

— C'est ce qui est écrit dans le rapport, mot pour mot.

— Combien de chances y a-t-il pour qu'un témoin emploie exactement les mêmes termes à tant d'années de distance ?

Pour ma part, je n'en revenais pas. L'argument a semblé porter.

— Vous pensez que Winge a inventé cette histoire ? Quitte à se la répéter encore et encore, pour être sûr de ne pas se tromper ?

— Ça expliquerait qu'on n'ait jamais retrouvé trace de cette Mustang. Une voiture aussi rare, c'est curieux, non ?

— Pourquoi Winge aurait-il menti ?

Aucun de nous n'avait la réponse.

— D'après Slidell, ce Grady Winge est bête à manger du foin, a déclaré Larabee.

— C'est sûr qu'il n'est pas très malin, ai-je admis.

— Mais pourquoi vous aurait-il donné ce tuyau à propos d'Eli Hand ? a insisté Williams.

— Peut-être qu'il s'est trouvé mêlé à sa mort et qu'il se sent coupable, a lancé Larabee à tout hasard.

— Dix ans plus tard ? a répliqué Williams sur un ton sceptique.

— Il prétend avoir trouvé Jésus, ai-je fait valoir.

— Et vous le croyez ?

J'ai haussé les épaules. Qui sait ?

— Peut-être que Winge n'est pas pour rien dans ce qui est arrivé à Gamble et Lovette, a repris Larabee, poursuivant son raisonnement. Peut-être qu'il les a tués. Et qu'il a tué Wayne Gamble parce que celui-ci avait compris certaines choses.

Le silence est tombé, chacun de nous comprenant très bien où menait un tel raisonnement.

Winge pensait-il que j'avais compris certaines choses, moi aussi ? Était-ce lui qui m'avait laissé ce message de menace ? Avait-il pour projet de me faire avoir un «accident» ?

— Nous allons le placer sous surveillance ininterrompue, a décrété Williams. Il ne pourra pas changer de chaussettes sans que nous le sachions.

Sur ce, il s'est levé.

Randall aussi.

— Je vais demander à la police de Charlotte d'effectuer des rondes devant chez vous toutes les heures, aussi longtemps que cette affaire ne sera pas résolue.

— Vous croyez que c'est vraiment nécessaire ?

— Mieux vaut être certain que désolé. (Me tendant la main.) Bien vu pour la Mustang.

— Merci.

Échange de poignées de main. Randall s'est abstenu.

— Il vaudrait peut-être mieux que vous vous fassiez discrète ces temps-ci.

Qu'est-ce qu'ils avaient tous à jouer aux anges gardiens ? Galimore d'abord, maintenant Williams.

Ma réponse : un grognement qui ne m'engageait à rien.

— Je vous appelle dès que j'ai du nouveau, a dit Williams.

L'attente n'a pas duré longtemps.

Chapitre 29

Coup de téléphone de Galimore à neuf heures vingt. Pas question pour un chef de la sécurité de quitter le circuit alors que le week-end approchait à grands pas et, avec lui, les courses. Pour ne rien dire de la presse, qui réclamait à cor et à cris des informations sur la mort de Wayne Gamble.

Il était si pressé que je n'ai pas pris le temps de lui dire que l'inconnu de la décharge avait été identifié ni de lui expliquer comment.

Appel de Slidell aux alentours de dix heures. Je lui ai tout raconté en détail. Il a promis de localiser Maddy Padgett dès qu'il en aurait fini avec la vérification des documents et de l'ordinateur saisis dans la caravane de Wayne Gamble.

À onze heures et quart, au tour de Williams de se manifester. Ton plutôt essoufflé. J'étais dans la salle qui pue en train de rabouter des fragments d'os, le crâne de Wayne Gamble en partie reconstitué, posé juste à côté de mon coude, dans une cuvette remplie de sable.

— À peu près au moment où nous quittions le MCME, Winge est monté dans son camion garé devant chez sa mère et s'est rendu à la réserve naturelle de Stephens Road. Vous connaissez ?

— Entre Mountain Island Lake et Lake Norman ?

— Oui. Stephens Road part de Beatties Ford Road, longe un lotissement en faisant beaucoup de virages et se termine en impasse dans une forêt assez épaisse.

Une voix l'a appelé.

— Ne quittez pas !

Le bruit de l'air dans le téléphone s'est assourdi, comme si Williams tenait le combiné plaqué contre sa poitrine. Quelques secondes plus tard, il revenait en ligne.

— Excusez-moi. Donc, Winge s'est enfoncé à pied dans les bois. Les agents l'ont découvert à une cinquantaine de mètres de la route, à genoux, comme s'il était en train de prier.

Mon rythme cardiaque s'est accéléré.

— Ils m'ont tout de suite prévenu en précisant que l'endroit en question formait un creux. Je leur ai demandé de retenir Winge et j'ai fait venir un chien sur les lieux.

Mes doigts se sont resserrés autour du récepteur. Je savais déjà ce qu'il allait me dire.

— Au niveau de la cuvette, le chien s'est mis en position d'alerte.

— On en est où, maintenant ?

— L'unité d'investigation criminelle se rend sur les lieux.

— J'y vais aussi.

— J'espérais vous l'entendre dire.

Le soleil n'était pas loin de se coucher lorsque la totalité des ossements a été enfin exhumée : deux squelettes étendus l'un sur l'autre, les bras entrelacés comme pour s'embrasser dans la mort.

Une tombe peu profonde, creusée à la va-vite et rebouchée rapidement. Le truc habituel.

Winge, ou bien celui, celle ou ceux qui s'étaient chargés d'enterrer les cadavres, avait commis l'erreur de piétiner le sol pour l'aplanir au lieu de laisser la terre former une petite montagne à l'emplacement de la fosse. Erreur fréquente chez les non-initiés. Le temps passant, la terre se tasse et se creuse jusqu'à créer un dénivelé des plus révélateurs.

Dans l'après-midi, la chaleur et l'humidité étaient telles que la forêt semblait privée de vie. Arbres, oiseaux, insectes, pas un bruit ou un mouvement qui trouble le silence.

Le chien était resté sur place. Ou plutôt la chienne, son nom étant Clara. Tout au long de la fouille, son maître l'avait fait marcher périodiquement près de la fosse. Elle flairait le sol et s'asseyait, la langue pendante. Dans la lumière du soleil, son pelage prenait une couleur safran.

Je venais tout juste de délimiter un carré et d'installer un tamis quand Slidell est arrivé. Il est resté un moment à me regarder expliquer aux agents techniques comment s'y prendre pour retirer la terre à la truelle et la passer au tamis. Ils travaillaient lentement, épuisés par la chaleur suffocante.

Slidell était là sur ordre de son chef, celui-ci considérant les décès des Gamble frère et sœur comme liés. Il avait mis du temps à trimbaler ses fesses jusqu'ici, parce qu'il était passé auparavant à la brigade informatique pour déposer l'ordinateur portable de Wayne Gamble à ces petits génies. Mais maintenant, fini de sauter d'une affaire à l'autre. Il ne travaillerait plus que sur ces deux-là.

Avant de nous lancer dans notre tâche macabre, nous avions pris soin de sécuriser les lieux à l'aide de piquets et de bande jaune. Précaution superflue. La chaleur et l'isolement du lieu suffisaient à tenir en respect les badauds.

À présent, les restes censés être ceux de Cindi Gamble et de Cale Lovette attendaient dans deux sacs pitoyablement plats, et moi j'étais assise un peu plus loin dans une voiture de patrouille garée dans Stephens Road, à boire de l'eau à la bouteille dans un concert de grésillements à vous casser les oreilles : la radio des flics et tout autour de moi, le tourbillon habituel.

J'étais venue ici pour accomplir un travail et j'avais du mal à agir en professionnelle. Moins d'une semaine auparavant, je n'avais jamais entendu parler de Gamble et Lovette. Aujourd'hui, il me semblait les avoir connus personnellement. J'avais tant espéré les rencontrer un jour, bel et bien vivants. Mais maintenant le verdict était tombé : morts tous les deux.

Effacer leur souvenir de mon cerveau ; oublier l'instant où les os étaient apparus, émergeant un peu plus du sol à chaque couche de terre retirée ; oublier ces crânes grimaçant au fond de la fosse ; oublier ces petits trous ronds bien au centre de leurs occiputs, voilà ce à quoi je m'efforçais.

J'avais reconnu les boucles d'oreille dès que je les avais aperçues dans le tamis : des anneaux en argent avec des voitures de course qui se balançaient au bout.

Je me suis représenté le petit visage ovale. Les cheveux blonds coupés à la garçonne.

Chasse cette image !

Non, Cale Lovette, ce n'est pas toi qui l'as tuée. Au contraire, tu as probablement tout fait pour tenter de la sauver.

J'avais supervisé l'excavation, établi les profils biologiques préliminaires à partir des squelettes et ensuite passé le flambeau à Slidell.

Slidell qui sortait de la forêt, justement. Je l'ai suivi des yeux. Il a parlé un moment avec Williams, puis l'a quitté pour se diriger vers moi.

Tout en se grattant une jambe à travers son pantalon, il s'est accroupi à côté de la voiture, une main sur l'accoudoir de la portière ouverte. Le visage rouge framboise, les cheveux et les aisselles humides de sueur.

— C'est pas ce qu'on espérait. (D'une voix un peu enrouée.)

Que répondre à cela ?

Il a tiré un mouchoir de sa poche arrière. Sa main a laissé un petit rond de sueur sur le vinyle de l'accoudoir.

— Vous avez trouvé des choses près d'eux, a-t-il demandé.

— Les boucles d'oreille de Cindi. Des fermetures éclair. Des lambeaux de vêtements.

— Des chaussures ?

— Non.

Slidell a secoué la tête. J'ai demandé :

— Vous croyez qu'ils ont été tués ici ?

— Difficile à dire. On a pu les obliger à retirer leurs chaussures. Ils ont pu être tués ailleurs et transportés ici.

— Le détecteur de métaux a donné quelque chose ?

— Rien dont on puisse se servir.

Réponse au sous-entendu de ma question : avait-on trouvé les douilles et les balles ?

Derrière lui, deux techniciens portaient une civière. Ensemble, ils ont transféré les sacs sur un chariot de la morgue et ont bouclé les courroies.

J'ai reporté les yeux sur Slidell, il étudiait mon visage.

— Vous voulez quelque chose ? De l'eau ?

— Non, ça va… C'est Winge qui a fait ça ?

— Ce crétin ! L'arrête pas de marmonner qu'il est désolé. Le répète encore et encore. Si c'est pas une confession…

— Comment ça ?

— J'ai jamais réussi à comprendre comment ils réfléchissaient, ces mutants. Mais vous pouvez compter sur moi : j'arracherai de lui tout ce qu'il peut savoir.

À l'intérieur de la voiture, la chaleur était si poisseuse qu'on se serait cru plongé dans du sirop. Je suis sortie et j'ai soulevé mes cheveux pour que la brise me rafraîchisse le cou. Hélas, il n'y avait pas un souffle de vent.

Les techniciens de la morgue en étaient à claquer les portières du fourgon avant de les fermer à double tour.

Un sanglot s'est formé au creux de ma poitrine. Je l'ai bloqué de toutes mes forces.

À présent, Williams se dirigeait vers nous. *Qu'il me dise seulement un mot, et je lui arrache les lèvres, à ce con.* Promis juré, ce n'était pas de la blague. Mais c'est à Slidell qu'il s'est adressé :

— On touche à la fin, non ?

— Ouais.

— Où est Winge ?

— Sous bonne garde.

Un silence gêné s'est installé, qu'aucun de nous trois n'a cherché à rompre.

Conscients de mon émotion, les hommes ne savaient que faire ou dire. De mon côté, nulle envie de leur faciliter la tâche.

Slidell s'est tourné vers Williams pour éviter de me regarder.

— On se retrouve au centre-ville. Ce salaud va passer un mauvais quart d'heure !

Trajet de retour au bord des larmes, avec des hoquets qui me soulevaient la poitrine.

Ne pleure pas. Interdiction de pleurer !

Dieu sait comment, j'y suis parvenue.

Le bain moussant et les vêtements propres ont fait des merveilles sur mon corps.

Sur mon humeur, résultat nul : elle est restée bloquée au quatrième dessous, et la visite de Slidell n'y a rien changé.

La faute à ses odeurs corporelles, peut-être.

Ou, plus probablement, à ce qu'il m'a dit de Grady Winge.

— Le crétin fait de l'obstruction.

— Que voulez-vous dire ?

— Il dit pas un mot. Il remue les lèvres comme s'il priait et garde les yeux fermés.

— Qu'est-ce qu'il dit à propos de cette tombe ?

— Vous avez entendu ce que j'ai dit ?

— Vous avez sûrement d'autres techniques d'interrogatoire.

— Ouais, j'ai oublié le tabassage à coup de tuyau en caoutchouc...

— Et l'intervention d'un psychologue ?

— On a rappelé à M. Winge que, dans cet État, la peine de mort jouissait d'une grande faveur parmi la population. On le laisse digérer.

L'image des deux squelettes a de nouveau jailli devant mes yeux. Colère et tristesse immédiates. Je les ai chassées toutes les deux.

— Et maintenant ?

— Je vais aller serrer la vis à Lynn Nolan. Cette fois, ça se passera chez elle.

— Qu'attendez-vous d'elle ?

— Des précisions sur le gars avec qui Lovette parlait au Double Shot.

— Vous pensez qu'elle cache des choses ?

— Disons que je voudrais lui parler entre quatre yeux.

— Williams vous a dit que le FBI a confisqué le dossier Gamble-Lovette ?

— Non.

— Il l'a pratiquement admis.

— Ah ouais ?

Et de lui rapporter mon petit moment de gloire quand j'avais suggéré de comparer ce que Winge avait dit dans sa déposition en 98 avec la phrase qu'il avait employée lundi dernier.

— Randall a passé un coup de fil et confirmé que c'était bien la même formule, mot pour mot. S'il a pu demander à quelqu'un de faire cette comparaison, c'est bien que ce quelqu'un avait le dossier original sous les yeux !

La mâchoire de Slidell s'est crispée.

— Z'ont un de ces culots, ces salauds… Pas grave. Cet enfant de chienne est coupable, il tombera. La question est : qui d'autre est dans le coup ?

— Elle habite où, Nolan ?

— À Kannapolis. Là où elle est née.

À l'évidence, Slidell n'était pas encore passé par chez lui. L'odeur qu'il dégageait aurait tué un cheval. L'idée de faire un tour en voiture avec lui n'était guère séduisante.

— Vous comptez aller là-bas maintenant ?

— Je m'offrirais bien une ou deux bières avant. Et peut-être même louer un film.

La pendule indiquait neuf heures vingt.

J'avais horriblement sommeil.

— Attendez.

J'ai filé attraper mon sac dans le bureau.

J'avais surestimé le temps du trajet. Et sous-estimé les fragrances.

Nous n'étions pas encore en vue de Kannapolis que je suppliais le ciel de m'accorder un autre bain chaud.

Nolan habitait une résidence de style faux colonial construite à la va-vite. Son logement se trouvait dans le bâtiment central, au premier et dernier étage. Un escalier en fer et béton desservait les quatre appartements du palier.

Ascension à pied.

Réponse presque immédiate à notre coup de sonnette. Nolan est apparue dans une tenue vestimentaire des plus simples. Principalement noire et transparente.

— Tu as oublié ta clef, grand fou ?

Le temps de le dire, et notre vue a déclenché sur ses traits une succession de réactions parfaitement déchiffrables : ahurissement, incompréhension, reconnaissance et peur.

Un bond en arrière, et elle a passé la tête dans l'entrebâillement :

— Qu'est-ce que vous faites ici ?

— Le moment est mal choisi, madame Nolan ?

— Oui, plutôt. (Fixant l'escalier derrière nous.)

— Des petits détails que j'aimerais éclaircir, c'est tout. (Slidell faisant son Columbo.)

— Il est tard, on ne peut pas voir ça demain ? (À l'évidence, elle était diablement nerveuse.) Je peux me rendre au poste du centre-ville si vous voulez, ou ailleurs.

Une portière a claqué dans le stationnement.

La crainte de Nolan s'est muée en terreur.

Des pas ont retenti dans l'escalier. Elle a hurlé :

— Va t'en ! Ne monte pas !

Trop tard.

Une tête d'homme apparaissait déjà au ras du plancher.

J'ai d'abord eu un doute sur son identité.

Mais ça n'a pas duré.

L'homme s'est figé, puis il a fait demi-tour et plongé dans l'escalier.

Slidell a foncé à sa suite.

Quant à moi, je suis restée sur place, trop ébahie pour faire un geste.

Chapitre 30

Avec sa mâchoire fuyante et son long nez en forme de tube à essai, Ted Raines avait vraiment l'air d'un dauphin. D'autant que son front et ses joues, gris et luisants, accroissaient encore la ressemblance.

Pour l'heure, il gisait en travers du canapé dans le salon de Nolan, sous les yeux d'un Slidell grenat et dégoulinant de sueur. Les deux hommes respiraient bruyamment.

Lynn Nolan et moi-même étions à l'autre bout de la pièce, dans de vastes fauteuils Kmart.

Elle avait passé une robe de chambre bleue en tissu duveteux sur ses dessous olé-olé.

— *Fuck!* À quoi tu penses?

Disparu, le style Columbo. Slidell, dans la version fou de rage.

Côté Raines, silence radio. Juste des halètements.

— Tu sais combien de gens te recherchent, abruti de merde?

Raines a rentré la tête dans les épaules à la façon d'une tortue.

— Grâce à ta femme, tous les flics de Dixie ratissent la région pour repérer ton cul. Trois États sont en alerte BOLO.

Comprendre: sur le qui-vive. Slidell était tellement remonté qu'il était passé au jargon de la police sans même s'en rendre compte.

— Arrêtez donc de le harceler!

Slidell s'est retourné d'un coup pour faire face à Nolan.

— Z'avez queq'chose à dire ?

— La femme de Ted n'est pas gentille.

— Vraiment ?

— Il avait besoin d'un peu de temps pour réfléchir.

— Du temps pour réfléchir ?

Slidell a marché sur la fille d'un pas furieux. Deux enjambées, et la malheureuse s'est jetée en arrière comme si elle craignait de recevoir un coup.

De son côté, Raines donnait l'impression de s'enfoncer encore plus en lui-même.

— Du temps pour réfléchir ? Ça veut dire quoi, au juste ?

Slidell a brandi un poing coléreux entre Nolan et Raines.

— Vous me faites peur.

— Tant mieux, mais sûrement pas assez !

— On n'a rien fait d'illégal.

— Ah bon ? Eh bien, vous m'en direz des nouvelles quand vous aurez reçu tout un autobus de merde sur le coin de la gueule, vous et votre amoureux !

— On s'aime.

— C'est si beau que ça me donne envie de vomir.

— C'est vrai ! (Sur un ton irrité.) Et puis, on fait de mal à personne, d'abord ! Pourquoi est-ce que vous êtes aussi méchant ?

— S'il vous plaît, elle n'y est pour rien, a lâché Raines entre deux respirations.

Slidell s'est retourné brutalement.

— Elle me croit méchant, moi ? Je vais te l'dire, c'qui est méchant, espèce de tas de merde ! C'est de disparaître pour tirer un coup avec cette salope de Miss Sexe sans même un tiraillement au niveau de la conscience. C'est d'laisser croire à sa femme et à son enfant qu'on est étendu sans vie au fond d'un fossé ! C'est d'faire perdre leur temps à plus d'cent policiers !

— Vous n'avez pas le droit de nous parler comme ça ! s'est récriée Nolan en tournicotant sa ceinture de robe de chambre si serrée autour de ses doigts qu'elle en avait les jointures toutes blanches et gonflées.

— L'aliénation d'affectation, ça te dit queq'chose ? Peut-être qu'on devrait demander son avis à Mme Raines, histoire de voir si elle aussi estime que personne n'a été blessé dans l'aventure.

La façon dont Slidell estropiait le terme juridique d'affection m'a fait un peu tiquer, mais je n'ai rien dit.

— Ted va demander le divorce, a déclaré Nolan. N'est-ce pas, mon chéri ?

Le chéri en question n'était plus que de la gelée répandue sur le divan.

— Ted ?

Raines a gardé les yeux rivés sur ses genoux. Traversant la pièce au pas de charge, Slidell est allé lui planter un doigt dans le ventre.

— Pendant que t'es là à affûter tes talents de capitaine Winkie, ça te vient pas à l'esprit de te demander si tu serais pas en train de causer un foutu bordel ?

Le visage de Slidell avait pris maintenant une teinte bordeaux. Il était temps de relâcher la vapeur. J'ai demandé :

— Pour mémoire seulement : comment est-ce que vous vous êtes connus, tous les deux ?

Nolan a bien voulu répondre à ma question. Peut-être parce que ce terrain lui paraissait moins glissant que le litige qui s'amorçait.

— Ted participe à un projet scientifique sur la propagation des poisons par voie aérienne. Le CRRI où je travaille fait des recherches dans le même domaine. Vous le savez très bien, puisque vous y êtes venus.

J'ai hoché la tête.

— En janvier, pendant la conférence d'Atlanta, ma boîte m'a envoyée là-bas tenir le stand. Ted y était aussi, avec son équipe. On s'est rencontrés au bar de l'hôtel.

— Et un désir insurmontable a éclos, a ironisé Slidell d'une voix lourde de mépris.

— C'est bien plus que cela.

— Touchant, a raillé Slidell.

De mon côté, j'ai demandé à Nolan où était son mari.

— En Afghanistan.

— C'est ça qui vous manque : la médaille à accrocher dans votre vitrine ! (Slidell, sur un ton grinçant.)

Les bras croisés sur la poitrine, Nolan a expulsé bruyamment un soupir insolent.

Slidell a effleuré du doigt le haut du crâne de Raines.

— C'est bon, l'amoureux. On va parler poison.

Raines a relevé les yeux, les traits empreints d'une perplexité ébahie.

— Je vais te raconter une petite histoire, a poursuivi Slidell avec un calme dangereux. Deux corps aboutissent à la morgue. Le premier est positif à un test à la ricine, l'autre déborde d'abrine. Comme on le sait tous les deux, c'est pas des substances sur lesquelles le premier venu peut mettre la main.

Les yeux de Raines se sont rétrécis. Visiblement, il ne comprenait rien à rien. Ou alors il se demandait quelle attitude adopter pour se sortir au mieux de cette situation.

— Avance accélérée, a enchaîné Slidell. Un gars prend la poudre d'escampette et se fait arrêter. Un gars, justement, qui peut se procurer de l'abrine et de la ricine. Tu vois le topo, Ted ?

— Pas du tout.

— À ce qu'on dit, t'as un travail à mi-temps très intéressant.

— Quel rapport avec…

— Dans le cadre de ce travail, tu manipules des biotoxines. Pas vrai ? Drôle de coïncidence…

— Vous sous-entendez que j'aurais tué quelqu'un ?

Slidell s'est contenté de le regarder.

— C'est de la folie !

— Ah bon ?

— Et qui sont ces deux morts ?

— Eli Hand et Wayne Gamble.

Petit hoquet, juste à côté de moi.

— Je ne les connais ni l'un ni l'autre. Pourquoi j'aurais voulu les empoisonner ?!

— À toi de me l'dire !

— Les substances sur lesquelles je travaille font l'objet d'un contrôle hyper méticuleux. Impossible de quitter le labo avec une fiole dans sa poche. La moindre foutue graine rouge doit être répertoriée, le moindre gramme de poudre. Vous pouvez appeler mon supérieur. (Avec une inquiétude proche de l'angoisse.)

— Je n'y manquerai pas.

— Il faut que je prenne un avocat ?

— D'après toi ? a répliqué Slidell.

— Mais j'ai rien fait ! (Sur un ton strident.)

— Le motif de ta présence à Charlotte ?

Raines a brièvement porté les yeux sur Nolan. Un petit rire nerveux avant de lâcher sur un ton conspirateur, d'homme à homme :

— Vous savez ce que c'est, rien qu'une petite gâterie.

— Salaud !

J'ai forcé Nolan à se rasseoir dans son fauteuil.

— Ta copine connaissait Wayne Gamble. Pas vrai, madame Nolan ? a poursuivi Slidell sans lâcher Raines des yeux.

— Quoi ?

— Vous lui dites, ou faut que je le fasse ?

— Je connaissais sa sœur, y a des siècles. Wayne, c'était qu'un enfant.

— Dieu du ciel ! s'est écrié Raines et il s'est effondré comme une guenille, le visage caché dans ses mains.

Spectacle affligeant. Slidell a préféré faire peser son regard sur Nolan.

— Z'êtes au courant que Gamble est mort ?

— Pendant les petites gâteries, comme il dit, on n'est pas vraiment en train de regarder les infos !

— Z'avez pas l'air d'être très affectée.

— La dernière fois que je l'ai vu, il avait douze ans.

— Parlez-moi de la conversation que vous avez surprise au Double Shot.

Ce changement de sujet intempestif a paru la déstabiliser.

— Je vous ai déjà raconté.

— J'veux en savoir plus.

— Sur quoi ?

— Sur le gars qui parlait à Cale Lovette.

— Le genre grand et mince. Vieux.

— Quel âge ?

Elle a haussé les épaules.

— Moins vieux que vous, probablement. Difficile à dire, il portait une casquette.

— Comment, la casquette ?

— Rouge, avec un gros numéro au-dessus de la visière. Oh ! Et aussi avec un bouton accroché sur le côté. Un bouton qui représentait un chapeau de cowboy !

Elle a souri, ravie d'étaler l'excellence de sa mémoire.

Où avais-je vu un chapeau comme ça ? Sur Internet ? Sur le circuit ?

— Le ton de la conversation ? poursuivait Slidell avec insistance.

— Hein ?

— Amical ? Énervé ?

— Le genre pas très content.

— Qu'est-ce qu'ils se disaient ?

— Je vous l'ai déjà dit.

— Recommencez.

Nolan a fouillé parmi ses souvenirs. Elle a croisé une jambe sur l'autre et s'est mise à soulever en cadence son pied resté par terre en appui sur le bout des orteils.

— OK. Le vieux a dit un truc du genre : « empoisonner le système ». À quoi Cale a répondu quelque chose comme : « trop tard, ça va se produire ». Alors le vieux a répliqué une phrase comme : « Reste à ta place ! »

Le mouvement du pied s'est accéléré. On a attendu qu'il reprenne sa vitesse de croisière.

— Quand je suis repassée devant eux, Cale disait au vieux d'arrêter de râler. Et l'autre lui répliquait d'arrêter de jouer les saintes nitouches. Et il a ajouté quelque chose à propos d'une maudite hachette. Mais il y avait beaucoup de bruit. Je n'ai pas bien entendu.

— Continuez.

— Après, je suis retournée m'asseoir avec Cindi.

— Ensuite ?

— Cindi était en rogne parce que Cale prenait trop de temps. Alors, elle est allée le chercher. Cale a passé le bras autour de sa taille. C'était gentil. Ce qui ne l'était pas, c'était la façon dont le vieux a regardé Cindi. Un regard qui faisait peur.

— Comment ça ?

— Glacé. (Et Nolan d'écarquiller des yeux gros comme des soucoupes.) Non, pire que ça : haineux. Comme s'il la détestait du plus profond de ses entrailles.

— Et après ?

— Le vieux a dit quelque chose et Cale lui a rétorqué en pleine figure qu'il était vraiment cinglé. Le vieux est parti, enragé.

— Quand Cale est revenu s'asseoir, vous lui avez demandé qui c'était ?

— Il a dit : « Un crétin que j'aurais mieux fait de ne jamais croiser. »

— Vous n'avez pas poursuivi ?

— Qu'est-ce que vous voulez dire ?

— N'avez rien demandé de plus ?

— Cindi m'a dit de laisser tomber… En fait, elle ne l'a pas vraiment dit, mais elle m'a regardée d'un tel air que j'ai compris. Je ne suis pas bête.

Si ! Confondante de bêtise.

— C'est tout ce dont je me souviens, je le jure devant Dieu ! a conclu Lynn sur un ton pleurnichard. Je suis crevée. Faut que je me couche.

— Comment se fait-il qu'avant ce soir vous n'ayez jamais parlé de l'attitude hostile de cet homme à l'égard de Cindi ?

— Parce que personne ne m'a jamais demandé ce qui s'était passé après le départ du type. Uniquement ce qu'ils s'étaient dit tous les deux.

J'ai regardé Slidell. À lui de décider pour la suite.

— C'est bon, les fiancés ! Voici ce qui va se passer.

Quand il en est arrivé au blabla habituel sur l'interdiction de quitter la ville, Nolan a bondi sur ses pieds, le doigt pointé sur Raines.

— Très bien ! Mais ce salaud sort de chez moi ! Monsieur «rien qu'une petite gâterie» ne reste pas une seconde de plus dans mon salon.

Adieu, le grand amour.

Retour à l'Annexe. En route, échange d'impressions avec Slidell.

— Des invalides de la morale, ces deux-là.

— Ouais, a-t-il convenu. Mais je le vois mal s'en prendre à Hand ou à Gamble.

— Où est-ce qu'il habitait à l'époque où Hand a atterri dans la décharge ?

— À Atlanta.

— Quant à Wayne Gamble, pour quel motif aurait-il voulu le trucider ?

— C'est vrai, mais je vais quand même le surveiller de près, ce tas de merde.

— Le portrait que Nolan a fait du vieux ne correspond ni à Grady Winge ni à J.D. Danner. À Eugene Fries, peut-être, mais lui, il se prétend victime.

— Pour ce qui est de Grady Winge, je vais lui presser le citron dès demain matin.

Une voiture de police est sortie de Sharon Hall juste au moment où nous y entrions.

Slidell a fait un signe au flic qui conduisait. Celui-ci lui a retourné son salut.

— Je suppose qu'on n'a plus besoin de renforcer les patrouilles.

— Vous êtes convaincu que c'est Grady Winge qui a tué Cindi et Cale ?

— Vous vous foutez de moi ? Vous l'avez vu comme moi sur la tombe !

— Ça prouve seulement qu'il savait où ils étaient enterrés.

— Mais pourquoi se désoler autant ?

— Et Wayne Gamble ?

— Faites-moi confiance. D'ici quelques heures, Winge poussera mieux la chansonnette que toute une fanfare de majorettes réunies.

Comment ne pas s'ébahir face à de telles comparaisons ?

— À propos, Slidell, l'aliénation d'affection, c'est une inculpation à l'encontre de la tierce personne. Pas du conjoint.

— Ouais. Ben, j'espère que l'épouse lave les culottes de Nolan.

Quand je me suis écroulée sur mon lit, mon réveil indiquait deux heures dix du matin.

Durant le bref laps de temps qui a précédé l'extinction de mes facultés mentales, j'ai passé en revue les déclarations de Nolan.

Qui était cet homme avec qui Cale Lovette avait discuté ? Quel système avaient-ils prévu d'empoisonner ? L'alimentation en eau d'une ville ? Laquelle ? À tout croire, ce projet n'avait pas été mené jusqu'à son terme. Ou alors il avait foiré pendant son exécution. Car un tel acte de bioterrorisme aurait évidemment fait la une de la presse nationale.

Pourtant un détail me chiffonnait : la casquette. Où est-ce que j'en avais vu une de semblable ?

Et l'expression de ce type, est-ce que Nolan l'avait bien déchiffrée ? Était-ce véritablement avec des yeux remplis de haine qu'il avait regardé Cindi Gamble ? Si oui, pourquoi ? Cette haine n'avait-elle pas un autre motif ?

Et à quoi rimait cette « maudite hachette » ?

L'instant d'après, j'étais hors circuit.

Chapitre 31

Maudite hachette.

Maddy Padgett.

Ces consonances ont tant et si bien fait la sarabande dans ma tête que je me suis réveillée en sursaut.

Et si c'était de Maddy Padgett que Cale Lovette et le vieux parlaient quand Lynn Nolan était passée près d'eux ?

Six heures et demie du matin.

Trop tôt pour appeler qui que ce soit.

Trop excitant pour que je puisse me rendormir.

J'ai enfilé une robe de chambre et suis descendue à la cuisine. Birdie a ouvert un œil mais ne m'a pas suivie.

J'ai allumé la télé pendant que Mr. Coffee se mettait en marche gaillardement.

Ô surprise, la mort tragique du mécanicien de Stupak ne faisait plus la une, et pourtant les nouvelles locales étaient entièrement consacrées à la NASCAR.

Les qualifications pour la Coca-Cola 600 avaient eu lieu la veille dans la soirée : Jimmie Johnson partirait en position de tête. Kasey Kahne serait en première ligne. Sandy Stupak avait remporté une bonne position, lui aussi, mais moins bonne que prévu.

En numéro 2 des gros titres, la météo. Pour le samedi, pluie toute la journée, accompagnée de fortes rafales de vent, de tonnerre et de foudre. Les Nationwide Series avaient été avancées au vendredi soir.

Décision sans précédent mais indispensable si on ne voulait pas risquer de devoir annuler la course au dernier moment et de se retrouver devant un report de date difficile à organiser.

Troisième gros titre, l'énorme cratère qui s'était creusé en bordure de la piste en terre durant la nuit. Et cela, juste au moment où les responsables du circuit se démenaient pour mettre en place un nouveau calendrier qui tienne la route.

Par bonheur, ce trou monumental de douze mètres de long sur dix de profondeur n'avait pas fait de blessé. Compte tenu de l'endroit où il s'était produit, l'effondrement n'aurait en principe pas de répercussion sur les Nationwide Series. Les inspecteurs de la sécurité, immédiatement convoqués, étaient déjà sur place, mais on n'avait pas encore annoncé si la course commencerait ou non à l'heure prévue au nouveau programme.

Pendant que je remplissais ma tasse, un expert a expliqué — officieusement — que le circuit de Charlotte était construit sur une décharge et qu'un vieux drain situé dix mètres plus bas s'était détérioré. À l'en croire, l'éboulement était dû à la conjonction de trois facteurs : les fortes pluies des derniers jours, la rupture du drain et l'instabilité du sol, constitué de terre de remblai.

La présentatrice a rappelé sur un ton stupéfié que cet incident n'était pas sans précédent. Et, sur des images d'archives représentant des tribunes archicombles, elle a évoqué une Daytona 500 dont le départ avait été retardé de plusieurs heures à cause d'un nid-de-poule.

D'un pas nonchalant, Birdie a fait son apparition au moment où je me versais une deuxième tasse de café.

Sept heures du matin. La dernière goutte de ma troisième tasse.

Survoltée par la caféine, j'ai appelé.

— Slidell. (D'humeur grognon.)

— Je vous réveille ?

— Nan. J'attends le service aux chambres.

Tranquille, Brennan.

— Où êtes-vous ?

— Allé me prendre un moka java. Plus d'une heure que je malaxe Grady Winge.

— Il parle ?

— Oh oui !

— Qu'est-ce qu'il dit ?

— « Appelez mon pasteur. » Vous allez aimer ça : le révérend Honor Grace.

— Vous l'avez appelé ?

— J'vais pas m'taper en plus un cours sur l'Évangile !

— Vous avez retrouvé Maddy Padgett ?

— La copine de classe de Cindi Gamble ?

— Oui.

— Un instant.

Grincement de chaise, raclement de tiroir qu'on ouvre, puis d'autres grincements.

— Madelyn Frederica Padgett. Apparemment, pas aussi futée que Mme Nolan pour ce qui est d'attraper le prince charmant.

— Elle vit toute seule ?

— Ouais. Travaille comme ingénieure chez Joe Gibbs Racing. J'sais pas pour quelle équipe. Peut-être Joey Logano.

Il a lu une adresse à Charlotte.

— Vous avez son téléphone ?

— À la maison, uniquement.

Je l'ai inscrit sur un papier.

— Je vais pressurer Winge jusqu'à ce qu'il s'écroule. Même si ça doit me prendre toute la journée et toute la nuit.

— Vous savez ce qui me gêne, avec lui ?

— Quoi ?

— L'abrine. Comment est-ce qu'il a pu s'en procurer pour empoisonner le café ? D'ailleurs, quelle raison aurait-il eu d'empoisonner Wayne Gamble ? (Me rappelant les trous à l'arrière des crânes déterrés dans la forêt.) Que je sache, Cindi et Cale ont eu droit à une exécution en règle.

— Objections pertinentes. Et auxquelles je compte bien apporter des explications.

Maddy Padgett avait la même voix que ma grand-mère Daessee : un accent du Sud, indubitablement, onctueuse comme la sauce au lard.

Je lui ai présenté mes plus plates excuses pour la déranger de si bon matin.

— Je voudrais m'entretenir avec vous de Cindi Gamble.

— Qui vous a donné ce numéro ?

— Un détective de la police de Charlotte. De la brigade des homicides.

— Des homicides ?

— Oui.

— Enfin !

— Que voulez-vous dire ?

— *Honey*, c'est à vous de me le dire !

— Je voudrais vous voir. Aujourd'hui, si possible.

— Vous suivez la NASCAR ?

— Bien sûr. (Disons, d'une certaine manière.)

— Vous savez qu'ils ont avancé la course à ce soir ?

— Oui.

— Sauf que maintenant, on a un foutu trou.

— Oui.

— Avec cette nouvelle programmation, l'horaire de la journée est entièrement chamboulé. Joey m'a interdit de quitter le circuit. Les stands ouvrent à neuf heures. On fera des réglages pendant toute la matinée. De une à deux, Joey a une séance d'autographes. À trois heures, ce sont les qualifications et, à six heures, rencontre équipage-pilote au centre de presse. La présentation des pilotes se tiendra à sept heures, et à huit heures tapantes, le drapeau du départ tombera, si départ il y a. En un mot : l'horreur !

— Je dois vous parler de toute urgence.

J'ai espéré qu'elle ne m'envoie pas promener

— Je pourrais vous trouver une petite demi-heure. Vers les neuf heures et demie du soir.

— Où ça ?

— Au stand de Joey. Votre nom sera sur la liste.

Elle m'a indiqué où c'était.

Aussitôt après, coup de fil à Galimore sur son cellulaire. Pour lui dire que je serais au circuit ce soir. Pas de réponse, comme d'habitude.

Qu'est-ce qu'il avait ? Il filtrait ses appels ? Ignorait les miens ? Était trop occupé pour décrocher ?

L'appeler à son bureau ? Non.

À la place, j'ai laissé le message que je serais dans la zone des stands des Nationwide à neuf heures et demie.

Après, toilette et trajet jusqu'au MCME où m'attendait le crâne reconstruit de Wayne Gamble. Tracé des fractures conforme à ce qu'on pouvait attendre d'une défaillance due à la brutale augmentation de la pression à l'intérieur de la tête, à la suite de son écrasement entre l'avant de la Chevrolet et le mur en béton. Report de ces conclusions dans le dossier Gamble.

À présent, l'inconnu de la décharge.

Dans ce dossier-là, j'ai commencé par inscrire le nom de la victime, en précisant que l'identité avait été formellement établie par le FBI sur la base des dossiers dentaires.

Après le lunch, j'ai filé au centre commercial de South Park pour acheter un cadeau d'anniversaire à Harry. De retour à la maison, j'ai fait plusieurs brassées de lavage et lu le dernier numéro du *Journal of Forensic Sciences*.

Souper à six heures. Au menu : côtelettes d'agneau aux petits pois.

À court d'idées, j'ai repris mes recherches sur l'abrine. J'ai imprimé divers articles et les ai fourrés dans la poche de mon jeans, au cas où je me retrouverais à devoir poireauter près des stands.

Tout au long de cette interminable journée, j'ai vainement attendu que le téléphone sonne. Aucun appel de Galimore ou de Slidell. Ni des deux agents spéciaux.

J'ai aussi vérifié l'heure qu'il était. Souvent. Toutes les dix ou vingt minutes.

À sept heures, n'y tenant plus, j'ai pris la route de Concord. Puisque j'avais du temps à perdre avant mon rendez-vous, autant aller voir par moi-même à quoi ressemblait tout ce bazar.

Le crépuscule mauve cédait du terrain face aux nuages noirs qui s'agglutinaient dans le ciel jusqu'à former d'énormes aubergines.

Atmosphère électrique à l'approche de l'orage.

Pour ne rien dire du circuit en soi, autre source d'agitation et de cacophonie.

L'air lourd et humide sentait la gomme brûlante, les gaz d'échappement, les saucisses frites et les corps brûlés par le soleil. Les annonces au haut-parleur se perdaient dans les hurlements des moteurs qui tournaient sur les deux mille quatre cents mètres d'asphalte. De quoi vous crever les tympans.

Comme promis, un laissez-passer m'attendait à l'entrée du circuit. Une fois de plus, une voiturette de golf m'a transportée à l'intérieur des pistes.

Slidell s'était trompé. Maddy Padgett ne travaillait pas pour l'équipe locale de Joey Logano et sa voiture n° 20, mais pour un autre Joey. Joey Franck, pilote des Nationwide Series.

Joey comme dans Josephine.

Franck pilotait la Dodge Challenger n° 72 pour le compte de SNC Motor Sports.

La course avait démarré à l'heure dite, huit heures du soir. Au stand de Franck, les mécaniciens, écouteurs sur les oreilles, braillaient les commandes de réglage et positionnaient frénétiquement le matériel nécessaire. Avec leurs combinaisons rouge et noire et leurs casquettes noires, on aurait dit une armée d'androïdes. J'ai repéré, sous un auvent en plastique, une silhouette apparemment plus petite que les autres, peut-être celle d'une femme, occupée à inspecter un jeu de pneus soigneusement empilés. Des pneus bien plus larges que ma chaussure et dépourvus de bande de roulement. Pas à proprement parler des pneus usinés.

Pour ne pas risquer de gêner, j'ai longé le stand et jeté un coup d'œil dans un intervalle entre les baraquements.

Spectacle surréaliste : la piste illuminée comme en plein jour, un gazon vert bien trop vert, un asphalte noir bien trop noir et des tribunes, au loin, qui ressemblaient à des arcs-en-ciel.

Et qui surtout étaient bondées. À tout croire, les fans s'étaient passé le mot.

La course avait été suspendue pour cause de débris sur la piste. Les bolides attendaient deux par deux, le moteur vrombissant, tels des chiens de chasse tirant sur leur laisse pour reprendre la poursuite.

Une quantité de réclames hallucinante. Il y en avait partout : sur les véhicules, les uniformes, les énormes panneaux entourant le circuit. Et les équipes étaient loin d'avoir un seul commanditaire. Portières, capots, toits, auvents, panneaux latéraux, tout — y compris les êtres humains — disparaissait sous les logos publicitaires. Des logos dont certains n'avaient aucun rapport avec la course automobile. Les pastilles digestives Tums ? Le shampooing Head & Shoulders ? L'antidouleur Goody ? N'importe quoi. En tout cas, une chose était certaine : impossible de confondre un circuit NASCAR avec le stade de Wimbledon.

Les voitures ressemblaient à celles que j'avais vues dans les stands de la Sprint Cup. En plus petit peut-être, et sans le petit rebord à l'endroit du pare-chocs que l'on trouve sur les véhicules ordinaires. Elles n'avaient pas non plus ce bidule en forme d'aileron que les voitures des Cup Series arborent à l'arrière, là où il y a le coffre habituellement.

J'ai fini par piger à quoi correspondaient les chiffres inscrits sur les panneaux, à savoir le nombre de tours restant et les positions des pilotes. En revanche, mystère pour ce qui provoquait parmi la foule des hurlements tantôt enthousiastes et tantôt déçus.

Retour au stand de Franck quelques minutes avant neuf heures et demie. Un crachin commençait à tomber. La silhouette gracile était toujours sous la tente.

Seule.

Arrivée à deux mètres d'elle, j'ai appelé :

— Maddy Padgett ?

Elle s'est retournée.

Une peau café frais et des yeux immenses. Des pupilles marron et un blanc de l'œil plus blanc que du coton décoloré. Des tresses noires et brillantes qui remontaient du bord de sa casquette jusqu'à ses sourcils.

— Pas d'autographe maintenant. (Avec un geste distrait de la main me signifiant de partir.)

— Je suis Temperance Brennan.

— Ah oui, c'est vrai. (Coup d'œil à sa montre.) On s'y met, mais faudra faire vite.

— Ça marche bien ?

— On va remporter la prochaine ! (Avec un sourire réjoui.)

— Que pouvez-vous me dire sur Cindi Gamble, mademoiselle Padgett ?

— Vous l'avez retrouvée ?

— Oui.

— Elle est… ?

Mon regard lui a suffi.

— Et Cale ? (Ton apeuré.)

— Aussi.

Elle a hoché la tête. Tension évidente.

— Au téléphone, vous avez parlé d'homicide.

— Tués par balle, tous les deux.

Elle s'est figée dans une immobilité totale. Dans la clarté que laissait filtrer le toit de plastique, les gouttes de pluie sur ses épaules et sa casquette étincelaient.

— On sait qui a fait ça ?

— Un suspect a été arrêté.

— Qui ça ?

— Un certain Grady Winge.

— On sait pourquoi il les a tués ?

— Ses motifs sont encore un peu obscurs.

— Cindi aurait pu réussir, vous savez.

— À quoi ? À devenir pilote de stock-car ?

— À percer en NASCAR, à devenir une superstar. Elle avait… (Remuant les doigts à la recherche du mot juste.) De l'éclat. Du flash !

— C'est un terme propre au monde des courses automobiles ?

— Non, un terme à moi. (Avec un sourire attristé.) Les voitures, c'était comme si elle leur faisait l'amour. Elle arrivait à convaincre tous ces chevaux-puissance de faire exactement ce qu'elle attendait d'eux. Elle se forgeait vraiment un style, petit à petit. Ouais, elle avait du flash. Le public l'aurait adorée.

— Le père de Cale n'est pas de cet avis.

— Craig Bogan ! a lâché Padgett sur le ton de la dérision. Pénible, celui-là !

— Vous ne l'aimez pas ?

— Ce tas de ferraille ? Dieu soit béni, Ça fait bien dix ans que je ne l'ai pas revu ! (Elle a penché la tête, ses traits ont disparu dans l'ombre de sa visière.) Il me détestait.

— Pourquoi ?

Elle a hésité. Puis ses grands yeux bruns m'ont révélé toute la force qui l'animait.

— J'ai couché avec son précieux fils. Péché impardonnable.

Chapitre 32

— Vous étiez amie avec Cindi ?

— Oui. Je l'étais.

— Pourtant, vous avez couché avec son copain. C'est une sorte de trahison, ai-je dit en m'efforçant de bannir tout jugement de ma voix.

— Incroyable, hein ?

— Souvent ?

Elle a fait signe que oui.

Un grondement a retenti dans le ciel, suivi d'un long et profond roulement de tonnerre.

— Seigneur tout-puissant ! J'espère qu'ils ne vont pas encore reporter la course.

— Qu'est-ce qui s'est passé avec Cale ?

— Oh, ce n'était pas le fol amour, si ça peut vous rassurer.

— C'était quoi ?

Elle a soupiré.

— Le truc habituel : l'excitation, tout simplement. On était comme deux bêtes en chaleur. J'avais seize ans, Cale était plus vieux. Le genre mondain, qui connaît la vie.

— Cindi l'a su ?

— Je ne crois pas. C'était quelqu'un de très gentil, qui avait confiance dans les gens.

— Mais qui ne voulait pas lâcher le morceau.

Malgré mes bonnes résolutions, impossible de dissimuler mon dégoût. Padgett a dû le sentir, car elle a répliqué :

— Vous avez bien raison : j'étais une vraie salope, à l'époque.

À présent la pluie tambourinait sur l'auvent en plastique. Padgett a passé la tête dehors, regardé le ciel puis sa montre.

— Et Bogan a découvert que Cale trompait Cindi avec vous ?

— Oui.

— Comment ?

— C'est important ?

Probablement pas.

— Pourquoi est-ce qu'il vous en voulait ? Parce qu'il aimait bien Cindi ?

Padgett m'a regardée comme si j'avais dit que les phacochères avaient des ailes.

— Quels efforts avez-vous donc tous faits pour régler cette affaire ?

— On vient seulement de me la confier.

Elle m'a examinée un long moment.

— Craig Bogan détestait Cindi autant que moi, si ce n'est plus.

— Excusez-moi, mais je ne comprends pas.

Elle a écarté les bras.

— Qu'est-ce que vous voyez ?

— Mademoiselle Padgett…

— Non, sérieusement.

Elle a tenu la pose. Sous sa salopette qui n'était pas faite pour la mincir, on devinait un corps fuselé et bien musclé. Autour du cou, un rang de perles rouges. Du corail, probablement. Petite touche de féminité qui montrait un sens de la mode que j'ai toujours admiré sans jamais le posséder. Maquillage minimaliste aux endroits indispensables, uniquement. Par ailleurs totalement superflu.

Un peu gênée, j'ai déclaré :

— Je vois une femme qui est belle…

— Une femme noire. (Laissant retomber ses bras le long du corps.) Une belle femme noire.

— Vous voulez dire que Craig Bogan est raciste ?

— Je dis qu'il en est resté à la préhistoire.

J'étais bien de son avis.

— Cale était plus évolué ?

Padgett a secoué la tête.

— *Honey*, je ne me raconte pas d'histoires. Pas plus aujourd'hui qu'auparavant. Cale ne m'aurait jamais passé la bague au doigt, jamais. Quant à moi, j'avais autre chose en tête que de faire ma vie avec un gars qui n'était pas même foutu de terminer l'école. On prenait simplement du bon temps là où on le trouvait.

La pluie tombait dru, maintenant. J'ai sorti un coupe-vent de mon sac et je l'ai enfilé.

— Mais y avait pas que ça entre nous. On parlait pas mal. J'ai fini par comprendre son mode de pensée. Il avait démarré dans la vie en accord avec toutes les conneries que lui débitait son vieux. Normal, quand vous subissez un lavage de cerveau depuis l'enfance. Surtout que Bogan, il avait mauvais caractère. C'était bien que Cale prenne ses distances avec lui.

— Vous voulez dire qu'après avoir quitté son père, Cale est devenu plus ouvert ?

— Il a couché avec moi, c'est bien la preuve, non ?

— Qu'est-ce qui l'a fait changer ?

Padgett n'a pas entendu ma question. Elle écoutait une annonce faite aux haut-parleurs.

— Merde ! (Avec un coup de pied fâché.) Ils ont hissé le drapeau rouge.

— La course est arrêtée ?

— Ouais. Je vais devoir vous laisser.

— Si Cale ne partageait pas les idéaux de la Suprématie blanche, pourquoi est-ce qu'il avait rejoint le Détachement patriote ?

— Il voulait en sortir. Mais j'ai déjà raconté tout ça aux flics.

— À qui ?

— Un grand type avec des cheveux noirs.

— Le détective Galimore ? (Avec une légère appréhension.)

— Me souviens pas de son nom.

— Que je comprenne bien : vous dites que Bogan vous détestait parce que vous étiez noire. Mais Cindi, alors. Qu'est-ce qu'il avait contre elle ?

— Vous n'avez pas saisi le deuxième niveau.

Là, j'étais perdue.

— Noire. Femme.

— Vous voulez dire que Bogan déteste les femmes ?

— Pas toutes. Celles qui sont comme nous : les arrogantes.

Dit sur un ton de voix qui en rajoutait dans le style Noire émancipée.

— C'est-à-dire ?

— Les femmes qui osent défier le saint et le sacré.

— Excusez-moi, mademoiselle Padgett, mais je ne vous suis plus.

— Je ne sais pas ce qu'il en est aujourd'hui, mais à l'époque où on se voyait, Cale et moi, Craig Bogan ne vivait et ne respirait que pour la NASCAR. Il allait à toutes les courses. Bavardait avec tous les pilotes. S'habillait comme eux de la tête aux pieds, comme un pauvre petit con. Il ne rentrait plus jamais chez lui. Probablement qu'il s'était dégotté un boulot ici.

Les yeux de Padgett brillaient d'une émotion que je n'aurais pas su définir. Je ne l'ai pas interrompue.

— Son obsession, à ce réactionnaire, c'était que la NASCAR reste fidèle à ses principes d'origine. Il tournait en ridicule quiconque proposait le plus petit changement, tout ce qui pouvait… polluer le système. (Ces derniers mots, assortis d'un geste imitant les guillemets.)

— Les femmes et les pas tout à fait blancs ?

— Exactement, mon amie ! Que Cindi puisse courir en NASCAR, ça le faisait grimper aux rideaux, ça l'exaspérait.

— Et Cale ?

— Ça l'énervait que Cindi ait le potentiel pour participer aux Bandoleros et pas lui. Moi, ça m'arrangeait plutôt. Pendant qu'elle faisait des tours de piste à

Midland, on avait la voie libre, Cale et moi. (Elle a souri à ce souvenir.)

— Avez-vous assisté à des scènes où Cale aurait usé de violence envers Cindi ?

— Non, a répondu Padgett en secouant la tête. Il était raide fou de cette fille. Il ne pensait qu'à elle, même pendant qu'on faisait l'amour.

J'allais lui demander autre chose quand la Dodge n° 72 a vrombi dans les stands.

— Faut que j'y aille ! a hurlé Padgett pour se faire entendre par-dessus le bruit du moteur.

— On peut se reparler plus tard ? S'il le faut, j'attendrai.

— Revenez quand la course sera finie. Après celle-ci, Joey ne risque pas d'entonner le chant de la victoire.

— Où ça ?

— À la remorque. On sera en train de remballer.

À présent, le tonnerre et la foudre s'en donnaient à cœur joie. La pluie tombait à l'horizontale, couchée par les fortes rafales de vent. Le capuchon rabattu sur la tête, je suis retournée à mon poste d'observation de tout à l'heure.

Nombre de spectateurs s'étaient mis à l'abri. Ne demeuraient dans les tribunes que des gens blottis sous des parapluies ou enveloppés dans des ponchos en plastique aux couleurs fluo.

Des pilotes étaient toujours sur la piste. D'autres, comme Franck, avaient préféré revenir aux stands.

Pas un endroit où me mettre au sec en attendant que passe l'orage. Autant me réfugier sous l'aile de Galimore.

Comme la fois d'avant, son cellulaire est resté muet. Exaspérée, j'ai décidé de trouver moi-même le bureau de la sécurité.

La tête baissée et le dos rond, je me suis élancée sous le déluge. Tout en marchant, des bits d'information me sont revenus à l'esprit, détails épars qui provenaient de plusieurs bases de données et se catapultaient dans mon cerveau.

Pour Slidell, cela ne faisait pas un pli : Cale Lovette et Cindi Gamble avaient été tués par Grady Winge et enterrés dans la réserve naturelle. Mais pour quel motif ? Et pourquoi tuer Wayne Gamble ? Pour qu'il ne risque pas de révéler son crime antérieur ?

Gamble n'était pas mort empoisonné à l'abrine. Cela aurait pu se produire, mais plus tard. Dans l'intervalle, quelqu'un avait décidé de l'éliminer tout de suite.

Avec son Q.I. de chou de Bruxelles, comment Winge aurait-il réussi à mettre la main sur de l'abrine ? Et pourquoi aurait-il utilisé du poison maintenant, alors qu'il avait employé une arme à feu pour tuer Cindi et Cale ?

Non, si quelqu'un avait été empoisonné, c'était Eli Hand. Et à la ricine. Mais Eli Hand était-il réellement mort empoisonné ? Dans ses conclusions d'autopsie, Larabee faisait état d'un trauma crânien.

Empoisonnement accidentel, alors ? Au cours d'expériences menées sur de la ricine ? Hand et d'autres cinglés projetaient-ils de commettre des actes terroristes en utilisant cette toxine ? Était-ce à propos d'un tel projet que Cale Lovette et le vieux se disputaient au Double Shot ?

Winge avait accès aux pistes, au baril, à l'asphalte. Pouvait-on lui imputer la mort d'Eli Hand ?

Cindi et Cale auraient-ils découvert que Winge avait assassiné Hand, et Winge les aurait-il tués pour cette raison ?

Winge était-il vraiment passé par une renaissance spirituelle, comme il le clamait ? Conversion née de la culpabilité, dans ce cas ?

Le moindre espace sous les stores et les auvents accueillait des spectateurs dégoulinants de pluie. Une centaine au moins se blottissait sous le portique du centre de presse ; des douzaines d'autres s'étaient glissés sous les tables de pique-nique des concessions alimentaires.

Sous le surplomb d'un bâtiment en parpaing abritant les toilettes, vingt centimètres de libres ! Entre une femme en t-shirt Danica Patrick plus fin qu'un Kleenex et un vieux bonhomme torse nu, en jeans aux jambes coupées. Je m'y suis précipitée.

Là, dans les grondements de tonnerre, j'ai composé le numéro de Slidell.

Sainte mère de Dieu ! Plus personne ne répondait donc au téléphone ou quoi !

Très bien.

J'ai composé le 411. Transmis ma demande.

Une voix de robot m'a fourni un numéro. L'a même composé pour moi.

— Révérend Grace.

Une voix qui avait bien mille ans d'âge.

— Je parle à Honor Grace ?

— Oui, madame. Avez-vous des problèmes ? Votre âme cherche-t-elle le salut ?

— Non, monsieur. Êtes-vous au courant qu'un membre de votre communauté vient d'être arrêté pour meurtre ?

— Oh, mon Dieu ! Qui donc, s'il vous plaît ?

Je me suis présentée. Aussitôt, je lui ai demandé si le détective Slidell l'avait appelé. Histoire de mettre un terme à toute question de sa part sur mon autorité.

— Non. Mais j'ai passé la journée à visiter des malades. Je n'ai pas encore écouté mon répondeur.

— Connaissez-vous Grady Winge ?

À côté de moi, la fille en Danica Patrick s'est mise à agiter les bras comme une folle en hurlant à pleine voix : « Oh, mon Dieu ! Oh, mon Dieu ! Artie ! »

— Tout va bien, madame ? s'est inquiété le révérend Grace.

— Je suis au Speedway, au milieu de spectateurs plutôt excités… Grady Winge, disais-je ?

— Bien sûr. Frère Winge est membre de mon église depuis très longtemps. C'est lui qui est accusé de ce péché ?

— Pouvez-vous me dire quelque chose sur ses faits et gestes mardi soir ?

— Très facilement. Frère Winge est resté ici avec moi.

Le froid qui m'a saisie n'avait rien à voir avec la pluie.

— Vous en êtes certain ?

290

— Absolument. Frère Winge vient tous les mardis m'aider à préparer la réunion de prière du mercredi. Cette semaine, j'étais souffrant. Quelque chose que j'avais mangé, peut-être, ou un microbe, je ne sais pas…

— Il est resté combien de temps ?

— Il est arrivé à six heures, à son habitude, et il a passé toute la nuit auprès de moi. Ce qui était inutile, car au matin j'allais bien. Néanmoins, je lui en suis très reconnaissant. Les voies du Seigneur…

— Merci, monsieur.

J'ai coupé la communication et plaqué le téléphone contre ma poitrine. Sous mes doigts, mon cœur battait à tout rompre.

Grady Winge n'avait pas pu tuer Wayne Gamble.

Autrement dit : l'assassin courait toujours.

J'ai fermé les yeux. Respiré profondément.

Cela signifiait-il que Winge n'avait pas tué non plus Cindi et Cale ? Mais alors, qui l'avait fait, si ce n'était pas lui ?

L'eau du toit tombait sur le gravier avec des floc-floc pile au ras de mes pieds. Autour de moi les gens se bousculaient et rigolaient. Wayne Gamble avait été tué dans le stand de Stupak. Qui donc pouvait franchir les barrières qui fermaient la zone des stands de la Sprint Cup ?

Brusquement, le monde a chaviré.

Galimore avait accès à toutes les installations du circuit.

Hawkins se méfiait de lui. Slidell le détestait carrément. D'anciens flics le soupçonnaient d'avoir entravé le déroulement des recherches en 1998, à l'époque où Lovette et Gamble avaient disparu.

Mais comment Galimore se serait-il procuré de la ricine ou de l'abrine ? Avait-il partie liée avec d'autres individus ?

Il n'était pas à côté de moi, chez Craig Bogan, quand j'avais reçu cette menace sur mon cellulaire… Il ne l'était pas davantage quand Eugene Fries avait posé son pistolet sur ma tête.

Et maintenant, il était injoignable. Introuvable depuis hier matin.

Qu'avait dit Padgett à propos de Cale Lovette, déjà ? Qu'il s'apprêtait à quitter le Détachement patriote ? Elle prétendait l'avoir dit à un flic, à l'époque. Un grand type avec des cheveux noirs.

Ce renseignement avait-il fait l'objet d'un rapport ?

Le froid s'est propagé à tout mon corps.

Chapitre 33

L'indécision me clouait au sol. Si le tueur courait toujours, est-ce que j'étais en danger ?

Concernant Galimore, je n'étais sûre de rien. La ricine ou l'abrine, ce n'était pas son truc. Et s'il protégeait quelqu'un d'autre ? En tant que quoi ? Adepte d'un groupuscule, tueur à gages ? C'était insensé !

Ou alors, une complicité en 1998, afin de protéger l'assassin ? Mais aujourd'hui, pourquoi tuer Gamble ? Parce qu'il était à deux doigts de révéler au grand jour un nouveau complot ?

Il pleuvait toujours des cordes. Où aller ?

Au bureau de la sécurité ? Je tomberais peut-être sur Galimore, mais, en tout cas, il ne serait pas seul.

Peu de chances pour qu'il me kidnappe dans son propre bureau. Il pourrait le faire n'importe où, puisqu'il savait où me trouver.

Mes chaussures étaient trempées. Mon coupe-vent me collait au corps, et mon capuchon à la tête. La nuit avait beau être chaude, je frissonnais.

— *Oh, shit !*

Le marmonnement venait de ma droite. De cette fille en Danica Patrick qui titubait d'ivresse.

Brusquement, elle a lâché sa canette de Miller High Life et s'est pliée en deux en gémissant.

J'ai tenté de me pousser sur la gauche. L'homme au torse nu était juste à côté de moi.

Éclair dans le ciel. Grondement de tonnerre.

Le vomi a atterri à mes pieds.

N'importe où ailleurs, je serais mieux qu'ici.

Baissant la tête sous le déluge, j'ai mis le cap sur la remorque de Joey Franck.

J'avais parcouru la moitié de la rangée des Nationwide quand mon iPhone a vibré.

Slidell ? Pas trop tôt !

Je me suis faufilée entre deux énormes camions transporteurs et j'ai extirpé de ma poche mon téléphone. Tirant le plus possible sur ma manche pour le protéger de la pluie.

— Ici Brennan…

Soudain, une sensation de piqûre au bout des doigts. Un insecte, à l'évidence. Instinctivement, j'ai secoué la main pour le chasser. La communication s'est coupée. Par inadvertance, j'avais dû heurter le bouton de fin d'appel.

J'ai enfoncé la touche de rappel. Mon doigt dérapait sur l'écran humide. Ça me brûlait à l'endroit où je venais d'être piquée.

Plongeant le téléphone sous mon coupe-vent, j'ai frotté l'écran contre ma chemise pour l'essuyer.

Un bruit sur ma gauche. J'ai tourné la tête. Impossible de rien voir à cause de mon capuchon relevé. J'étais en train de recomposer le numéro quand j'ai perçu distinctement un bruit de pas dans l'herbe boueuse.

Des pas pressés, tout proches.

J'ai relevé la tête. Au même instant, un bras m'a enserré la gorge comme un étau.

Le téléphone a jailli de ma main.

Ma tête a été si violemment tirée en arrière que mon cou a craqué.

Maintenue dans cette position, j'ai tenté de me débattre.

La pluie me martelait le visage. Dans mes oreilles, des halètements qui bloquaient tout autre bruit. Dans mes narines, une odeur affreuse de cheveux gras, de nylon mouillé et de vieux tabac.

Terrifiée, j'ai balancé un coup de pied en arrière. Touché !

L'étau s'est resserré autour de ma trachée, empêchant l'air de parvenir à mes poumons.

Je m'étranglais. J'ai griffé.

Devant mes yeux, un ciel traversé de lignes diagonales : la pluie. Une antenne. Une lumière en haut d'un mât.

Des taches sombres.

Le zigzag d'un éclair.

Et le monde a viré au noir.

La pluie s'était arrêtée. Du moins, me semblait-il, mais était-ce bien le cas ?

Au-dessus de ma tête, des crépitements, comme des ongles tambourinant sur du métal.

Tirer un sens de ce bruit.

J'étais à l'intérieur. Sous un toit.

Mais où ?

Depuis combien de temps ?

Et qui m'avait transportée jusqu'ici ?

Des martèlements à l'intérieur du crâne : mes vaisseaux sanguins pris de furie.

Un cerveau incapable de proposer autre chose que des souvenirs disloqués.

Synapse : un espace étroit entre des transporteurs ; des pas dans le noir.

J'ai soulevé la tête.

Mon estomac a vacillé. Un goût amer a envahi ma bouche, ma langue s'est mise à trembler.

J'ai dégluti.

Odeur de terre argileuse. Sous ma joue, un matériau dur et froid.

Synapse : un corps musclé plaqué contre mon dos.

Subitement, une sensation de brûlure qui appartenait bel et bien à l'instant présent. À l'annulaire, cette brûlure.

J'ai bougé la main. Tâté la surface sur laquelle j'étais étendue.

Dure. Rugueuse.

Du béton.

Synapse : un étau m'enserrant la gorge. Moi, toutes griffes dehors, essayant désespérément de respirer.

J'ai pris une longue goulée d'air.

Ai ouvert les yeux.

Du noir sur du noir, de vagues variations d'intensité.

En appui sur les deux mains, soulever une épaule et décaler les hanches.

Je n'ai pas eu le temps de m'installer en position assise que la nausée m'avait saisie. La tête penchée en avant, j'ai vomi à en avoir mal aux muscles du ventre.

La crise passée, je me suis essuyé la bouche du dos de la main. Rouler sur le côté pour me mettre à quatre pattes.

Nouvel accès. Jusqu'à ne plus cracher que de la bile.

Assise sur le derrière, j'ai tendu l'oreille.

Par-dessus les tambourinades de la pluie, des vrombissements de moteurs, des vitesses qui grinçaient. Mais insonorisés par des murs.

Et un autre bruit. Beaucoup plus étouffé. À peine audible.

Gémissement ? Grognement ?

Tout près.

Dieu du ciel !

Quelqu'un d'autre dans ma prison !

J'ai ressenti une sorte de palpitation à l'intérieur de ma poitrine, comme si mon cœur s'était décroché et battait librement contre les parois de ma cage thoracique.

Me concentrer. Un mouvement ? Un signe de présence ?

Non, rien. Me serais-je trompée ?

À genoux, j'ai attendu que mes yeux s'habituent à l'obscurité. Dans ce noir d'encre, à gauche, une fente pas plus épaisse qu'un cheveu : une ligne grisée, au ras du plancher. Pas assez de lumière pour que mes yeux y voient quelque chose.

Je me suis mise debout. Ai marqué encore une pause.

Crispation des entrailles. Sans conséquence, tout était déjà purgé.

Le bras tendu devant moi, j'ai avancé pas à pas vers cette rainure. Une porte ?

Bientôt, sous le bout de mes doigts une surface dure et lisse. Du métal.

Un métal parcouru de nervures verticales.

Un pas à droite. Ici, les nervures étaient horizontales.

Tâter plus loin. J'ai trouvé une discontinuité. Je l'ai suivie des doigts en remontant. Plus haut, plus haut, puis en redescendant jusqu'au sol. Un rectangle.

L'épaule en avant, je me suis précipitée sur ce rectangle, en ciblant le point qui devait se trouver au centre.

Cliquetis métalliques. La porte a tenu bon.

J'ai recommencé, encore et encore, jusqu'à en avoir mal à l'épaule, et je me suis laissée tomber sur les fesses pour continuer à donner des coups, mais avec mes pieds.

Efforts bien inutiles. Un bambin de deux ans aurait eu plus de force que moi. Et cette porte était en fer.

Je me suis allongée sur le dos, tremblant de tous mes membres, le souffle court et douloureux.

La bouche sèche comme le désert. La tête martelée de coups. Le ventre en feu.

Sors d'ici ! Découvre celui qui t'a enfermée dans cet endroit !

Des ordres venant du plus profond de mon cerveau.

Je me suis relevée, les jambes en caoutchouc.

Vertige. Tournis. Le monde tournant comme une toupie. À nouveau des haut-le-cœur.

La crise passée, je suis repartie en avant, plus déterminée. Suivant la paroi.

Dix pas plus loin, un angle de mur. Dans l'angle, de grands sacs en plastique jetés sur le plancher.

J'ai enfoncé le pouce dans le plus proche de moi. À l'intérieur, quelque chose de lourd et grenu comme du grau. De près : une odeur de terre, d'argile et de crottin.

Quart de tour sur moi-même. Reprise du parcours dans le noir.

À deux pas du coin, une pelle suspendue à un crochet, à environ un mètre au-dessus de ma tête. À côté de cette pelle, une fourche. Puis une houe, une autre pelle, un coupe-haie, une tondeuse de haie, une élagueuse.

Sous les outils, trois tuyaux enroulés.

Déduction : un hangar de jardin. En acier galvanisé.

Avec une seule porte. Verrouillée de l'extérieur.

Les larmes me sont montées aux yeux.

Non !

Pour l'heure, la température était relativement fraîche dans ce hangar, mais ça ne durerait pas. Dès que la pluie se serait arrêtée, la chaleur deviendrait vite insupportable sous le soleil tapant, dans cette boîte en métal dépourvue d'ouverture.

Continue d'avancer !

Huit pas plus loin, ce deuxième mur en rencontrait un troisième.

J'ai poursuivi l'exploration.

Deux autres pas et le bout de ma chaussure a heurté quelque chose par terre. J'ai tâtonné du pied.

Quelque chose de ferme et d'élastique en même temps.

Quelque chose que je connaissais bien.

Envoyée par mes cellules grises, une image de cadavre.

Je me suis aplatie contre le mur.

Puis, le cœur battant à tout rompre, je me suis accroupie.

Chapitre 34

Examen du corps.

Un thorax puissant, des joues rugueuses de barbe. Un homme.

J'ai pris son pouls sous la mâchoire. En déplaçant la main.

Aucun signe de vie.

Pas le plus petit battement du sang à hauteur de la carotide. De la jugulaire.

Rien.

Une peau fraîche, pas froide. S'il était mort, cela ne faisait pas longtemps.

Doux Jésus ! Qui était-ce ?

Les mains tremblantes, j'ai palpé la face, décryptant les traits comme un aveugle un texte en braille.

Galimore !

Une giclée d'adrénaline s'est déversée dans mes veines.

Bloquer mon souffle et coller l'oreille à sa poitrine.

Un murmure à peine audible ? Impossible à dire en toute certitude. La pluie faisait trop de bruit.

S'il vous plaît, Seigneur ! Laissez-le vivre !

Je passais par du chaud et du froid, grelottant et bouillant tour à tour.

Plus une seule pensée solide, uniquement des bribes éclatées en tessons minuscules. Plus rien n'avait de sens.

Une seule certitude : ce n'était pas Galimore qui m'avait enfermée dans ce hangar.

D'ailleurs pourquoi s'y trouvait-il lui-même ? Illogique, si c'était lui l'assassin ou s'il avait partie liée avec l'assassin.

Est-ce qu'il était mort ?

Galimore et moi avions un ennemi commun.

Qui ?

Prise de vertige, je n'ai pu que me laisser tomber sur les fesses et subir, affalée contre le mur, une avalanche d'images et de pensées éparses.

Deux squelettes se tenant embrassés dans une tombe creusée à la va-vite. Les deux crânes percés d'un trou à l'arrière, preuve qu'ils avaient été tués par balle.

Grady Winge priant dans les bois. Assis à une table au centre de presse.

Une Mustang Petty Blue 1965, avec un autocollant vert fluo, côté passager. Décrite en 1998 et aujourd'hui dans des termes identiques. À plus de dix ans d'intervalle.

Maddy Padgett à côté d'une pile de pneus.

Padgett qui se disait l'amante de Cale Lovette. Qui était noire. Padgett affirmant que Lovette voulait quitter le Détachement patriote.

Un bar éclairé au néon. Slidell attrapant un homme par sa barbe.

Un appartement meublé Kmart. Lynn Nolan dans un déshabillé d'un goût douteux.

Le vieux parlant d'empoisonner le système. Cale lui répondant que c'était trop tard. Qu'il ne pourrait l'empêcher.

Le vieux lui intimant de rester à sa place.

Maddy Padgett, les traits contractés par l'émotion.

Disant que Craig Bogan était un raciste, un sexiste. Que Cindi Gamble avait du flash.

Les squelettes, encore.

Lumière et obscurité.

La photo d'une fille blond platine, avec des anneaux d'argent aux oreilles.

Craig Bogan dans un fauteuil, caressant un chat.

Bogan disant : « Une Mustang Petty Blue 1965. »

Pas « une Mustang » ou « une Mustang bleue », « Une Mustang Petty Blue 1965 ».

Ted Raines recroquevillé sur un divan.

« La moindre foutue graine rouge doit être répertoriée. »

Un collier de perles rouges dans l'encolure d'une combinaison de mécanicien.

D'autres perles rouges tressautant sur un bras comme une rangée de coccinelles dansant la conga. Galimore serrant la main d'une femme en collant noir mouillé de sueur. Reta Yountz.

Le monde a basculé.

J'ai retenu mon souffle.

C'était donc ça, le message que me chuchotait mon subconscient ?

Rassemblant le peu de forces qui me restaient encore, j'ai rampé jusqu'à la porte. À quatre pattes, j'ai tiré un papier de la poche arrière de mon jeans et je l'ai déplié sur le sol en béton. Image à peu près visible dans le filet de lumière, et un grand bout du texte à côté.

Titre de l'article « L'*Abrus precatorius* ou haricot paternoster ». Sur la photo, des petites graines rouges avec une tache noire. Petites graines décrites dans le texte comme ressemblant à des coccinelles.

Dans mon délire, des atomes sont entrés en collision, se sont enchevêtrés.

Reta Yountz portait un bracelet en graines de paternoster.

C'était du haricot paternoster qu'on tirait l'abrine.

L'abrine, poison utilisé contre Wayne Gamble.

Maddy Padgett avait parlé d'un contrat entre Bogan et le Charlotte Motor Speedway. CB Botanicals. Et moi qui étais enfermée dans un hangar de jardin.

Bogan, un réactionnaire avec un sale caractère, d'après Padgett. Qui ne supportait pas l'idée que des femmes ou des Noirs puissent courir en NASCAR.

Cindi Gamble, une jeune fille déterminée à devenir pilote de course, et qui avait des dons pour cela. Ce que savait Bogan, puisqu'il avait assisté à sa course des Bandoleros.

Le « vieux » aperçu par Nolan au Double Shot, c'était Craig Bogan, évidemment !

En fait, Bogan et Lovette ne parlaient pas d'un acte terroriste, ils se disputaient à propos de Cindi. Parce qu'elle ne savait pas rester à sa place. Quant au système pollué, ce n'était pas le réservoir d'une ville, c'était la NASCAR. Plus exactement la vision pervertie qu'en avait Bogan.

Celui qui avait tué Cindi Gamble, c'était Craig Bogan. Pour empêcher qu'elle devienne pilote de course.

Il avait tué aussi son propre fils parce qu'il ne le comprenait plus. Parce qu'il savait que Cale le dénoncerait. Enfin, il avait tué Wayne Gamble parce que celui-ci posait trop de questions. Parce qu'il réclamait à cor et à cris la réouverture de l'enquête sur la base de faits nouveaux.

Cette vérité subitement dévoilée me laissait abasourdie. Je ne voyais plus rien. Je flageolais sur mes jambes. Rien ne m'avait préparée à cela.

J'ai tendu le bras pour me retenir.

Au même instant, le grincement d'un loquet qu'on repousse. Et la porte a coulissé.

J'ai réussi à ne pas tomber à la renverse.

Devant moi, une forme en contre-jour dans deux puissants faisceaux de lumière.

J'ai baissé les yeux, mis la main en visière.

Deux bottes. Pleines de boue, ai-je noté, une fois que j'ai eu recouvré une vision nette.

— Je vous ai sous-estimée, ma petite dame !

Bogan, d'une voix sans gaieté.

Vu d'en bas, accroupie comme je l'étais, ce n'était qu'une silhouette avec un bras saillant sur le côté à hauteur du coude et quelque chose qui remuait dans sa main.

— Plus coriace que prévu.

Il a changé de place. Ancré ses pieds au sol.

Dans le mouvement, un éclat de lumière : j'avais un semi-automatique braqué sur la tête.

Mon sang n'a fait qu'un tour, d'autant qu'il était déjà saturé d'adrénaline. Les forces me sont revenues d'un coup. J'ai crié :

— Les policiers sont déjà à notre recherche ! (D'une voix quand même pâteuse.)

— Laisse-les faire. Là où je t'emmène, y a pas de chance qu'ils te retrouvent !

— Nous avons retrouvé Cale et Cindi.

Les traits taillés à la serpe se sont rigidifiés. J'ai poursuivi sur ma lancée.

— Tuer une personne de plus ou de moins, qu'est-ce que ça peut faire, évidemment, quand on en a déjà éliminé trois ?

— T'en oublies un. Ton copain. (Désignant Galimore de son arme.)

De mon côté, un seul et unique but : gagner du temps.

— Faut quand même être spécial pour descendre son fils !

Les doigts de Bogan se sont resserrés sur le Glock.

— Et Winge ? Comment vous êtes-vous débrouillé pour le mêler à tout ça ? En menaçant de le faire virer de son boulot ? En faisant appel à sa loyauté envers le Détachement patriote ?

— C'est un con.

— Ce coup-ci, faudra pas compter sur lui pour effectuer le sale boulot à votre place. Pour vous couvrir par ses mensonges ; pour enterrer votre enfant et sa copine. Il ne tiendra pas le coup, il vous dénoncera. Vous le savez bien !

— Sauf s'il tient à la vie. En plus, ça sera jamais que la parole d'un accusé contre la mienne. Et contre moi, il n'y a aucune preuve.

— Pas mal, l'idée de l'inconnu en Mustang. Vous avez dû lui faire répéter sa leçon combien de temps, pour qu'il la sache par cœur ?

Pendant ce temps, j'essayais de voir ce qu'il y avait derrière Bogan. Impossible, aveuglée que j'étais par ce double faisceau de lumière. Des phares ?

Quant aux bruits, rien qui puisse m'informer de l'endroit où j'étais. Pas un son de moteur, pas d'annonces au haut-parleur. Ou bien la course était finie, ou bien nous n'étions pas sur le circuit.

— Les gens de ta sorte en veulent toujours plus ! a lâché Bogan sur un ton plein de haine. Peuvent jamais se contenter de ce qu'ils ont !

— Les gens de ma sorte, ça veut dire les femmes ? (Prolonger l'assaut verbal ne faisait qu'envenimer les choses, mais impossible de m'arrêter.) Elles vous font peur à mort. Pas vrai, Craig ?

— Suffit ! T'es déjà de l'histoire ancienne.

Je n'ai pas eu le temps de faire un geste que Bogan m'avait attrapée, hissée de force sur mes pieds et retournée violemment contre lui, le cou à nouveau serré dans l'étau de son bras.

— Qui c'est qui a peur à mort, maintenant ? (Avec un rire réjoui.)

Bogan m'a traînée vers les lumières, en enfonçant son Glock plus durement dans mes côtes à chacun de ses pas. Répétition de la scène déjà jouée près des transporteurs. Sauf que cette fois, j'avais de la bouillie de maïs à la place des muscles. Je n'étais plus qu'une mite se cognant à la moustiquaire.

La pluie tombait toujours. Sous mes pieds, la terre était lisse.

J'entendais bien des bruits de circulation au loin, mais impossible de baisser les yeux pour reconnaître les lieux.

Nous avons dépassé la source du double faisceau de lumière. Des phares, en effet. Une pelleteuse avec un énorme godet à l'avant et à l'arrière.

Arrêt dix mètres plus loin. Bogan m'a fait violemment baisser la tête. A planté son arme dans mon occiput.

J'ai cligné des yeux : au ras de mes pieds, un gouffre.

Le trou de drainage qui s'était creusé dans le sol !

Les engrenages de mon cerveau se sont bloqués de terreur.

— Tu vas pouvoir jouir de l'enfer pour l'éternité.

Cette voix était du venin à l'état pur.

Je l'ai senti se tendre. Il m'agrippait toujours par les épaules, mais n'appuyait plus son pistolet contre ma nuque

— Va te faire foutre, gros tas de merde !

Et de pivoter sur moi-même tout en me tortillant. Avec une force décuplée par l'adrénaline.

Sa main droite a dérapé sur le nylon de ma veste et glissé jusqu'au bas de ma manche.

J'ai tiré de tout le haut du corps.

Il me serrait si fort qu'il allait me briser le poignet.

Hurlement de douleur.

Son autre main est descendue le long de mon bras. Fléchissant les genoux, il m'a soulevée de terre et balancée dans le vide.

J'ai volé en diagonale dans une obscurité totale et entamé une chute qui a duré l'éternité.

Douloureux atterrissage sur le flanc droit contre une digue située beaucoup plus bas.

Rebond sous la force de l'impact, et je suis repartie sur un sol de boue et de pierres, dans un vol qui m'entraînait toujours plus bas et qui s'est achevé quelques secondes plus tard au milieu d'une mare. Un liquide putride s'est refermé sur moi. Les genoux serrés contre la poitrine, j'ai prié le ciel. Pourvu que la mare ne soit pas trop profonde !

En battant l'eau de mes bras endoloris, j'ai réussi à stopper ma course et à récupérer la position verticale.

J'avais repris pied. Au fond, une terre pas très ferme mais suffisamment solide pour que je n'y enfonce pas.

L'eau stagnante m'arrivait à la poitrine.

Odeur aigre de boue et d'humus putréfié. Puanteur de choses mortes depuis longtemps.

Tout autour de moi, un noir de tombeau. Très loin au-dessus de ma tête, un ciel à peine moins noir.

Fallait que je sorte d'ici. Mais comment?

J'ai marché dans l'eau jusqu'à l'endroit où il me semblait y être entrée.

Les mains tremblantes, j'ai tâtonné.

Un mur abrupt. Gluant de cambouis et de déchets moisis.

Face à cette paroi, j'ai soulevé une jambe qui pesait une tonne.

J'ai positionné un pied. Tendu les bras au maximum, les doigts recourbés en griffes.

L'effort m'a achevée.

Prise d'une crampe à la jambe, je me suis affalée, la poitrine et la joue plaqués contre ce mur de boue.

Une minute? Une heure?

Quelque part, dans une autre dimension, un moteur est revenu à la vie.

Des crachotements. Des grincements. Des vitesses qu'on passe.

Le bruit s'est rapproché. Le trou a clignoté.

J'ai levé la tête.

L'obscurité découpée en tranches par un double faisceau de lumière.

Mon cerveau fonctionnait au ralenti, cherchant à tirer un sens de tout ça.

Des crissements de ferraille.

Un bruit d'engin à l'arrêt.

De chocs métalliques.

Un grondement sourd : des pommes de terre qui dévaleraient un conduit de vide-ordures.

Et une énorme motte de terre qui s'est abattue sur mon dos.

Tout l'air de mes poumons s'est échappé d'un coup.

J'ai été prise de spasmes. Au même instant, nouvelle avalanche de terre depuis là-haut.

J'ai replié la tête, les bras serrés autour de mon crâne.

Bogan remblayait le trou de drainage. Ce monstre m'enterrait vivante!

File de l'autre côté!

Je me traînais le long de la paroi en marchant en crabe quand soudain il y a eu des pétarades.

Un bruit de voix m'est parvenu.

Une hallucination?

La pelleteuse a repris son vacarme.

Cliquètement des vitesses.

Gémissement du moteur, et de nouveau, l'engin a calé.

Un petit rond de lumière a plongé du bord du trou. Bientôt rejoint par d'autres. Petits ronds qui dansaient sur l'eau, virevoltaient sur les parois boueuses et, finalement, se sont arrêtés sur moi.

— Elle est là!

— Maudit enfant de chienne!

La voix de Slidell ne m'a jamais paru si douce.

Chapitre 35

L'histoire ne m'a été racontée dans sa totalité que trois jours plus tard, à ma sortie du Presbyterian Hospital.

À ce moment-là, Mark Martin avait remporté la victoire dans la Coca-Cola 600 à vingt contre un et Sandy Stupak avait terminé dix-neuvième. La finale de la course avait été reportée au vendredi soir à cause de la pluie et des risques de tornades. Le lendemain, Joey Franck franchissait la ligne d'arrivée en vingt-septième position.

Et le soleil avait enfin montré le bout de son nez.

Katy était venue me voir tous les jours. Larabee était passé aussi. De même que Charlie Hunt. Et Pete, mais sans Summer.

Hmm, hmm.

Ma piqûre au doigt ne provenait pas d'un insecte, mais d'une flèche lancée à la sarbacane et dont la pointe était enduite d'abrine. En fait, Bogan visait mon cou, mais mon iPhone avait sonné au même instant et le mouvement de ma main, du téléphone ou de ma manche avait fait dévier le coup.

Karma ? Destin ? Chance ? Qu'importe. Une aide de ce genre est toujours bonne à prendre.

L'ironie de la chose, c'est que la personne qui m'appelait à ce moment-là n'était autre que Summer. Finalement, c'était à l'une de ses crises d'hystérie à propos de son mariage que je devais d'être en vie aujourd'hui.

La petite dose d'abrine entrée dans mon corps m'avait causé des vomissements, de la fièvre, un affreux mal de tête et une perte d'orientation. Mais j'avais survécu.

Galimore avait été empoisonné lui aussi. Les pronostics étaient bons, il n'aurait pas de séquelles, même s'il devait rester encore à l'hôpital.

D'après les médecins, soit Bogan n'avait pas mis assez d'abrine sur sa flèche, soit celle qu'il avait utilisée était dégradée ou avait été obtenue sans respecter les procédures. Peut-être aussi que les pluies avaient dilué la solution de toxine avant qu'il y ait contact. Quoi qu'il en soit, le dosage n'était pas suffisant pour que nous en mourions, lui ou moi.

Padgett avait dit vrai. Bogan était depuis des années le paysagiste attitré du circuit. C'était donc dans un de ces abris de jardin qu'il possédait sur le circuit qu'il avait enfermé nos «cadavres», après nous avoir «tués». En attendant de s'en débarrasser.

L'effondrement de terrain avait été une chance pour lui. Les responsables du circuit avaient accepté avec gratitude sa proposition de combler le trou de drainage. Son idée, c'était de nous charger sur sa pelle mécanique et de nous déposer au fond, dix mètres en dessous du niveau du sol, puis de nous verser dessus des tonnes de terre sous prétexte de remblayer le gouffre. En découvrant que j'étais vivante, il avait dû changer de plan et nous enterrer séparément, moi la première. Heureusement que, dans le hangar, j'avais retrouvé mes esprits ! Renaissance au moment fatidique.

C'était effectivement Bogan qui avait tué Cale et Cindi. Et c'était bien sous la menace de le faire virer de son boulot qu'il avait obligé Grady Winge à aider un camarade du Détachement à se défaire des deux cadavres.

Les parents de Cindi avaient donc vu juste, tout comme Ethel Bradford : le couple n'avait jamais fugué pour se marier ou pour rejoindre un groupe extrémiste quelque part dans l'ouest du pays, contrairement aux conclusions du groupe de recherches.

Lynn Nolan et Wayne Gamble s'étaient trompés eux aussi : Cale n'avait pas tué Cindi et il n'avait pas fui la justice en entrant dans la clandestinité.

Slidell et moi n'avions pas été meilleurs : Cale n'était pas un indic du FBI et il n'avait pas été assassiné par des adeptes du Détachement patriote. Ni lui ni Cindi n'avaient bénéficié du programme de protection des témoins.

Quant à la théorie d'Eugene Fries, elle était tout aussi éloignée de la vérité : Cale n'avait pas pris la fuite par crainte d'être arrêté pour acte de terrorisme.

Nous étions mardi, une semaine jour pour jour après la mort de Wayne Gamble. Et je prenais le café chez moi, dans le bureau, en compagnie de Slidell et des deux agents spéciaux.

Un Slidell fidèle à lui-même.

— Vous faites peau neuve sacrément vite, doc ! La dernière fois que je vous ai vue, on aurait pu vous prendre pour une de ces choses qui remontent à la surface dans la cuvette des chiottes quand on oublie de tirer la chasse.

— Merci, détective. Et merci pour vos fleurs. C'était très gentil.

— Je voulais engager des tournicoteuses de bâton, mais elles étaient toutes prises.

— Ce n'est pas grave. Avec des majorettes, nous aurions été vraiment à l'étroit.

Nous l'étions déjà. Skinny était assis au bureau, Randall et Williams piqués sur des chaises apportées de la salle à manger, et moi, à moitié allongée sur le canapé sous une couette, Birdie sur les genoux.

— Bogan va s'en sortir ?

— Ouais, mais pas parce que j'ai mal visé. Parce que, au moment où je tirais, il n'a rien trouvé de mieux que de s'accroupir dans sa pelle, ce sudiste raciste !

Les pétarades entendues n'étaient donc pas des échanges de coups de feu.

— Comment avez-vous deviné que j'étais sur le circuit ?

— Un tuyau d'un ecclésiastique.

Naturellement. Quand j'avais eu le révérend Grace au téléphone, je lui avais dit que j'y étais.

— Alléluia, ma sœur ! a ironisé Slidell en agitant la main, les doigts écartés.

— Pourquoi êtes-vous allé sur cette piste de terre ?

— On m'avait dit que Bogan était en train de combler le trou de drainage. J'y ai ramené mes fesses. J'ai vu des phares et je vous ai entendue jurer comme un marin en goguette.

— Dieu merci, vous avez quand même appelé le pasteur de Winge.

— Le gars là-haut, il y est pour rien. Et c'est pas moi non plus qui ai téléphoné au pasteur. C'est lui qui m'a appelé. Vers les dix heures du soir. Complètement chamboulé qu'un gars de sa bande puisse être sous les verrous. À ce moment-là, j'étais toujours en train de me faire chier à essayer de lui tirer un mot, à Grady Winge.

— Grace l'a convaincu de parler ?

— Ouais. Comme quoi il n'aurait pas le salut s'il ne témoignait pas de la vérité. Ou ce genre de *bullshit*. D'après ce qu'il a dit, Bogan aurait tué la fille et son fils parce que c'était des agents qui complotaient contre les Patriotes. Après quoi, il lui aurait ordonné d'enterrer les corps s'il voulait pas se faire virer et du Détachement et de son boulot.

— Le même argument que deux ans plus tard, pour obliger Winge à balancer Eli Hand dans la décharge, est intervenu Williams.

Détail que j'ignorais.

— Le système pyramidal, a repris Slidell. Danner mettait la pression sur Bogan, qui la mettait sur Winge.

— J.D. Danner ? Le chef du Détachement patriote ?

Visiblement, j'avais manqué pas mal de choses pendant mes quelques jours d'incapacité.

— Le cowboy en chef, c'était lui, a expliqué Slidell.

— Après la mort de Wayne Gamble, le Bureau a jugé utile d'entendre diverses personnes faisant l'objet de surveillance, a précisé Williams.

— Rassemblement général, a fait Slidell en décrivant un cercle dans l'air avec son doigt.

— Sur le conseil de son avocat, Danner a bien voulu coopérer en échange d'un abandon des poursuites. Le procureur a donné son accord, concernant les actes criminels datant d'avant 2002.

— L'année où le Détachement s'est dissous.

— Oui. Comme vous le savez, Grady Winge n'est pas malin-malin. En plus, il buvait, en 1998. Bref, il a laissé échapper que Bogan avait tué Cale et Cindi. À en croire Danner, des gars de sa bande en ont profité pour faire chanter Bogan.

— Faire de lui leur pute, a dit Slidell.

— À la mort d'Eli Hand, des types haut placés dans le Détachement l'ont désigné pour se défaire du corps, a ajouté Williams. De la même manière qu'il avait lui-même obligé Winge à faire le sale boulot à sa place, avec les corps de Cale et Cindi.

— Ça tombait bien. Il fallait justement réparer les pistes, au Speedway, a indiqué Slidell. Combler les nids-de-poule.

Qu'un être humain puisse accepter de faire une chose pareille même sous la contrainte, même quelqu'un d'aussi limité que Winge intellectuellement, je n'en revenais pas !

— Il faut des arguments drôlement frappants pour obliger quelqu'un à introduire un cadavre dans un baril, à le recouvrir d'asphalte et à le transporter dans une décharge, non ?

— Si Winge avait refusé, Bogan lui aurait collé sur le dos le meurtre de Cindi et Cale. Et il l'a d'ailleurs menacé de foutre le feu à la maison de sa mère.

— C'est lui qui a incendié la baraque d'Eugene Fries et qui a tué son chien ?

Williams a fait signe que oui et enchaîné :

— Et c'est lui aussi qui filait Wayne Gamble.

— Gamble avait dû le contacter, ai-je dit après un temps de réflexion. La première fois qu'il est venu me voir au MCME, il a dit qu'il allait essayer de retrouver le père de Cale.

— Bogan a eu une sacrée frousse, a déclaré Slidell en retournant dans ses mains un globe d'eau, cadeau de mon neveu Kit.

— Il voulait le dissuader de demander la réouverture de l'enquête sur la disparition de sa sœur, a expliqué Williams. Pour ce faire, recours au *modus operandi* habituel : l'intimidation. Sauf que cette fois, ça a foiré.

Au souvenir des messages que m'avait laissés Gamble, au souvenir de sa voix vibrant de colère et d'angoisse, la culpabilité m'a submergée.

— C'est lui aussi qui a menacé Galimore, poursuivait Williams. Et qui vous a menacée, vous.

Je me suis revue dans la serre de CB Botanicals, avec le chat Daytona.

— Bogan a dû découvrir mon numéro quand il a nettoyé mon iPhone. Je l'avais laissé tomber par terre dans la serre, et il a pris tout son temps avant de me le rendre. Cela dit, quand j'ai reçu cette menace au téléphone, il était à côté de moi.

— Quand il est allé chercher des boissons à la cuisine, il a appelé un employé, lui a donné votre numéro et lui a promis cinquante dollars s'il vous disait cette phrase. De vive voix ou sur répondeur.

Le jeune qui nettoyait les gouttières. Bogan devait l'avoir bipé pendant qu'il écoutait de la musique sur son cellulaire. Cinquante dollars pour taper un numéro ? Bien sûr. Le garçon s'était exécuté.

— C'est un oiseau, à l'intérieur ? a demandé Slidell en levant le globe d'eau vers la lumière.

— Un canard. Vous voulez bien le reposer ?… Et Eli Hand, il est mort de quoi ?

— Danner soutient qu'il s'est empoisonné tout seul, sans le vouloir, a dit Williams.

— À crétin, crétin et demi.

Encore un de ces bons mots chers à Slidell. Je n'ai pas relevé. J'ai préféré ironiser :

— Les empoisonnements, ça laisse des fractures du crâne comme séquelle ?

Williams a haussé les épaules.

— Danner suppose qu'il a dû faire une chute. En l'absence de témoin, on ne le saura jamais.

S'étant éclairci la gorge, il a vrillé ses yeux dans les miens.

— Si le FBI a placé le corps d'Eli Hand sous séquestre, c'était uniquement dans le souci légitime d'enrayer tout risque de contamination à la ricine.

— Et l'incinération ? Quelle raison ? (En soutenant son regard sans ciller.)

— Erreur involontaire de transmission dans les ordres.

— Le vol des dossiers, involontaire aussi ? a ricané Slidell, et il a reposé avec bruit le globe d'eau sur sa base.

— C'est au Dr Brennan et au Dr Larabee que j'ai été prié de présenter des excuses officielles, a répliqué Williams sans se laisser démonter. Pour la destruction des restes d'Eli Hand. Pour ce qui est de réclamer des dossiers aux plus hautes instances locales, c'est une pratique des plus courantes. (D'une main indifférente, il a chassé une miette inexistante de son pantalon impeccablement repassé et nous a dévisagés avec une égale insouciance.) Le Bureau est en possession de renseignements sur le Mouvement loyaliste que je ne suis pas…:

— Ouais, ouais. «Autorisé à divulguer». Foutu James Bond !

Williams a poursuivi, imperturbable :

— Toutefois je peux vous dire ceci : toujours par voie de chantage, le Détachement patriote a obligé Bogan à mener des expériences avec de l'abrine.

— Dans quel but ?

— La ricine ne les satisfaisait pas vraiment. Ils voulaient quelque chose de plus efficace. Pour reprendre les

314

paroles de Danner: «Certains des nôtres n'étaient pas moralement opposés à la politique de désobéissance civile.»

— À commettre des actes allant jusqu'à massacrer des innocents? me suis-je écriée. Les salauds!

— Oh, mais pas Danner, a ironisé Slidell. Lui, c'est Peter Pan tout craché.

Je n'ai pas relevé.

— Wayne Gamble n'était donc pas paranoïaque. Sa famille était bien sous surveillance du FBI en 1998.

Williams a hoché la tête. Je me suis tournée vers Slidell.

— Vous en êtes où avec Bogan? Il parle?

— Comme Danner, il cherche à passer un accord avec la justice. Mais vu qu'il a rien à offrir au procureur, il risque pas d'obtenir grand-chose en échange.

Skinny s'est laissé retomber en arrière, les jambes tendues. La chaise a émis un grincement sinistre.

— Je lui balance des expressions tirées du jargon pénitentiaire. «Injection létale», «surin», même le fameux «penche-toi, voyou».

— Ça l'impressionne?

Slidell a croisé les doigts derrière sa tête.

— Il va l'être.

Chapitre 36

Le lendemain, après-midi de détente sur la terrasse en compagnie de Birdie. Pour moi, lecture d'un livre sur l'histoire de la NASCAR ; pour lui, partie de baseball avec sa souris en tissu. Pour nous deux, un CD de Dr. Hook.

Le préféré du chat. Quand on en arrive à Y*ou Make My Pants Want To Get Up and Dance*, Birdie s'arrête vraiment pour écouter le morceau.

Un bruit de voiture m'a soudain fait tourner la tête. Une Taurus bleue venait de dépasser le manoir et s'engageait dans l'allée en demi-cercle.

— Regarde, Birdie. Un rayon de soleil !

Le chat est resté concentré sur son rongeur en toile de jute.

La Taurus a disparu derrière un bosquet de magnolias pour en ressortir bientôt et s'arrêter tout près de l'Annexe. Une seconde plus tard, Slidell s'extirpait du véhicule.

J'ai refermé mon livre et suivi des yeux sa difficile progression sur le sentier. Dans le genre qui se traîne, difficile de faire mieux que Skinny.

— Heureux de voir que vous suivez les ordres du médecin !

Ses Ray-Ban de contrefaçon m'ont renvoyé un éclat de soleil.

— Encore un jour, et je reprends le collier.

— Ouais. La dame est aussi têtue que la graisse sur le ventre.

— Est-ce que Bogan vide son sac ? (Histoire de parler d'autre chose que de ma santé.)

— Comme une perruche qui aurait pris du crack.

Slidell a vraiment de ces métaphores ! Mais n'était-ce pas plutôt une comparaison ?

— Comment ça ?

— Il parie sur le fait que le procureur va baisser les chefs d'accusation.

J'ai levé une main en l'air, les doigts écartés, pour lui signifier de m'en dire plus.

— La nuit où ils sont morts, Cale a dit à son vieux que Cindi avait une proposition à Daytona et qu'il partait avec elle. Bogan est entré dans une rage noire. Vous vous rendez compte ? Il se justifie en disant que c'était de la provocation. Que cette fille lui volait son fils. Un fils à qui il n'avait à peu près pas adressé la parole pendant des années !

— Et Wayne Gamble ? C'est parce qu'il lui a dit en face ce qu'il pensait ?

— Ouais. Difficile d'invoquer la folie passagère dans son cas. Voulez que j'vous dise un truc de malade ?

J'ai acquiescé en agitant les doigts.

— Bogan a conservé leurs souliers.

— Quoi ?

— Avant de descendre Cindi et Cale, il leur a fait retirer leurs chaussures et marcher pieds nus jusqu'à l'étang.

— L'étang près de la serre ?

— Ouais. Il a gardé ces chaussures toutes ces années, bien rangées dans une boîte, dans son armoire.

J'en suis restée ébahie.

— Pour Gamble, il a expliqué comment il s'y était pris ?

— Il le surveillait. Quand il a vu l'autre mécanicien quitter le stand et Gamble sous le capot, il a retiré le machin qui bloquait le cric levé. Le moteur tournait à plein régime. *Sayonara*, dès que les roues ont touché le plancher.

— À quoi bon le tuer sur le stand, puisqu'il lui avait déjà fait absorber du poison ?

— Plusieurs raisons à ça. D'abord, l'abrine ne marchait pas aussi vite que prévu, et ça l'énervait, Bogan. Probable que le crétin s'était gouré dans la préparation.

— Ou qu'il avait utilisé un échantillon trop vieux, dégradé.

— Ouais. Ensuite, parce qu'il avait l'impression que Gamble avançait dans son enquête, et ça le rendait nerveux. Quand vous vous êtes pointée chez lui avec Galimore, il a vraiment eu la frousse de sa vie.

— Il ne l'a pas montré.

— Non, mais il a reconnu Galimore. Il savait qui c'était. Qu'il travaillait sur le circuit et qu'il avait participé au groupe de recherches en 98. Il s'est dit que ça commençait à sentir le roussi.

— Mais Galimore, comment se fait-il qu'il n'ait pas reconnu Bogan plut tôt ?

— Bogan travaillait comme jardinier sur le circuit depuis des années. Bien avant que Galimore soit engagé comme chef de la sécurité. Il avait déjà un laissez-passer à son nom et un badge d'employé. Y avait pas de raison pour qu'ils se rencontrent. Bogan tenait Galimore à l'œil, mais en faisant attention à rester lui-même hors de vue. Pas besoin de se montrer, puisqu'il avait déjà Winge dans la place.

— Autrement dit, il n'y avait quasiment aucune chance pour que Galimore s'intéresse à Bogan. Il n'avait aucune raison de le faire.

— Exactement. Troisièmement, plus tôt dans la journée, Gamble avait apostrophé Bogan et l'avait menacé de lui secouer les puces s'il arrêtait pas de le suivre partout. Bref, quand l'occasion de lui faire la peau s'est présentée au stand, Bogan l'a pas laissée filer, persuadé que son crime passerait pour un accident.

J'éprouvais une colère telle que j'en avais des nœuds à l'estomac. De la culpabilité aussi. J'ai refoulé l'une et l'autre et j'ai demandé, changeant complètement de sujet :

— C'est vrai que Cale voulait quitter le Détachement patriote, comme le dit Maddy Padgett ?

— Ouais, il en chiait dans ses culottes, et Cindi aussi. Il connaissait pas mal de leurs petits secrets et il était terrorisé à l'idée que des gars de la bande emploient les grands moyens pour les empêcher de partir.

— Je comprends. C'est pour ça qu'elle avait demandé qu'on change les serrures. C'est de la bande qu'elle avait peur, pas de Cale.

— Bogan a aussi avoué pour Owen Poteat. On s'était pas trompés. Il l'a payé pour raconter qu'il avait vu Cindi et Cale à l'aéroport de Charlotte.

— Comment est-ce que Bogan l'a recruté ?

— Il lui avait acheté un système d'arrosage pour sa serre. Un jour que Poteat était venu réparer une panne, ils ont discuté. Poteat avait besoin d'argent ; Bogan, lui, avait besoin que les flics croient son fils toujours vivant, installé quelque part avec sa petite amie. Il a dû inventer un prétexte innocent et Poteat a accepté de jouer le jeu.

Dans les lunettes noires de Slidell, le reflet des magnolias s'est décalé bizarrement. Skinny devait passer par des émotions semblables aux miennes. Et par un ahurissement identique.

— J'ai du mal à croire qu'un homme puisse assassiner deux jeunes, dont un issu de sa propre chair, pour une simple question de règlement sportif. Mais je suppose que, pour Bogan, les courses ne sont pas un sport. C'est une religion qu'il vénère jusqu'au fanatisme.

— Autrefois, les monstres comme lui, on leur coupait un bout du cerveau.

— C'était le bon temps.

Mon ironie est tombée à plat.

— En tout cas, finies les courses jusqu'à la saison prochaine. Z'en voulez une autre, pas mal non plus ?

Bogan a presque soixante ans, et ce trou de cul a jamais mis les pieds hors de Caroline du Nord ou du Sud.

— Les courses de stock-cars suffisent à remplir son univers, j'imagine. Les courses et les plantes.

Slidell a secoué la tête.

— Quand je revois son bureau, j'en ai encore la tête qui tourne : un véritable musée dédié à la NASCAR. Des voitures miniatures, des pièces de moteur, des tenues de pilotes, des affiches signées. Et parmi ces milliers de photos, pas une seule de son fils.

— Un monstre, a répété Slidell.

— Le plus fou, c'est que ce crétin qui prétend aimer la NASCAR ne sait quasiment rien de son histoire. Les femmes ont le pied sur le champignon depuis bien avant l'année de sa naissance.

— Ah ouais ?

— Prenez Sara Christian. Le jour de l'inauguration du circuit de Charlotte, elle était sur la ligne de départ de la toute première course, la Strictly Stock. Vous savez en quelle année c'était ?

Slidell a fait non de la tête.

— En 1949. Elle s'était classée treizième aux qualifications. Elle a terminé quatorzième sur trente-trois.

— Pas vrai !

— Janet Guthrie a couru en Indianapolis 500 et en NASCAR. À la fin des années 1970, elle a participé à trente-trois courses de haut niveau. En 1977, à la Talladega 500, elle a fait un meilleur temps aux qualifications que Richard Petty, Johnny Rutherford, David Pearson, Bill Elliott, Neil Bonnett, Buddy Baker et Ricky Rudd. Et aucun de ces pilotes n'a jamais prononcé contre elle un mot désobligeant. Du moins en public.

— Elle a gagné ?

— Au premier tour, dans le virage numéro 1, elle a reçu l'arbre de transmission d'une autre voiture en plein pare-brise. On a changé le verre et elle est repartie. Là, c'est son moteur qui a explosé.

— Aïe.

— Louise Smith, Ethel Mobley, Ann Slaasted, Ann Chester, Ann Bunselmeyer, Patty Moise, Shawna Robinson, Jennifer Jo Cobb, Chrissy Wallace, Danica Patrick… La liste est longue. Les femmes pilotes ont toujours été là. Elles ne sont encore qu'une petite minorité, mais leur nombre augmente tous les ans. Aujourd'hui, parmi les passionnés de la NASCAR, on compte près de quarante pour cent de femmes.

— D'où vous tenez tous ces chiffres ?

J'ai brandi mon livre.

— C'est-y pas formidable !

— Pour Lynn Nolan et Ted Raines, ça va se terminer comment ? ai-je demandé.

— Boum-boum hors des liens du mariage, c'est adultère pour lui et aliénation d'affection pour elle. Mais ces plaintes aboutissent rarement en justice.

— Ces pauvres amoureux ont été victimes de malchance. À la mauvaise place, au mauvais moment.

Ma plaisanterie n'a pas fait rire Slidell, occupé qu'il était à titiller du pied les pensées qui bordent le petit sentier en brique. Manifestement, il avait quelque chose à me dire. Je l'ai laissé venir sans le presser.

Dr. Hook entonnait *Freaker's Ball*.

— C'est quoi, c'te musique ?

— Le groupe préféré de Birdie.

Il a secoué la tête, épaté par les goûts de mon chat.

— Pour votre info seulement : ce n'est pas à Galimore que Padgett a dit que Lovette voulait quitter le Détachement patriote.

— Ah bon ?

— Non. À un ancien du FBI, maintenant à la retraite. C'est dans le dossier.

— Ils vous ont finalement permis de le voir ?

— Sont-y pas spéciaux, ces agents spéciaux !

— Je ne comprends toujours pas très bien comment Galimore a pu se retrouver dans ce hangar.

— En le voyant fureter près de la caravane de Gamble vendredi soir, avant la course, Bogan a prétendu se rappeler quelque chose qui pouvait porter un tout autre éclairage sur ce qui s'était passé en 98. Il a proposé à Galimore de le lui montrer, et l'autre l'a suivi. Pourquoi se serait-il méfié ? Et là, dans le hangar, Bogan lui a planté sa flèche dans le corps.

— La dose d'abrine était assez forte pour le mettre K.O., mais pas pour le tuer, ce que Bogan voulait faire.

— Merci de me dire que le flic décrit par Padgett, grand avec des cheveux foncés, n'était pas Galimore.

— Ça change rien au fait que c'est quand même une merde.

— Galimore est tout à fait conscient d'avoir trahi un grand nombre de gens. Il dit qu'à l'époque il était concentré sur ses problèmes personnels.

— Un luxe qu'un flic peut pas se permettre.

— C'est vrai, et il s'en veut terriblement.

Comme Slidell ne disait rien, j'ai enchaîné :

— Je comprends votre position, mais Galimore a peut-être changé.

Un moment a passé. Slidell a dû l'employer à étudier cette éventualité, car il a déclaré :

— J'ai creusé un peu. Deux mois après que Galimore s'est fait coincer, y a eu un gars de son immeuble qui s'est fait arrêter pour trafic d'héroïne. Gordie Lashner. Il a écopé d'une peine de quinze ans.

— Vous pensez que l'argent trouvé dans la poubelle de Galimore était pour lui ?

— Tout ce que je sais, c'est que ce Lashner était une crapule.

— Vous allez regarder ça de plus près ?

— J'ai pas dit que je croyais que Galimore avait été piégé.

— Non. Juste qu'il était victime de malchance. À la mauvaise place, au mauvais moment.

Même plaisanterie, réaction identique : visage fermé.

Slidell a suivi des yeux une fille qui roulait à vélo de l'autre côté de la rue, en direction de l'église baptiste de Myers Park. Pas un geste indiquant qu'il voulait partir.

Dr. Hook a entamé une chanson sur la mère d'une certaine Sylvia.

Enfin Slidell a repris la parole. Et il m'a épatée :

— J'ai déposé une fougère à l'hôpital.

— Pour Galimore ?

— Non. Pour ce foutu Dr Pepper, a lâché Slidell en référence à la boisson gazeuse.

— C'est un très beau geste, ça.

— Je suis pas monté le voir, ni rien de tout ça.

— Quand même, c'est délicat de votre part.

Il a dressé son gros doigt en l'air.

— La fougère, c'est entre vous et moi.

J'ai fait le geste de me cadenasser les lèvres.

— Je voudrais pas qu'on pense que je me ramollis.

— Ouais, ça ne serait pas bon pour votre image.

Il a tiré un objet de sa poche et me l'a lancé.

— Galimore l'a fait envoyer à mon bureau, y a quelques jours. C'est vous qui lui avez demandé, paraît-il. Il avait pas eu l'occasion de vous la remettre en personne.

Ce qui a atterri sur mes genoux était une casquette de la NASCAR. Sur l'écusson, une signature à l'encre indélébile : *Jacques Villeneuve*.

Les coins de ma bouche se sont étirés en sourire. J'en connaissais un qui serait fou de joie : Andrew Ryan, le lieutenant-détective québécois, groupie de Villeneuve.

— Bon. (Relevant ses fausses Ray-Ban.) Erskine Slidell est toujours votre emmerdeur préféré ?

— Oui, détective. De tous les emmerdeurs de Charlotte, vous êtes toujours mon préféré !

Accompagné d'un sourire radieux.

EXTRAIT DES DOSSIERS
JUDICIAIRES DU Dʳ KATHY REICHS

Dans ce supplément en forme de questions/réponses, le scribe qui se cache derrière Tempe Brennan s'interroge sur les courses automobiles de la NASCAR, les groupes extrémistes, la vie amoureuse de Tempe et la différence entre l'écriture d'un roman et celle d'un scénario pour la série télévisée Bones, *produite par la Fox.*

1. Substance secrète *commence par la découverte d'un corps enfoui dans un baril d'asphalte dans une décharge proche du circuit automobile de Charlotte. Au fil des pages, certains personnages appartenant au monde des courses entrent de plain-pied dans l'intrigue. Qu'est-ce qui vous a poussée à choisir la NASCAR comme toile de fond de ce roman ? Êtes-vous personnellement une passionnée des courses de voitures ?*

Avant d'écrire *Substance secrète*, je n'avais qu'une connaissance superficielle des courses automobiles, n'ayant assisté qu'à un seul événement de ce genre, et cela à l'aube d'une vie antérieure. Mais tout le monde, à Charlotte, connaît au moins quelqu'un appartenant à cet univers, qu'il s'agisse d'un propriétaire d'équipe, d'un mécanicien, d'un commanditaire ou d'un pilote. Et de toute façon, comment résister au tourbillon qui s'empare de la ville deux fois l'an, en mai et en octobre, quand des centaines de milliers de supporters débarquent chez nous de tous les coins du pays ? Car notre petite ville est bel et bien l'un des épicentres du sport automobile aux États-Unis, au même titre que Daytona ou Darlington. Ce qui est bien normal, puisque les courses de stock-cars furent inventées ici à l'époque de la prohibition, comme Tempe l'explique dans le livre.

C'est grâce à la persévérance de Barry Byrd, un vieil ami passionné des courses, que j'évoque enfin la NASCAR dans un livre. Jusque-là, chaque fois que j'entamais l'écriture de nouvelles aventures, Barry me répétait que la NASCAR serait la meilleure des toiles de fond pour Temperance Brennan. Il me proposait de m'emmener avec lui sur le circuit, de me présenter à Jimmy Johnson et à son équipe, de m'intégrer au groupe de ses amis pour assister à All-Star ou à la Coca-Cola 600. Tant et si bien que j'ai fini par me rendre à ses vues.

Il a fait bien mieux que tenir ses promesses. Par lui, j'ai pu rencontrer non seulement des propriétaires de circuit, mais toutes sortes de hauts responsables chargés d'administrer le circuit, des journalistes sportifs, des chefs mécanos et quantité de fans arrivés jusque chez nous au volant de leurs caravanes depuis Portland, Houston, Teaneck ou Nashville. Merci, Barry ; merci aussi à vous, la famille Smith, qui m'avez permis d'explorer le circuit de Charlotte de fond en comble… Et de m'intéresser, à votre grand désarroi, à la fascinante décharge qui le jouxte. Je revois encore vos visages consternés face à mon étrange émerveillement.

2. Substance secrète *se déroule entièrement à Charlotte, ville natale de Tempe Brennan.* La trace de l'Araignée, *en revanche, commence à Montréal où Tempe travaille souvent et se poursuit à Hawaï. Dans d'autres livres, Tempe est à Chicago, en Israël, au Guatemala. Comment décidez-vous du lieu où se situent vos romans ? Dans quelle ville passez-vous la plus grande partie de votre vie, ces derniers temps ?*

Le décor est partie intégrante des histoires que j'écris, leur poumon dirais-je même. Tempe se trouve toujours dans des lieux que je connais personnellement, soit que j'y exerce mon métier de façon régulière, soit que j'y aie passé un certain temps.

Comme je vis et travaille à Charlotte, c'est là que j'ai choisi de baser Tempe. Cela dit, elle voyage beaucoup, comme moi, puisqu'elle fait des allers-retours réguliers entre la Caroline du Nord et le Québec où elle exerce les mêmes fonctions que moi : celles de consultant pour le Laboratoire de sciences judiciaires et de médecine légale de Montréal. C'est donc bien à sa mère littéraire que Tempe doit ses milles de récompense sur les lignes aériennes !

Dans *La trace de l'Araignée*, Tempe part pour Hawaï à la demande du JPAC, organisme dépendant de l'armée américaine chargé de retrouver les prisonniers de guerre et d'identifier les soldats tombés au champ d'honneur. L'idée de choisir ce lieu m'est venue facilement à l'esprit, car j'ai travaillé de nombreuses années comme consultant pour ce laboratoire.

Dans *Secrets d'outre-tombe*, Tempe exhume une fosse commune au Guatemala — une de mes tâches en l'an 2000, effectuée à la demande de la Fondation guatémaltèque d'anthropologie médico-légale.

Dans *Terreur à Tracadie*, une affaire criminelle entraîne Tempe à Tracadie, au Nouveau-Brunswick. Ce lieu m'a été inspiré par une exhumation et une analyse que j'ai réalisées à la requête d'une famille originaire de cette province canadienne.

Dans *L'os manquant*, Tempe se retrouve à Chicago, lieu on ne peut plus évident pour moi, puisque c'est là que je suis née. Bref, vous l'aurez compris : si quelqu'un est partisan de l'observation directe, c'est bien moi.

3. *L'extrémisme de droite occupe une place importante dans* Substance secrète, *où un groupuscule appartenant à la tendance «Suprématie blanche» figure au nombre*

des suspects. C'est un thème que vous avez abordé dans des romans précédents. D'où vous vient un tel intérêt pour cette fraction de la société américaine ?

Les idées extrémistes ne me choquent pas, j'estime que les gens sont libres de croire ce qu'ils veulent. Ce qui me choque et me fâche, en revanche, c'est que les porteurs de telles idées puissent avoir pour objectif de nuire à autrui.

Dans *À tombeau ouvert*, j'évoque l'extrémisme religieux à travers des adeptes qui refusent que puissent coexister d'autres visions du monde que la leur. Dans ce roman-là, dont l'intrigue se déroule en Israël, Tempe est amenée à entrer en contact avec des groupes marginaux qui cherchent à imposer par la violence leur idéologie et leurs traditions.

Qu'il soit de droite ou de gauche, l'extrémisme politique n'en est pas moins dangereux. Ces dernières années, la haine et l'intolérance ont conduit plusieurs Américains à mener des attaques terroristes sur leur propre sol : Ted Kaczynski, surnommé Unabomber ; Timothy McVeigh et Terry Nichols, les poseurs de bombe d'Oklahoma City ; Eric Rudolph, qui voulait faire sauter le Parc olympique d'Atlanta. Ces individus, s'appuyant sur leur définition pervertie de la moralité, vont jusqu'à décider d'assassiner leurs concitoyens.

Après des années de cavale, Rudolph a été arrêté dans l'ouest de la Caroline du Nord, à environ quatre heures de route de Charlotte, alors qu'il fouillait une benne à ordures. En apprenant la nouvelle, je me suis demandé si d'autres individus ne se cachaient pas dans nos montagnes. Cette question trouve enfin son expression littéraire dans *Substance secrète*, où je fais intervenir un groupe de gens à l'esprit particulièrement étriqué, issus du même moule que cet Eric Rudolph.

Étant donné que l'union fait la force, certains de ces fanatiques d'extrême droite s'associent en clubs ou en milices. Dans *Substance secrète*, Tempe est entraînée malgré elle dans cet univers et contrainte d'apprendre la philosophie de ces extrémistes pour déchiffrer leur code de conduite et parvenir à déterminer leur rôle dans une affaire classée depuis des années, mais qui la perturbe infiniment.

4. Dans Substance secrète, *une relation de séduction s'établit entre Tempe et Cotton Galimore, le chef de la sécurité du circuit automobile de Charlotte. Les amoureux de Tempe, le lieutenant-détective québécois Andrew Ryan et l'avocat de Charlotte Charlie Hunt, ne font que de brèves apparitions. Comment décidez-vous de ce qu'il advient à Tempe d'un livre à l'autre sur le plan romantique ? Pouvez-vous nous donner des indices sur ce qui l'attend maintenant ?*

C'est vrai, Tempe passe actuellement par une période de confusion dans sa vie amoureuse. Andrew Ryan est préoccupé par sa fille, Lily, en cure de désintoxication à des milliers de kilomètres de Charlotte ; Charlie Hunt est lui aussi à des kilomètres de Tempe, et pas seulement d'un point de vue géographique, absorbé qu'il est par un procès difficile.

Entre en scène Cotton Galimore, un type fort, intelligent, dangereusement excitant. Hélas, son passé de flic révoqué est loin d'être sans tache. Joe Hawkins se méfie de lui, Skinny Slidell le déteste carrément. Et ce gars est en plus d'une arrogance insupportable.

Mais le cœur a ses raisons… Inexplicablement, Tempe est attirée par cet homme qui concentre sur lui l'opprobre général. Galimore est-il vraiment aussi crapuleux que ses anciens collègues le prétendent ? Tempe doit-elle s'en tenir à l'écart, comme tout le monde s'acharne à le lui conseiller ? Pas question pour elle de se laisser dicter sa conduite. La liberté avant tout !

5. Comme toujours dans vos livres, vous faites intervenir dans Substance secrète *des détails de médecine légale tout à fait curieux. Ici, la victime découverte à la décharge au fin fond du baril de goudron que Tempe*

devra exhumer avec un soin minutieux s'avère avoir
été empoisonnée par une toxine surprenante, comme
l'indiquent les tests chimiques réalisés par l'Institut de
veille sanitaire. Ce sujet vous a-t-il été inspiré par un
événement précis ? Avez-vous vu de vos propres yeux,
au cours de votre pratique professionnelle, des cadavres
contaminés de cette façon ou avez-vous imaginé de
toutes pièces cet étrange homicide, sans être jamais
tombée personnellement sur un cas similaire, cas extra-
vagant s'il en est, mais tout à fait possible ?

A l'instar des charognards, je suis en permanence à l'affût d'un os à ronger, sauf que, dans mon cas, il s'agit non pas de cadavre, mais d'éléments susceptibles de pimenter mon intrigue criminelle. Dans ce but, je garde donc les oreilles et les yeux grands ouverts, aux aguets de tout ce qui pourra nourrir mes personnages et apporter de la bizarrerie à l'histoire. Et je résous le mystère en m'appuyant sur les découvertes scientifiques les plus récentes.

Quant à l'intrigue en soi, elle peut provenir d'une foule de sources. De moi-même, pour commencer. Au centre, il y a souvent comme point de départ une idée qui m'a été suggérée par des analyses anthropologiques que j'ai menées dans l'exercice de mon métier.

Sur le cercle suivant, je placerais le LSJML, mon lieu de travail à Montréal. C'est un laboratoire complet où les analyses médico-légales sont réalisées dans tous les domaines, balistique, toxicologie, pathologie, ADN. Lorsque je suis sur place, j'ai l'occasion d'observer ce qui se passe autour de moi et, surtout, de me tenir informée des dernières découvertes en matière scientifique.

Plus loin vers l'extérieur, il y a les experts en criminalistique. Ils adorent parler de leurs cas, et tant mieux ! car le récit de leurs enquêtes m'a suggéré quantités d'idées pour ma Temperance Brennan.

Une conférence à laquelle j'assiste dans le cadre de mon métier peut à l'occasion me fournir un élément d'intrigue. Le colloque annuel de l'American Academy of Forensic Sciences est un filon particulièrement riche, par exemple, de même que la lecture des revues scientifiques, excellent accélérateur de neutrons à l'intérieur de ma matière grise.

Une idée peut surgir de mes propres enquêtes, de mes observations personnelles ou de mes lectures, une idée « pépite » comme je dis, qui servira de base à l'ensemble de l'histoire. Je change ensuite tous les éléments qui la composent, les noms des gens, les dates, les lieux, les détails personnels, cela pour des raisons juridiques et morales évidentes. Après quoi je la tourne et la retourne dans tous les sens en jouant au jeu du « Et si… ? » jusqu'à ce qu'elle se transforme en un mille-feuille acceptable, par la grâce de mon imagination.

6. En plus des romans ayant Temperance Brennan pour héroïne principale et de ceux où intervient sa nièce, destinés à un public plus jeune, vous écrivez des scénarios pour la série Bones, *produite par la chaîne Fox. Ces scripts sont très proches de vos œuvres romanesques. En quoi l'écriture d'un scénario pour la télévision diffère-t-elle de celle d'un roman ? Laquelle de ces deux formes d'écriture vous semble plus difficile que l'autre ?*

S'agissant de la série télé *Bones*, je ne suis pas auteur. Mon nom figure parmi ceux de l'équipe de producteurs, et elle est nombreuse, comme vous pourrez vous en convaincre en lisant le générique. En ce qui me concerne, mon travail consiste à aider les auteurs, à répondre à leurs questions, à leur fournir des renseignements sur les os, à vérifier la terminologie employée. En tout, j'ai lu plus de 130 scripts depuis le lancement de la série, qui dure maintenant depuis six saisons.

Toutefois un scénario pour la télévision est très différent d'un livre, même s'il existe entre eux des points communs.

S'il y a similitude entre mes romans et mes scénarios, c'est avant tout une similitude sur le plan de la structure. L'une des caractéristiques de mes romans, c'est que plusieurs histoires s'entremêlent : une histoire A, une histoire B et, éventuellement, une histoire C. Il en est de même dans la série télé.

Dans *Substance secrète*, par exemple, Tempe doit identifier un corps trouvé dans un baril. C'est l'histoire A. Parallèlement, des circonstances l'entraînent à s'intéresser à un couple de jeunes qui a disparu voici plusieurs années. L'histoire B. Et, pendant ce laps de temps, elle passe par une période compliquée dans sa vie amoureuse. L'histoire C.

Prenons un épisode que j'ai écrit pour la série télé *Bones*, « La sorcière dans le placard » (cinquième saison). Dans ce script, deux groupes de restes sont découverts dans une maison ravagée par un incendie. Celui retrouvé dans le placard s'avère appartenir à une femme morte depuis déjà un certain temps. Histoire A. En revanche, les restes exhumés sous les fondations de la maison sont identifiés comme ceux d'une victime tuée récemment. Histoire B. Angela et Hodgins vont en prison (et leur amour s'en trouve ravivé). Histoire C. Vous voyez donc que, sur le plan structurel, ces deux exemples de fiction sont très proches.

Cependant, un roman et un scénario diffèrent à bien des égards. Au cinéma ou à la télévision, il n'est pas nécessaire de donner au spectateur une description détaillée du décor ou de l'action : tout est là, sous ses yeux. Ce qui compte, c'est le dialogue, les personnages, les rebondissements de l'intrigue.

Autre différence sensible, l'expérience créative. Un roman, c'est un écrivain tout seul face à son clavier. Sans personne à côté pour lui souffler quoi que ce soit, sans personne pour approuver ses choix ou les critiquer. Ce n'est pas le cas pour les scénarios de télévision. Là, une fois adopté le sujet (qui est un peu comme mon idée pépite), survient l'étape de l'éclatement. Au cours de celle-ci, toute l'équipe de *Bones* se triture la cervelle (période d'une à trois semaines) en vue de concocter une ligne directrice en plusieurs actes et de développer les scènes l'une après l'autre. Ce travail s'effectue dans la salle des scénaristes, sur les tableaux effaçables qui tapissent les murs. C'est un processus collectif. D'autant plus passionnant dans le cas de *Bones* que l'équipe est constituée de gens formidables. (Josh Berman, Pat Charles, Carla Kettner, Janet Lin, Dean Lopata, Michael Peterson, Karine Rosenthal, Usher Karyn. Merci pour votre patience, les amis!)

Ce brouillon de script achevé, on l'«implante» dans le corps de *Bones* et on le soumet à l'approbatur d'Hart Hanson, notre créateur et producteur exécutif de génie.

Une fois l'idée générale acceptée, l'auteur «se met à table». C'est-à-dire qu'il retourne à son clavier dans la solitude de son bureau pour y pondre la version dite «de l'auteur». Étape qui prend là aussi d'une à trois semaines. Sauf si on est en retard. Dans ce cas, eh bien, bonne chance!

Puis viennent les remaniements. Suivis d'autres versions: la version du studio; la version de la chaîne; la version de la production.

Et finalement vous découvrez, à votre ébahissement, que l'épisode est en cours de tournage, que tous les acteurs ont été engagés, que le réalisateur est sur le plateau, tout comme les électros, les machinos et la régie. Lumière! Caméra! Action!

C'est presque aussi ahurissant que de voir le fruit de ses élucubrations imprimé sur une page!

REMERCIEMENTS

Sans Barry Byrd, *Substance secrète* n'aurait jamais vu le jour. *Muchas gracias*, Byrdman ! Je te dois beaucoup.

Scott et Tiffany Smith m'ont invitée chez eux et m'ont intégrée à leur groupe pour me faire découvrir la Race Week. Résultat : le monde de la compétition automobile compte désormais une fan de plus.

Marcus Smith et Bryan Hammond m'ont accueillie au Charlotte Motor Speedway et ont répondu à mes interminables questions sur le circuit et les compétitions en NASCAR. Le fantastique Chad Knaus, chef de l'équipe de Jimmie Johnson, m'a fourni mille renseignements sur les voitures de course et les écuries. Marty Smith, de la chaîne thématique ESPN, m'a donné le point de vue d'un journaliste. Quant à Bruton Smith, il s'est montré d'une merveilleuse hospitalité en m'invitant dans sa suite royale, ce dont je le remercie chaleureusement.

Les Drs Jane Brock, Patty McFeeley et Mike Graham ont éclairé ma lanterne sur la ricine. Le Dr William C. Rodriguez et Mike Warns ont répondu à un bon million de questions chacun. Le sergent Harold (Chuck) Henson, de la police de Charlotte-Mecklenburg, m'a fourni une fois de plus maintes précisions sur le fonctionnement des services du maintien de l'ordre et du respect de la loi.

Grâce à D.G. Martin, j'ai eu connaissance d'un article sur l'histoire des courses de stock-cars, et David Perry

m'a aimablement offert le livre de Daniel S. Pierce :
Real NASCAR : White Lightning, Red Clay, and Big Bill France, publié par les éditions University of North Carolina Press, Chapel Hill.

Philip L. Dubois, recteur de l'université de Caroline du Nord, section de Charlotte, mérite cette fois encore tous mes remerciements pour son soutien indéfectible.

Je suis reconnaissante à ma famille pour sa patience et sa compréhension. Incroyable ce qu'ils peuvent être indulgents en face d'une ronchonneuse comme moi !

Ma gratitude la plus profonde s'adresse à mon agent, Jennifer Rudolph Walsh, et à mes géniales rédactrices, Nan Graham et Susan Sandon. Je tiens aussi à exprimer ma reconnaissance à tous ceux qui s'échinent pour moi, notamment : Katherine Monaghan, Paul Whitlatch, Rex Bonomelli, Kara Watson, Simon Littlewood, Gillian Holmes, Rob Waddington, Glenn O'Neill, Kathleen Nishimoto, Lauren Levine, Tracy Fisher, Michelle Feehan, Cathryn Summerhayes et Raffaella De Angelis.

Je dois également beaucoup à l'équipe canadienne, en particulier à Kevin Hanson, Amy Cormier et David Millar.

Et, bien évidemment, j'éprouve la plus grande gratitude pour vous, mes lecteurs. Sans vous, à quoi bon tout ça ?

Si j'ai oublié quelqu'un dans ces remerciements, qu'il reçoive mes plus plates excuses.

Et si, malgré toute l'attention portée à l'écriture de ce livre, des erreurs ont réussi à s'y glisser, croyez bien qu'elles sont toutes de mon fait.

MARQUIS

Québec, Canada

Imprimé au Canada